EL PEDREGAL: HISTORIA, VIDAS Y RECUERDOS

El Pedregal: History, Lives and Memories

(Parte II)

¿Cómo es que los tiempos pasados fueron mejores que és-tos? [Quid putas causae est quod priora tempora meliora fuere quam nunc sunt?] (Eclesiastés 7: 10,11).

Quiero de dedicar este libro a todas las personas que, de una forma u otra, colaboraron en el mismo, pero muy especialmente a Ana Isabel Fernández Fernández (pues ella fue la inicial promotora de la idea de elaborarlo), así como a Mari Paz García González, a Jacinto García Fernández, ya no solo por su trabajo a pie de campo y colaboraciones, sino porque siempre tuve en ellos una mano amiga en los momentos difíciles, que, por supuesto, los hubo en un trabajo tan largo, complicado y de abundante interacción social. También a Anita Fernández García, a Senén González Ramírez y a Laureano Víctor García Díez por su extraordinarios y desinteresadas aportaciones a esta obra. A mi primo Joselito, *in memmoriam*. Con mi afecto y agradecimiento.

© Joseph Millariega (J. Mill).
© El Pedregal: Historia, Vidas y Recuerdos (Parte II)
© El Pedregal: History, Lives and Memories (Parte II)
© Correcciones: Mari Paz García González y Joseph Millariega
© Maquetación: Joseph Millariega.
© Adenda de pies de foto: Mari Paz García González, Anita Fernández García y Joseph Millariega.
© Correcciones en lengua vernácula: Mari Paz García González
Editado Bubok Publishing. Paseo de las Delicias, 23. 20045. Madrid.
ISBN: 978-84-685-8917-6

Libro editado a precio de coste, sin beneficio alguno para el autor.

ÍNDICE (II)

1

La dinastía de los Begega: esplendor y decadencia

Obra pía del Licenciado don Pedro García de Pedregal. 25 de octubre de 1651 (1). El sacerdote Pedro García del Pedregal, nació en el lugar de su segundo apellido **(Por Senén González Ramírez: 2024)** a finales del siglo XVI y falleció en La Pereda (donde estaba de párroco) el 29 de octubre de 1651 y sepultado en el templo de San Tomás, aunque en un principio por su testamento deseaba ser inhumado en la iglesia del Pedregal, cosa que no se cumple por su mandato posterior en un codicilo que añadió a dicho testamento. Sobrino del Bachiller Juan García del Pedregal, que fue cura párroco de San Julián de Arbas, en el concejo de Cangas de Tineo, hoy del Narcea. Este señor erigió en 1638 una capilla avocada a la Santísima Trinidad en el templo parroquial del Pedregal, del lado del Evangelio y próxima a la capilla mayor, sobre la cual dejó fundadas ciertas cargas y censos, nombrando capellán a un pariente de su familia. Don Pedro García del Pedregal antes de ser párroco de Santo Tomás de La Pereda, lo había sido de la parroquia de San Félix de San Román de Naveces, concejo de Carreño y Avilés. En esos lugares poseía infinidad de censos que cobraba en dinero y también en grano, al crear una alhóndiga en un hórreo de su propiedad en el que se almacenaban granos de trigo y mijo, con el fin de ser utilizados como simiente en épocas de escasez y con la obligación de reposición con la nueva cosecha. De ahí fluye el capital para crear una obra pía en beneficio de las doncellas y estudiantes de su linaje del Pedregal y de La Pereda; en favor de sus hermanos y también del resto de los vecinos del pueblo, sin distinción.

Redacta su testamento el 29 de mayo de 1651, ante el escribano de número y Ayuntamiento de Tineo Juan Marcos Pertierra. Por esa escritura queda constancia de la fundación de una obra pía

en su pueblo natal, por la que dejaba una panera (2) que permanece con sesenta heminas de pan, cuarenta de centeno y veinte de mijo que se repartían en mayo de cada año entre (y solo) los vecinos del Pedregal; y se recobraban en noviembre inmediato siguiente, hecha la cosecha. Manda se haga un arca de tres llaves, en la cual haya de entrar el dinero del capital de los censos que dejó para esta obra pía (que *redimieren y quitaren*) y tenga una llave el patrono, que lo era su sobrino Tomás Fernández; otra don Diego García de Tineo (hijo de la Casa de los Tineo Osorio de Zardaín), cura de la iglesia de San Justo y su excusador y después de él sus sucesores; y don Pedro de Merás, Señor de la Casa de Merás y, después de los días de éste, al guardián de San Francisco de Tineo y sus sucesores.

Inicia su memoria testamentaria como era preceptivo, haciendo una exultación a su creencia religiosa: católica, apostólica y romana. Elije su sepultura en la iglesia del Pedregal, cosa que anularía en un codicilo. Que el día del entierro se le digan ocho misas, una cantada con su vigilia y las otras rezadas; que se ofrezcan dos heminas de escanda y dos cántaras de vino y la mitad de una vaca;

otras tantas misas y ofertas el tercer día de exultación del alma. Que los oficios sean hechos por seis clérigos cada día y se ofrezca en cada uno de ellos una hemina de escanda y una cántara de vino y un carnero y se les dé un desayuno; y a los pobres se les dé su limosna, sin intervenir otras comidas... [] ... Ordena se le diga un responso cantado sobre su sepultura todos los domingos del año y se dé al cura de limosna un ducado hasta su cumplimiento según es su voluntad. Manifiesta que para el honor y servicio de Nuestro Señor y de su Santísima Madre, ayuda y socorro de doncellas deudas suyas y de la familia de sus padres, siempre ha tenido el propósito de fundar cierta obra pía, en la cual refleja y sitúa cuarenta ducados de renta cada año sobre los principales de ochocientos que posee en censos, sobre las personas y bienes situados en Naveces, Avilés y Pravia:

'En Naveces, sobre los bienes y hacienda de Gregorio de Estrada y su mujer, cinco ducados de réditos de principal de cien ducados [que me deben]. Más sobre los bienes de Álvaro de la Fuente, de La Pereda, tres ducados de principal de sesenta ducados que me debe. Más un ducado que me debe de réditos Domingo Pérez, de La Pereda, del principal de veinte ducados que me debe. Más sobre los bienes y hacienda de Juan Fernández de la Caleya, vecino de La Pereda, dos ducados y medio de réditos de principal de cincuenta ducados que me debe. Más sobre los bienes de Alonso Menéndez y Juan del Prado, vecinos de La Pereda, dos ducados que me deben. Más sobre los bienes de Juan de la Caleya, sobre ocho reales y tres cuartillos de principal de dieciséis ducados que me debe. Más sobre los bienes de Juan Pérez Matalón, vecino de La Pereda, ocho reales menos cuartillo de principal de doce ducados que me debe.

Los cuales dichos cuarenta ducados de renta quiero y es mi voluntad se den, en cada año, a una doncella que lo sea virtuosa y recogida, para casar o para ayuda de entrarse religiosa y quiero que, en el gozar de este estipendio y dote, se haya de guardar la

orden siguiente: Que en primer lugar, para matrimonio o religión lleven la dicha propina las hijas legítimas de Fabián García, mi hermano; y en segundo lugar las hijas legítimas de Alonso García, mi hermano, con aditamento y condición que si las hijas Alonso García, mi hermano, se ofreciere casarse primero una de ellas y no más que la del dicho Fabián García se le dé y acuda con la dicha propina, con que no se entienda con las demás sus hijas hasta que todas del dicho Fabián García estén todas acomodadas y recibidas las dichas propinas; y en esta conformidad vuelvan a entrar las hijas del dicho Alonso García, mi hermano. Y en tercer lugar mando lleven la dicha propina de cuarenta ducados para el fin requerido, las hijas legítimas de María Blanca, mi sobrina, mujer de Pedro Menéndez, de La Pereda. Y en cuarto lugar sucedan las hijas legítimas de Catalina Suárez, mi sobrina, mujer de Felipe González Carbajal, vecino de Naveces. Y del dinero de dotación y ayuda de las dichas sobrinas en la forma referida; y si, lo que Dios no permita, se muriere sin tomar estado de religión o matrimonio, suceda y llamo a la dicha propina las parientas y sobrinas más cercanas y deudas mías; y si sucediese haber dos o más que estén en un mismo grado, en tal caso mando sea preferida la más honesta y virtuosa y que esté más de próxima de tomar estado, pero de más edad, por la necesidad que se le puede según de acomodarse más presto. Y si sucediere que dos o más concurran en edad, virtud y necesidad de acomodarse porque no tengan pleitos o diferencias, mando y es mi voluntad hagan y entren en suerte cada una con su nombre y la que primero saliere haya de llevar y lleve la propina de aquel año. Y la segunda la siguiente. Y si fueren más, consecutivamente y sin perjuicio, puedan oponer otra ninguna, pues no las puede haber que prefieran a las contenidas en la forma referida. A cuya elección asistirá el Patrono y las personas que pretendieren y sus padres si estuvieren y persona a quien ellos no reparen para que no haya fraude ni engaño, sino que Dios la dé a quien fuere servido.

Ítem mando que si se ofreciere algún deudo mío que sea hijo de padres legítimos, que no tenga alimentos con que puedan sustentar en la ciudad de Oviedo al estudio de Gramática y Facultad, que al tal el dicho mi Patrono le haya de dar libranza de diez ducados cada un año que asistiere al dicho estudio de los dichos cuarenta ducados que dejo consignados para casamiento y dotes de religiosa a la dicha doncella, mi parienta, porque en tal caso la propina de la tal será solo de treinta ducados y esta propina de diez ducados la haya de llevar el tal estudiante solo por tres años, siendo virtuoso y que trate de aprovecharse, el cual dicho estudiante pariente haya de ser nombrado por el dicho Patrono y de los parientes más cercanos conforme a los llamamientos de la parienta doncella arriba referida; y por la misma orden y para el dicho nombramiento se haya de hacer la dicha aplicación que para el nombramiento de cada doncella y pasados los tres años por la misma orden y forma y para el mismo estudiante en la ciudad de Oviedo se haga el nombramiento de otro estudiante, si lo hubiere, lo cual se cumpla para siempre jamás con más el nombramiento de las doncellas. Y no habiendo estudiante de las calidades referidas para aquel año o años que no lo hubiere, sea la

propina de la dicha doncella para matrimonio, religión o celibato los dichos cuarenta ducados enteros.

Ítem dejo y nombro por Patrono para nombrar dicha doncella y estudiante a Tomás Fernández, mi sobrino, capillero de la capilla de la Santísima Trinidad, inclusa en la dicha iglesia de San Justo del Pedregal, que fundó el Bachiller Juan del Pedregal, mi tío que sea en gloria, cura que fue de San Julián de Arbas del concejo de Cangas. Y después de la muerte del dicho Tomás Fernández, capillero, quiero y mando sea tal Patrono, perpetuamente el de capillero que fue de la capilla de la Santísima Trinidad, por cuanto estoy cierto que este tal ha de ser de la familia de mis padres como lo manda el fundador a los cuales encargo la conciencia de que hagan el nombramiento de la tal doncella y estudiante según en la forma que lo dejo ordenado.

Ítem para que esta memoria se cumpla y ejecute en la forma que lo dejo ordenado. Pido y suplico a Su Señoría el Sr. Obispo que al presente es o fuere de este Obispado y a su Visitador, tome cuentas y averigüe en la forma que se cumple esta memoria para que no se haciendo en la forma que lo ordeno y expuesto, Su Señoría el Sr. Obispo y su Visitador pongan el remedio que convenga.

Ítem quiero se haga un arca de tres llaves, en la cual haya de entrar el dinero de los capitales de los censos que dejo para esta obra pía, que redimieren y quitaren; y tenga una llave el dicho Patrono y la otra el don Diego García de Tineo, cura de la dicha iglesia de San Justo y su excusador y después de él sus sucesores; y don Pedro de Merás, Señor de la Casa de Merás y después de sus días el Guardián de San Francisco de Tineo y sus sucesores. Y la redención que se hiciere de los dichos censos asistan todos tres en el dicho lugar del Pedregal y asimismo al empleo y no los unos sin los otros. Y estando el dicho dinero en el arca no lo puedan sacar de ella sino fuere para volver a emplear en parte y personas que sean llanas y abonadas; y les pido tengan cuidado luego como se redimieren los dichos censos, de que se pongan cédulas en la dicha iglesia de San Justo y en las más partes que le pareciere para que se vuelva a emplear en censos y en hacienda raíz corriente para la dicha obra pía... [] ... Ítem digo y mando por el particular amor que tengo a mis hermanos y por verlos pobres y necesitados, que es Fabián García y Alonso García, que a dichas sus hijas legítimas para casarse o entrar religiosas y pasar en el estado de celibato, en la forma que arriba va ordenado, lleve cada una dos propinas que montan ochenta ducados, que es la renta de dos años no habiendo estudiante y habiéndolo lleve sesenta; y entre las dichas mis sobrinas hijas de mis hermanos, quiero lleve las dichas dos propinas en primer lugar, tomando uno de los dichos estados, Dominga mi sobrina, hija de Juan García, mi hermano difunto, no estando casada; y esto de las dos propinas, solo quiero que se entienda con las dichas hijas de dichos mis hermanos y Dominga mi sobrina y no con otra ninguna, sino con las descendientes de éstas y más mis parientas, se guarde lo arriba dicho y lleven solo una propina.

Ítem digo y es mi voluntad que haya una panera en la cual dejo sesenta heminas de pan, cuarenta de centeno y las veinte de mijo, las cuales siempre estén en el mi hórreo que compré para el dicho

efecto, que está junto a mi casa hacia la iglesia de San Justo, en el cual estará siempre dicha panera y dicho pan para el remedio y necesidades de los vecinos del dicho lugar del Pedregal, tan solamente parientes y no parientes de él; para que en tiempo de suma necesidad se hayan de valer del dicho pan para dicha necesidad y viniendo el pan de nuevo lo hayan de devolver en la especie que lo llevaron para que siempre el principal esté en ser y permanezca para el remedio de las necesidades que puedan suceder; y si acaso fuere tan grande la necesidad, para que haya para todos no pueda llevar más de cuatro heminas para su remedio, el que más llevare, para que haya para el remedio de todos; el Patrono de esta mi obra pía tenga cuidado de cobrar de los que llevaren el dicho pan y recogerlo y ponerlo en la dicha panera para el mismo efecto arriba referido.

Ítem dejo dos ducados de renta en cada un año perpetuamente a la iglesia de San Justo del Pedregal para reparos y ornamento de la dicha iglesia; y sino estuvieren situados y fundados los dichos dos ducados de renta.

Dejo en la dicha arca de tres llaves atrás contenidos cuarenta ducados, los cuales se den y paguen y pongan en un censo en parte segura, con asistencia del Patrono que dejo para las más obras pías y asistencia del cura de la dicha iglesia y mayordomo de ella, para que siempre el principal esté en ser y los réditos sean para la fábrica de la dicha iglesia; y si se quitare se vuelva a emplear para que siempre rente para la dicha iglesia; y la redención de ellos mientras no hubiere persona en quien se puedan emplear estén depositados en el arca de las dichas tres llaves que para el propio efecto tengo hecha. Y se pongan todos los papeles y escrituras de censos y ventas que yo tengo y dejo para la dicha obra pía juntamente este mi testamento y se saque un traslado de el para que tengan en su poder para cuando hubiere alguna dificultad se saque del archivo y arca donde están metidos; y también las ventas y escrituras de la hacienda que tiene la dicha capilla, para que en todo haya verdad y claridad.

Ítem dejo para la lumbre del Santísimo Sacramento de la iglesia de San Justo del Pedregal ocho reales, los cuales se den en cada un año para dicha lumbre perpetuamente, para los cuales dejo catorce ducados, los cuales se empleen para el dicho efecto en un censo en persona segura, que renten para el dicho efecto. Y el mayordomo del Santísimo Sacramento tenga cuidado de cobrar de la persona que tuviere dicho censo y emplearlo en aceite para encender la lámpara del Santísimo Sacramento; y el dicho Patrono nombrado tenga cuidado [de] que se haga y cumpla con el dicho efecto.

Ítem dejo la mi casa nueva que yo he y tengo e hice en el lugar del Pedregal, cubierta de teja, al capillero que he y fuere de la dicha capilla de la Santísima Trinidad que fundó el Bachiller Pedregal, mi tío, que sea en gloria, con aditamento y condición que haya de ser mi pariente dentro del cuarto grado y haya de vivir en ella y haya de decir tres misas rezadas la una a advocación de Nuestra Señora de las Candelas; y la otra día del Señor San Pedro Apóstol; y la otra el día del ángel de la Guarda, perpetuamente por mi ánima y de mis antepasados en cada un año. Y si, lo que Dios no permita, que no haya capillero que sea mi pariente, la dejo al pariente más cercano de mi linaje con la misma carga de tres misas.

Ítem dejo la casa (que tengo y hube) de Juan García, mi hermano, la cual pagué en dote que di a sus hijas y hacer por su ánima y la de su mujer y deudas que pagué por él, conforme consta de un reconocimiento que consta entre mis papeles; la cual dejo a Fabián García, mi hermano, por los días de su vida y perpetua, para que disponga de ella como suya; y el hórreo delante de ella y quiero que dicho Fabián goce y lleve dicha casa.

Ítem digo que dejo por mis albaceas y testamentarios al Licenciado don Pedro de Merás Señor de la Casa de Merás y al Licenciado Juan Rodríguez y Coronas, cura de La Barca, a los cuales le y faculta, etc.'.

(1) AHA. Obras Pías. Signatura 109.13.

(2) No se entienda el término *panera* como edificio tal, evolucionado arquitectónicamente del hórreo, sino como almacén de grano panificable, tal era el caso del mijo y trigo.

La histórica Casa señorial de El Llano, hoy de Begega

'Antaño se la llamó Casa del Llano (**Por Senén González Ramírez: 2024**), topónimo que obedece al paraje en que se halla ubicada. Otros la nombran como 'del Hospital', pero este término no se puede demostrar documentalmente. Porque los hospitales de pobres y peregrinos más próximos estaban en la vecina parroquia de La Pereda (1) y en la villa de Tineo (2). Por lo cual no es ortodoxo que en tan breve distancia hubiese un nuevo establecimiento hospitalario. El origen de este noble solar se remonta al s. XVII (segunda mitad), en que aparece en la diplomática del concejo de Tineo don Francisco Díaz Valdés, como Señor de esa Casa. Regidor Perpetuo del concejo de Valdés. Hijodalgo notorio, de casa y solar conocido, de armas pintar y poner.

La casa-palacio que estos señores levantaron en El Pedregal denota noble hechura. Orientada al mediodía, poseía dos torres (suprimida la de la derecha en 1931) y oratorio privado. Se trata de un edificio que aloja en su parte izquierda, perpendicular al edificio principal, una torre cuadrada divida en tres plantas, en la del medio un balcón acristalado, flanqueado a su lado derecho por una ventana rasgada balconada. Al igual que en la primera planta y tercera, ambas con dos ventanas de la misma hechura. Las superiores dispuestas en antepecho enrejado, a modo de mirador. Bajo los jabalcones, tres pequeñas troneras cuadradas y acceso al palomar situado en el camaranchón. En la fachada de poniente: perfectamente diferenciadas las plantas, una ventana en cada una de ellas, las dos últimas balconadas.

Perpendicular a la torre, el edificio principal alberga la parte superior de la casa, con dos ventanas balconadas y otras dos a ras del suelo. Un gran ventanal sobre el portalón principal de acceso y a su derecha ventana balconada y otra en la parte inferior. A todo este conjunto se le ha añadido en la parte norte otro moderno edificio con fines agropecuarios. En los fondos del archivo de esta Casa (3) [rama de El Pedregal] hemos podido reconocer infinidad de documentos históricos que avalan lo mucho que en otro tiempo representó este noble solar. La Casa poseía en el templo de El Pedregal, al lado del Evangelio,

una capilla advocada al Glorioso Apóstol San Bartolomé, levantada el año de 1707, con hermoso retablo barroco.

La varonía de este linaje se extingue en la persona de don Juan Lucas Díaz Valdés, por su condición sacerdotal, ya que el resto de sus hermanos han sido mujeres. Siendo heredera de los vínculos y mayorazgos de la Casa su hermana doña Ana María Díaz Valdés y Torres Angulo, la que por su matrimonio con don Antonio Begega Flórez, Señor de esa Casa en el concejo de Miranda, pasó la varonía a sus descendientes. El cuantioso patrimonio de esta Casa se fue desmembrándose de la misma en el transcurso de los siglos. La casa-solar de El Pedregal fue heredada por doña Lucía Begega y Cañedo, de grata memoria para nosotros, fallecida en marzo de 1995. Siempre que llegamos a su casa fuimos recibidos con atención expresiva, poniendo en nuestras manos el importante archivo que atesoraba esta Casa. El primero que aparece como primer Señor de la Casa lo fue don Francisco Díaz Valdés, quien, al lado de su mujer, la burgalesa doña Ana María de Torres y Angulo, dejaron grata memoria, al igual que sus descendientes, por sus obras de caridad y fundación de obras pías.

Don Francisco Díaz Valdés

Fundador de la 'Casa del Llano' (después de Begega). Natural de San Feliz, en la parroquia de San Miguel Arcángel de Trevías (Valdés). Fue hijo de otro del mismo nombre y de doña María Menéndez. Regidor Perpetuo de la villa de Luarca y su concejo de Valdés. Alcalde Mayor de la Villa y jurisdicción de Mirallo (Tineo). Mayordomo del Sr. Conde de Miranda, Duque de Peñaranda y Marqués de Mirallo (4). Mayordomo y administrador de todas las memorias y obras pías que dotó y fundó el Ilmo. Sr. don Fernando Valdés, arzobispo de Sevilla. Gran benefactor del Insigne Colegio Mayor San Gregorio de Oviedo, que tuvo su origen hacia el año 1534, gracias al proyecto y donación de parte de los bienes del arzobispo de Oviedo don Fernando Valdés Salas, quien también fundó la Universidad. Si bien en la fachada del antiguo colegio figuraba la fecha de 1557. Presidente del Consejo de Castilla, etc. Falleció en su 'Casa del Llano' de El Pedregal por el mes de julio de 1720, bajo testamento que el 3 de abril de 1712 pasó ante el escribano de La Casa de Merás, don Juan de Roxas Sanfrechoso:

Yo, Don Francisco Díaz Valdés, vecino de este lugar del Pedregal, concejo de Tineo, Regidor de la villa de Luarca y su concejo de Valdés, Alcalde Mayor de la Villa y Jurisdicción de Mirallo, Mayordomo del Señor Conde de Miranda, Duque de Peñaranda, Marqués de Mirallo, en este estado y su Casa y Solar de Salas de este Principado y Administrador de todas las memorias y Obras Pías que dotó y fundó el Ilustrísimo Señor Don Fernando de Valdés, de buena memoria, Arzobispo de Sevilla y Gobernador de los Reinos de España, mi Señor, en la Iglesia Colegiata de Salas, Administrador del Insigne Colegio de San Gregorio de Oviedo.

Ítem mando que mi cuerpo sea sepultado en este lugar del Pedregal y en mi Capilla, encargo a mi hijo el Reverendo Juan Lucas Díaz Valdés ponga otro letrero de piedra (que está sobre

el arco de la dicha capilla) en blanco, frente y a un lado del arco donde está otra piedra con otro letrero que dice como su madre y yo la fundamos.

Ítem dejo limosna a los malatos del Glorioso San Lázaro de La Espina (Salas), dos ducados de limosna por una vez o dos heminas de pan por la medida de este Concejo, a elección de mis herederos.

Ítem mando se digan cuarenta misas por mi Ánima y la de mis antepasados y de la dicha mi mujer y los Señores Don Juan de Chaves, Conde de Miranda; y mi Señora la Condesa Doña Ana Enríquez de Zúñiga, su mujer, difuntos; y así mismo por los Señores Condes Don Joaquín, su hijo legítimo, mis Señores y Doña Isabel, su mujer, mis Señores que son y han sido por la del Ilustrísimo Señor Don Fernando de Valdés y mujer, mis Señores que son y han sido; y por la del Ilustrísimo Don Fernando de Valdés y por la de mi hermano Don Juan, Comisario y cura que fue de Luarca y después religioso de mi Padre San Francisco en Ciudad Rodrigo.

Ítem tengo un libro de los que pago a cuenta de sus soldadas a mis criadas y criados en mi escritorio.

Ítem digo que estoy casado con Doña María de Torre y Angulo y durante nuestro matrimonio tuvimos por nuestros hijos legítimos, según nacieron: Doña Michaela, casada con Don Suero Peláez y Llano, vecino de Santa Eulalia de Tineo. Doña Francisca Teresa, casada con Don José González Inclán, vecino de Las Centiniegas (Salas). Doña Ana María, casada con Don Antonio Begega Flórez, Señor de esa Casa en el concejo de Miranda. Reverendo Don Juan Lucas Díaz Valdés y Torres Angulo, clérigo y beneficiario de los beneficios simples de San Cristóbal de Entreviñas, en el concejo de Cangas; y de los de San Martín de Salas y Santa María de Ardesaldo y San Bartolomé de Camuño, en el concejo de Salas.

Ítem digo que Ángela García, de Truébano, viuda de Diego García Rodríguez, me debe cuatrocientos siete reales, según consta de mi libro borrador.

Ítem digo que por el amor y cariño que tengo y bien me sirvió y asistió en mis dependencias el Reverendo Don Jacinto Menéndez Valdés, mi sobrino, Canónigo de Salas, le dejo y mando se le entregue luego que yo fallezca una de mis mulas ensilladas y enfrenadas; y si no que se le dé una yegua de las mejores que yo tuviere con su cría.

Ítem digo que yo como miserable pecador y llevado por la fragilidad y pasión humana, he tenido tres hijos bastardos en una mujer de sangre honrada, a la que asistí para tomar estado y satisfacer en lo que podía atender a su honra y dichos tres hijos se hallan en el libro de bautizados de San Martín y Santa María de Ardesaldo.

Ítem dejo a mi hijo el Licenciado Don Juan Lucas Díaz Valdés y Torres Angulo, una sortija de oro con una esmeralda grande que yo tengo, de un valor de 6 doblones; una venera de oro de valor de 4 doblones que fue de mi hermano Don Juan Alonso de Navia, cura de Luarca, Comisario del Santo Oficio de la Inquisición, religioso Descalzo en la ciudad de Plasencia.

Ítem dejo a mi nieto Vicente Peláez, hijo de mi hija Micaela, la mujer de Don Suero Peláez, dos novillos de dos años, de valor de 150 reales, por el amor que le tengo.

Ítem dejo a mis nietas María Antonia y Josefa, hijas de mi hija Francisca, mujer de Don José González Inclán, dos vacas a cada una, de valor de cien reales cada una.

Ítem dejo a mi nieta Catalina, hija de Ana María, mujer de Don Antonio Begega Flórez, otras dos de valor de doscientos reales entre ambas.

Ítem digo que estuve casado Con Doña Ana María de Torre y Angulo y en nuestro matrimonio tuvimos por nuestros hijos políticos a: Micaela, Francisca, Ana María y Juan Lucas. Mi hija Ana María, mujer de Don Antonio Begega Flórez, parió hace dos días un niño, que se ha de llamar Francisco Antonio, éste viviendo, porque ha de ser sucesor de la Casa de su abuelo y padre de la mía, le dejo una sortija de oro con una esmeralda y dos de amaranto a los lados de la esmeralda, de valor de 5 doblones, la que le mando se la de su madre viviendo dicho niño y si muriese se le entregue al primer varón que tuviere y fuere sucesor en mi Casa y mejora…'.

Contrajo matrimonio don Francisco en 1684, con la burgalesa doña Ana María de Torres y Ángulo. Hija de don Miguel de Torres y Angulo y de doña Casilda Rodríguez vecinos de Rosío, en la Villa de Villarcayo y jurisdicción y cabeza de las Siete Merindades de Castilla la Vieja, en la provincia y montañas de Burgos. Señores de la Casa Solar antigua de las Torres Angulo, [señorío] recaído más tarde en doña Ana María por muerte de su hermano don Juan de Torres y Angulo, sin hijos ni herederos legítimos, tomando posesión del mismo y en su nombre don

Francisco (5). **Testó esta señora** el 29 de marzo de 1712, ante el escribano de número Juan de Roxas de Sanfrechoso:

'Yo, Doña Ana María de Torres y Angulo, hija legítima de Don Miguel de Torres Angulo y de Doña Casilda Rodríguez, su mujer, mis padres difuntos, vecinos y naturales que fueron de la Villa de Villarcayo y Jurisdicción cabeza de las Siete Merindades de Castilla la Vieja, en la provincia y montañas de Burgos; y dicho mi padre natural y originario del Lugar de Rosío, de dicha Jurisdicción y mujer legítima que soy de Don Francisco Díaz Valdés, vecino del lugar del Pedregal, concejo de Tineo. Regidor de la Villa de Luarca, concejo de Valdés. Mayordomo del legítimo Señor Conde de Miranda, Duque de Peñaranda y Administrador de sus Casas, rentas, juros y patronatos de sus memorias y obras pías de este Principado.

Ítem digo que hallándome postrada en mi cama y casa de morada donde vivo con dicho mi marido en este lugar del Pedregal, mi cuerpo y cadáver sea amortajado con el hábito de Nuestro Padre San Francisco y enterrado y sepultado en la mi capilla del Glorioso Apóstol San Bartolomé, que el dicho mi marido y yo fabricamos en la Iglesia parroquial de San Justo y Pastor del Pedregal y en una de las tres sepulturas de la lápida que están pegadas a la peana del altar de dicha capilla, en la que de las tres eligiere mi marido.

Ítem dejo a Juana y a Santa, mis criadas, una novilla de dos para tres años a cada una o cincuenta reales. A Andrés, mi criado y a Domingo Menéndez, de San Feliz; a Miguel Arias y a Jerónimo Fernández, mis criados actualmente, que están en casa sirviendo, una oveja con su cordero o cordera o doce reales.

Ítem se dé limosna por el cariño y afecto que tengo a María García, mujer de Ángel del Couz, del Pedregal.

Ítem dejo a mi hija Doña Micaela Díaz Valdés y Torres Angulo, mujer de Don Suero Francisco Peláez de Llano, vecino de Santa Eulalia de Tineo, una joya de oro que tiene la imagen de Nuestra Señora de la Soledad y de la otra parte la imagen de San Juan Bautista; una sortija de oro con anillo de piedra; una casaca de calamaco negra; una basquiña de sarga imperial; un guardapiés de chamelote con tres guarniciones de plata y un justillo de xerga imperial sin mangas. A mi hija Doña Francisca Díaz Valdés y Torres Angulo, mujer de Don José González Inclán, en Las Centiniegas (Salas), una sortija de oro, de piedras, la mejor que tengo; una basquiña de pelo de camello con tres guarniciones de plata; un guardapiés bordado; una casaca de paño negra; unas mangas de pirotte de Mallorca, hermanas de una casaca que ella tiene; una mantilla de vuelta blanca de Segovia. A mi hija Doña Ana María Díaz Valdés y Torres Angulo, mujer de don Antonio de Begega Flórez, unos perendengues de oro con perlas y sus pendientes, con calidad y condición que ha de dar la susodicha unos perengueditos pequeños de oro con perlas que tiene a María Antonia, su sobrina y mi nieta, hija de la dicha Doña Francisca, mi hija. Más dejo a la dicha mi hija Doña Ana María: una sortija de oro con piedras;

una basquiña sempiterna, un justillo, una mantilla, un rosario de coral. Micaela, hija de Doña Francisca, mi hija y de Don José González Inclán, una alhajita de las menores que hubiere en mi arca, después de la de mi nieta Catalina y todas ellas a elección de dicho mi marido, para que se acuerde de encomendar mi alma por el mucho amor y cariño que les tengo. Y a mis nietos Vicente, Antonio, Jacinto, Juan Lucas, hijos de Doña Micaela y Don Francisco Peláez, a cada uno se les dé un paño puro, una casaca para que la tenga la misma memoria de mí.

Ítem digo que, por fin y muerte de Don Juan de Torres y Angulo, mi hermano, recayó y sucedió en mí el vínculo y mejora de la Casa, Torre y Solar antiguo de los Torres Angulo y otros bienes pertenecientes a ella, sitos en dicho lugar de Rosío, a causa de haberse muerto mi hermano sin hijos, ni herederos legítimos, de que el dicho mi marido, en mi nombre, ha tomado posesión judicial'.

Por escritura que pasó ante el escribano de número de la villa y concejo de Tineo, Hilario Fernández de la Mesa, fecha 22 de julio de 1709, mejoraron a su hijo el presbítero y Capellán Mayor de la Colegiata de Sta. María la Mayor de Salas, don Juan Lucas Díaz Valdés y Torres Angulo, en el tercio de todos sus bienes. Y lo correspondiente al quinto de los bienes de sus padres, mandaron fundar una capellanía con el título del Glorioso Apóstol San Bartolomé, en la capilla que fabricaron sus padres en el templo parroquial del Pedregal, lado del Evangelio. Y dejaron poder y facultad a Juan Lucas para fundar por el testamento bajo de cuya disposición murió su padre, que otorgó cerrado por testimonio de Juan de Roxas de Sanfrechoso. Durante su matrimonio, procrearon a:

[] *El Ilustrísimo Señor don Juan Lucas Díaz Valdés y Torres de Angulo*, sucesor [en la] administración de los bienes de su Casa. [] *Doña Ana María Díaz Valdés y Torres de Angulo*, nacida en la casa del Pedregal, el 11 de julio de 1685, casó con don

Antonio Begega Flórez (fallecido de accidente el 2 de marzo de 1740), señor de la Casa de Begega en el concejo de Miranda, siendo padres de: a) Don Francisco Begega Flórez Valdés, que sería sucesor más tarde de estas Casas, por decisión de su tío don Juan Lucas. b) Doña Catalina Rosa Francisca Begega Flórez, nacida en el Pedregal el 20 de abril de 1710, bautizada el siguiente 2 de mayo por su tío el presbítero don Jacinto de Begega Flórez. c) El licenciado Don Martín Begega Flórez, cura párroco de Begega y capellán de la capellanía de San Bartolomé, sita en la iglesia parroquial del Pedregal, fundada por su tío, Don Juan Lucas Díaz Valdés, que había nacido el 17 de noviembre de 1721. d) Don Lorenzo Jacinto Begega Flórez, nacido el 18 de noviembre de 1714.

Doña Ana María testó en su casa del Pedregal el día 18 de septiembre de 1754, ante el escribano de Tuña Mateo Ignacio de Villar y Llano:

'Sepan cuantos escritura de testamento, última disposición de mi voluntad, vieren como yo, Doña Ana María Díaz Valdés, viuda de don Antonio Begega Flórez y vecina del lugar del Pedregal, concejo de Tineo, hallándome enferma en cama y sana de mi entendimiento y juicio natural, creyendo como firmemente creo en el misterio de la Santísima Trinidad; y más que creer y confieso la Sta. Madre Iglesia Católica en cuya fe protesto vivir y morir como uno de sus miembros, hago y ordeno mi testamento en la manera siguiente:

Lo primero encomiendo mi ánima a Dios Nuestro Señor que la crio y redimió a costa de su preciosa sangre; tomando por intercesora y abogada a la Virgen María; al santo Ángel de mi guarda; santos de mi nombre y devoción. Y el cuerpo a la tierra, el que mando sepultar en la iglesia parroquial de este lugar, en la capilla que en ella tiene esta mi Casa; y que el entierro y más funerales asistan los sacerdotes que pudieren ser habidos, hasta cuarenta, inclusos seis religiosos del convento de San Francisco de Tineo; y lo mismo a los más oficios que se acostumbran en esta dicha parroquia, llevando por oferta a cada uno de ellos lo que mis hijos gustasen llevar.

Ítem mando que mi hijo primogénito y tres sacerdotes digan y manden decir por mi ánima ochenta misas votivas por iguales partes; y que a las mandas forzosas y obras pías se les pague lo acostumbrado, dando asimismo de limosna y por una vez al Real Hospicio de este Principado seis reales vellón.

Ítem digo que a doña Ana Begega, mi nieta, hija de don Francisco Begega, se le dé una de las dos arcas que tengo en el salón de esta casa, la más chica. Ítem mando a Joseph Mariñas, que fue mi criado, cuatro colmenas de abejas y una novilla; y cuatro colmenas a Francisco Mariñas, mi criado actual. Ítem a Josefa, mi actual criada, dos colmenas, un mandil, una cruz de Santo Toribio, pagándoles además sus soldadas. Ítem mando se de a Juana Alonso, mujer de Blas Fernández [véase *ut supra* antiguo pleito de Blas y su familia por la hidalguía: García Glez., M.P.; Mill, J.: 2025], vecino de este lugar, una colmena de abejas y dos a su hijo Suero. Ítem mando se den a Bernarda Álvarez, mi nieta, hija de la Casa de Villamarín, un tapapiés de serafina... Ítem a don Joseph, mi hijo, se le dé además de sus legítimas y del legado gracioso, una vaca y un colchón; y por la misma a don Manuel, mi hijo, una vaca y declaro deberle a veinticuatro ducados, que mando se le paguen en unos becerros y lo restante... Ítem dejo y mando se dé a doña Catalina

Begega, mi hija, una vaca como legado gracioso. Ítem digo que
el mencionado Antonio Begega mi marido y yo compramos
porción de bienes a don Francisco González Valledor, sitos en
el lugar de Begega; y al marqués de Valdecarzana (6) cierto
derecho de patronato en el beneficio de aquella parroquia;
quiero y es mi voluntad fundar y fundo sobre la parte que de
uno y otro me corresponde dos misas de aniversario perpetuo
que se han de decir el día de San Antonio de Padua y el de
Santa Ana (o en sus octavas en la parroquia) y que se paguen
a dos reales por cada una al cura de dicha parroquia...; fundo
sobre ellas el tercio y remanente del quinto de todos mis bienes muebles y raíces, en que se han de incluir los que van
mencionados y todas las alhajas y de menaje de esta mi Casa;
plata labrada y más pertrechos de ella; de los que si alguna
parte estuviere, a los que caben en dicho tercio y quinto, los
ha de llevar por legítima don Francisco Begega, mi hijo, a quien
nombro por primer llevador de dichos bienes que vinculo regularmente de la mejor forma que dispone el Derecho para
que de ninguna manera puedan ser vendidos, trocados, sino
que siempre han de estar en un solo llevador y pagador del
aniversario; unidos e incorporados a los vínculos fundados por
mis padres y dueños que fueron de la Casa de Begega, suce-
diendo en su llevanza y para siempre jamás el que lo fuera de
ella, siendo después del citado mi hijo el primer varón suyo y
en defecto en hembra; y así en adelante prefiriendo aquél a
ésta, de mayor a menor.

Ítem digo que después de cumplido este mi testamento, mandas y legados que contiene, sean mis únicos y universales herederos todos mis hijos por iguales partes; y nombro por mis
testamentarios albaceas cumplidores de él al referido don
Francisco Lorenzo Jacinto, don Martín y don Manuel, todos mis
hijos, a quienes encargo me encomienden a Dios y hagan por
mi ánima como hijos de bendición; y por este mi testamento

revoco y anulo otro cualquier testamento o codicilo que antes haya hecho por escrito o de palabra y solo quiero valga éste que otorgo ante el presente escribano y testigos que para ello fueron llamados y asistieron, Juan García Queipo, **Blas Fernández**, Joseph Pérez, Francisco García de Abuela, vecinos de este lugar, a quienes y a la otorgante que parecía estar en su sano juicio, yo escribano conozco; no firmó que dijo no saber, firmó uno de dichos testigos y se otorgó en el referido lugar del Pedregal, a dieciocho del mes de septiembre de mil setecientos cincuenta y cuatro. Francisco García. Ante mí: Mateo Ignacio Villar y Llano'. (7).

Don Juan Lucas Díaz Valdés y Torres de Angulo

Heredero de las 'Casas del Llano' del Pedregal, de sus vínculos y mayorazgos. Capellán Mayor de la Colegiata de Santa María La Mayor de Salas, fundada por el Ilustrísimo señor don Fernando de Valdés y Salas, Arzobispo de Sevilla, etc. Nació don Juan Lucas Díaz Valdés, en su casa-solar del Pedregal el 17 de octubre de 1687, siendo bautizado en el templo parroquial de los Santos Justo y Pastor del Pedregal, el 12 de noviembre de ese mismo año. Fueron sus padrinos el Licenciado don Juan Alonso de Navia, cura párroco de Santa Eulalia de la villa de Luarca y doña Catalina de Merás. Ofició el párroco don Francisco Menéndez Fernández. Falleció en la villa de Salas, el día

5 de julio de 1754, sepultado en la capilla de Santa María del templo parroquial de San Martín. Recibió los Santos Sacramentos de penitencia, eucaristía y extremaunción.

Cumpliendo las últimas voluntades testamentarias de sus padres, fundó el 15 de febrero de 1746 la capellanía colativa sobre la capilla de San Bartolomé, cuyo primer capellán fue su sobrino el presbítero don Martín Begega Flórez y Díaz Valdés. Además, abonó de propio peculio a sus cuñados don Suero Peláez y Llano (de Santa Eulalia de Tineo) y a don Joseph González Inclán, de Las Centiniegas (Salas) y a sus respectivas mujeres, las legítimas que a éstas les correspondían de la herencia de sus padres, consistentes en bienes, alhajas y dinero, por cuya razón llevaron cada uno de los expresados 23.950 reales; de ellos, 10.450 pagados al tiempo de sus bodas solemnes y 3.500 después de la muerte de sus respectivos padres. Al fallecimiento de don Juan Lucas, fue deseo de sus padres que sucediese en los vínculos y mayorazgos de las 'Casas del Llano y Begega' su nieto don Francisco Begega Flórez y Díaz Valdés, hijo de doña Ana María y de don Antonio Begega Flórez, Señor de la Casa (8). El 24 de mayo de 1752, ante el escribano de Salas don Joseph Rodríguez del Calello y Miranda, hizo don Juan Lucas escritura para la fundación de una escuela de primeras letras en el pueblo del Pedregal, a la que asistirían los de este pueblo y los del próximo de La Pereda, vinculándose muchos bienes raíces, censos, foros, etc. Y encargando al maestro la responsabilidad de mantener encendida de día y de noche la lámpara de la capilla de San Bartolomé. A testimonio del mismo escribano en el año 1753 hizo fundación de vínculo de la capellanía de San Bartolomé a favor de su sobrino don Martín, estudiante de Teología, hijo de su primera hermana, casada como se ha dicho en Begega. Don Juan Lucas Díaz Valdés dejó por heredero de las Casas, respetando el deseo de sus padres, a su sobrino don Francisco.

Don Francisco Begega Flórez y Díaz Valdés

Señor de las 'Casas de Begega y de El Llano' del Pedregal, con sus vínculos y mayorazgos. Nació en la casa solariega de 'El Llano' del Pedregal el 11 de abril de 1712. Casó con doña Teresa de Avello y Arango. Fueron padres de: [] Don Antonio Begega Flórez [que sigue] [] El licenciado don Lorenzo Jacinto Begega Flórez, cura párroco de Santa Eulalia de Begega, y capellán de la capellanía de San Bartolomé del Pedregal [] Y doña Teresa Flórez Begega. Se ignora con quien se casa: fue madre de doña Catalina, que a su vez se casó con don Pedro Cienfuegos, con sucesión.

Don Antonio Begega Flórez Avello y Arango

Último Señor de los vínculos y mayorazgos de las Casas de Begega, al quedar suprimidos por las Cortes de Cádiz (9). Falleció este señor el 9 de marzo de 1836 en su casa del Pedregal, siendo sepultado en la capilla de San Bartolomé al siguiente día 10. Había casado con doña Luisa Díaz Cienfuegos y fueron padres de: [] Don José Antonio Begega Flórez y Díaz Cienfuegos, heredero (continuador del linaje). [] Doña Manuela Flórez Begega y Díaz Cienfuegos, que casó con don Manuel Cuervo Arango. Falleció esta señora el 23 de agosto de 1851 y de su matrimonio quedaron tres hijos: don Antonio, don Valentín y doña Rosa Cuervo Arango y Begega. [] Y doña Teresa Begega Flórez y Díaz Cienfuegos: se ignora su estado.

Don José Antonio Begega Flórez y Díaz Cienfuegos

Heredero de las 'Casas del Pedregal y de Begega' (Miranda). Contrajo matrimonio en el templo parroquial de Santa María de Almurfe, hijuela de San Andrés de Agüera (Miranda), el día 15 de junio de 1833 con doña Rosalía Argüelles Miranda, hija de don José y de doña María Álvarez Moutas. Fueron padres de José Begega Flórez Argüelles, que no fue casado y tuvo un hijo natural con María Díaz Margallo (don José Antonio Begega

Díaz), la que después se casó con Ángel Patallo García, vecino de Villamarín de Salcedo, Grado.

Don José Antonio Begega Díaz

Heredero de las 'Casas del Pedregal y de la Begega', en Miranda. Nacido en Begega el día 21 de agosto de 1907. Fue sargento de FET y de las J.O.N.S. Falleció por heridas de guerra en el Hospital Militar de Caminreal, partido judicial de Calamocha (Teruel), el día 11 de marzo de 1938. Contrajo matrimonio en el templo parroquial de los Santos Justo y Pastor de El Pedregal, ante el cura párroco don Modesto Gómez Sierra el día 20 de junio de 1925, con doña María del Amparo Cañedo Cuervo, de 16 años, fallecida el 17 de agosto de 1989. Era natural y vecina de El Pedregal, hija del maestro don Fortunato Cañedo Fernández (natural de Las Carangas, en el concejo de San Adriano, fallecido el 27 de junio de 1932) y de Celestina Cuervo Díaz. De este matrimonio quedaron los siguientes hijos: [] María Amparo, 5 de mayo de 1926, casada con Manuel González, de Sobrado, heredaron la Casa de Begega en Miranda. [] José Antonio, 11 de mayo de 1927, vivió en San Paulo, Brasil, casó con Miriam. [] María Gloria, 14 de febrero de 1929, casó con Jesús Díaz. [] Alfonso, 13 de febrero de 1932, fallecido en Oviedo, el día 6 de septiembre de 2012, se casó con Esther, natural de Trevías. [] Lucía, 8 de septiembre de 1935, fallecida en el Hospital Monte Naranco de Oviedo, el 14 de marzo de 1995; fue casada con Eduardo Rodríguez. 'Actualmente la Casa de El Llano de El Pedregal (García González, Mari Paz: 2025) corresponde por herencia a Lucía Rodríguez Begega y a su sobrina, hija de su hermano fallecido, Eduardo Rodríguez Begega. Dicha casa lleva años deshabitada y su estado se está deteriorando con el paso del tiempo'.

(1) El Hospital de Peregrinos del Camino de Santiago en la Parroquia de Santo Tomás de la Pereda. Revista del Instituto Superior de Estudios Teológicos del Seminario Metropolitano de Oviedo. ISSN 0211-0741 n° 22. 1994. Págs 421-442. Autor don Agustín Hevia Ballina.

(2) El Hospital de Peregrinos Mater Christi, situado en el casco histórico de la villa asturiana de Tineo, es un edificio del que apenas quedan restos constructivos de lo que fueron Capilla y Hospital al servicio de las peregrinaciones a Santiago

(3) Cuando el vocablo 'casa' va escrito en mayúsculas no se refiere al edificio en sí, sino al linaje.

(4) El marquesado de Mirallo es un título nobiliario español (de Castilla) en el concejo de Tineo. Fue concedido por el rey Felipe IV el 14 de julio de 1625 en favor de Francisco de Valdés y Cardona, Señor del Coto de Mirallo, en el concejo de Tineo y de la Casa y Torre de los Valdés en la villa de Salas. Caballero de la Orden de Santiago, menino de la reina Margarita de Austria. Actualmente lo ostenta Carlos Fitz-James Stuart y Martínez de Irujo, Duque de Alba de Tormes. '*El señorío de Mirallo; Tineo: un marquesado en la Casa de Alba*'. Senén González Ramírez. Asociación Cultural Conde de Campomanes. 1999

(5) Del aspecto original de esta Casa-Fuerte (s. XIV) se mantiene muy poco: algo del aspecto externo de la torre, como sus fuertes

paredes y escasas aspilleras. La dinastía de los Angulo se extendió desde Mena por varias provincias y pronto se instalaron en Río de Losa. La torre la levantó Juan, hijo segundo de Hernán Sánchez de Angulo.

(6) El marquesado de Valdecarzana es un título nobiliario español creado por el rey Felipe IV por Real Decreto del 1 de junio de 1639, con el vizcondado previo de Villanueva del Infantazgo en favor de Sancho Fernández de Miranda Ponce de León Pardo y Osorio, señor de Valdecarzana en Asturias, caballero de la Orden de Santiago, que había servido al rey en el Sitio de Fuenterrabía (1638) al mando de una de las compañías que envió el Principado.

(7) AHA. Fondo Tineo. Signatura 15.759.

(8) AHA. Fondo Tineo. Signatura 15.758.

(9) La abolición de los mayorazgos se consagró en una ley promulgada durante el Trienio Liberal, el 12 de octubre de 1820. Su vigencia conoció diversas vicisitudes: derogada en 1824, fue restablecida en 1836. Sin embargo, sólo en 1852 se declararon abolidos los mayorazgos, reglamentándose el procedimiento por medio del cual se verificarían las ex-vinculaciones. En 1857 una nueva ley confirmó la extinción de las vinculaciones, cuyas propiedades pasaron a regirse por el nuevo Código Civil'.

Solo dos piedras nobiliarias enseñorean (**Por Senén González Ramírez: 2024**) otros tantos edificios de este pueblo. En la llamada Casa del Cura (de moderna factura, con las armas del Principado de Asturias) y en la conocida como Casa del Gancho, separadas por la carretera general. Ambas a la entrada del pueblo y frente la una de la otra, aunque la del Cura en un plano superior.

Los blasones de nuestras casonas palaciegas, de nuestros templos y monumentos son 'el lenguaje secreto y misterioso, la lengua ingeniosa y sorprendente, de uso universal para la

nobleza y Cristiandad; el blasón establecía entre todos los gentiles hombres una confraternidad heroica; era la piedra fundamental del edifico feudal, el cemento y la llave de la bóveda de la jerarquía aristocrática'.

Escudo Fernández Colado (Casa del Gancho)

El primitivo asiento de este linaje lo fue en el pueblo de Santianes de Tuña, donde tuvieron casa solar y ejercieron los oficios principales del concejo de Tineo: empadronadores por el estado noble; regidores perpetuos; escribanos públicos y de ayuntamiento, etc. La piedra de armas que nos ocupa, según testimonios de vecinos ya fallecidos, fue trasladada desde el caserío de Bedures, en la vecina parroquia de Santo Tomás de La Pereda. Otros opinan que fue trasegada desde el barrio de El Cueto (Casa Xinral), en el mismo Pedregal.

A la entrada del pueblo, lado derecho, la llamada Casa del Gancho, lienzo norte, a bastante altura y dando vista a la carretera general, aparece este escudo cuartelado, sobre la cimera timbrada con yelmo que mira a la diestra y en su penacho una espada. Escudo apergaminado, aunque motivado por su traslado desde el primitivo lugar que ocupó y al que falta parte del pergamino: solo se aprecia en su parte inferior y asomando tímidamente en la parte alta a ambos lados del morrión.

Fernández. En el primer cuartel izquierdo, visto de frente, son sus armas: un árbol de sinople y un león pasante, al pie delo tronco.

García. De plata, con tres pinos de sinople y de azur con un león rampante de plata.

Doriga. De plata con una encina de su color y un puñal con empuñadura de oro clavado en su tronco; bordura de azur, con ocho flores de lis de oro.

Colado. De gules con dos cabezas de sable puestas en faja; gringolada de cuatro cabezas de sierpes de sinople y cargadas cada caldera de tres fajas de oro. Lleva bordura con ocho flores de lis de oro.

Una variante de las armas de la Casa de Doriga consiste en sustituir la encina por una palma sobre ondas de agua, a cuyo pie hay unas llamas de fuego. Lleva bordura con el lema: *Per Ignem Et Aquam Reportavit:* a través del fuego y el agua. Armas que se pueden ver en los palacios de los Condes de Toreno (Cangas del Narcea), en el de la Plaza de Porlier en Oviedo (sede del RIDEA), en varios sepulcros de la familia en la Colegiata de Salas y en la iglesia parroquial de San Pedro Apóstol de Tineo.

Escudo de La Victoria de Casa El Cura

Se trata de un escudo de moderna factura representando las armas del Principado de Asturias, colocado en la fachada oeste de esta preciosa casa: la Cruz de la Victoria, símbolo fundamental de representación del Principado de Asturias. Dicha cruz se custodia en la Cámara Santa de la Catedral de Oviedo, a la que fue donada en el año 908 por el rey de Asturias Alfonso III el Magno, como reza en el reverso de la cruz. Pero de la cruz original no penden las letras Alfa y Omega. Escudo rectangular, cuadrilongo y con los extremos del lado inferior redondeados y una punta o ángulo saliente en el centro de dicho lado, con la proporción de seis de alto por cinco de ancho. Trae sobre campo de azur la Cruz de la Victoria, de oro, guarnecida de piedras preciosas de su natural color y las letras alfa mayúscula y omega minúscula, también de oro, pendientes de sus brazos diestro y siniestro, respectivamente; y en sendas líneas, con letras de oro, la leyenda HOC SIGNO TVETVR PIVS HOC SIGNO VINCITVR INIMICVS (con este signo el piadoso es protegido, con este signo el enemigo es vencido), la primera al flanco diestro y la segunda al flanco siniestro. Al timbre, corona real cerrada, que es un círculo de oro, engastado de piedras preciosas, compuesto de ocho florones de hojas de acanto, visibles cinco, interpoladas de perlas y de cuyas hojas salen sendas diademas sumadas de perlas, que convergen en un mundo de azur o azul, con el semimeridiano y el ecuador de oro, sumado de cruz de oro. La corona, forrada de gules o rojo.

Reseñas fotográficas

5: Vista lateral de la Casa de El Llano (de los Begega).
7: Miniatura del siglo XIII del rey Alfonso II de Asturias (anónimo). Reinó entre el 791 y el 842 y fue decisivo en el nacimiento y desarrollo inicial del santuario de Santiago de Compostela, pues entre los años 820 y 830 confirmó como pertenecientes a Santiago el Mayor los restos óseos aparecidos en un olvidado edículo funerario de origen romano emplazado en un bosque del occidente gallego. Pero además realizó en el año 834 (durante una peregrinación desde Asturias) la primera donación de tierras a la naciente Iglesia compostelana, un terreno de tres millas de radio alrededor del *locus sancti* que daría origen al futuro Señorío de Santiago y permitiría la supervivencia de los primeros religiosos del lugar.
9: Vista frontal de la Casa de Begega.

11: Lucía Rodríguez Begega cuando tenía entre tres y cuatro años. Había nacido en Alemania en 1969 y su madre la envío a vivir con su abuela a El Pedregal.

13: Embarque en Jafa del cuerpo de Santiago El Mayor con destino a Iría Flavia. Pintura de retablo (de entre los años 1480 y 1490) del artista español Martín Bernat (estilo hispano flamenco aragonés).

15: La Casa del Llano vista desde El Humilladero.

17: Procesión del día de Pascua desde la iglesia hasta el Humilladero, situado en la parte inferior de la carretera. Posteriormente Lucía Begega donó el terreno donde está ubicada dicha cruz en la actualidad.

20: El Humilladero en su emplazamiento primitivo (al lado de la carretera), mientras un camión de recogida de leche está detenido en ese lugar.

23: Vista parcial de El Pedregal a través de los arcos de la iglesia.

26: Saint James the Greater (1636 –1638). Santiago El Mayor, hijo de Zebedeo. lienzo del pintor Guido Reni (1575 -1642). Museum of Fine Arts, Houston. [El origen etimológico de Zebedeo habría que buscarlo en el arameo Zabaday (el Señor dio), aunque también se ha señalado la raíz hebrea zbayähû (regalo de Dios)].

29: Foto de la parte posterior de la casa de los Begega tomada desde el Camino Primitivo.

32: Escudo Fernández Colado (Casa El Gancho). El primitivo asiento de este linaje lo fue en el pueblo de Santianes de Tuña, donde tuvieron casa solar y ejercieron los oficios principales del concejo de Tineo: empadronadores por el estado noble; regidores perpetuos; escribanos públicos y de ayuntamiento (Senén González Ramírez).

33: Escudo de La Victoria de Casa El Cura. Se trata de un escudo de moderna factura representando las armas del

Principado de Asturias, colocado en la fachada oeste de esta preciosa casa: la Cruz de la Victoria, símbolo fundamental de representación del Principado de Asturias (Senén González Ramírez).

36: Lucía Rodríguez Begega a los dos años en Alemania.

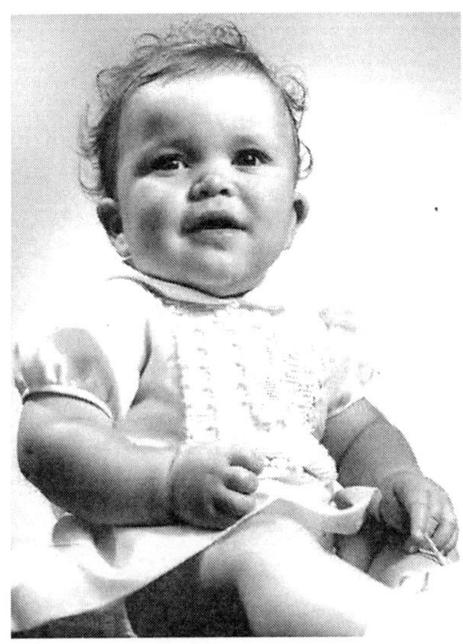

(Fotografías: cortesía de Xurde Morán, Mari Paz García González y Lucía Rodríguez; iconografías y pies de foto, Joseph Millariega. Revisión: Mari Paz García González).

2

Los vaqueiros de La Brañina

La toponimia oficial aprobada por el Decreto 69/2017, de 11 de octubre, por el que se determinan los topónimos oficiales del Concejo de Tineo (BOPA 246 de 24-X-2017) incluye La Brañina en la parroquia de El Pedregal (hay que entender que solo una parte de la braña, pues otra pertenece a la parroquia de Cezures y a diversos propietarios)

Begoña Rodríguez Calzón, de Casa Burgos de Cezures (recogiendo los testimonios de su madre Herminia Calzón García), recuerda que 'en la segunda mitad del siglo XX todavía existían los siguientes habitáculos en La Brañina: 'Casa María La Coxa, que era ocupada en épocas de pasto por vecinos de Ballota y que estaba junto a otra de nuestra propiedad (con dos fincas) que había sido comprada a un vecino llamado Constante, ya fallecido, de La Cadorna (Carcedo) – Dos casas conocidas como Los Caleyos de Buspaulín: una de Mariona y otra de Queitanín de Selmo y María – Dos edificaciones conocidas como Casa Xuan – Casa Agosta, que era ocupada en los estíos por vecinos del pueblo de Pena (Valdés). *Cerca de ella* (Mill, J.: 2024) *se encontraba otra con finca comprada por el abuelo de Carmen Menéndez (de Casa La Chomba de Cezures), la cual recuerda como, siendo niña, personas de encima de Gamones (Trevías) ocupaban con sus ganados algunas casas-cabaña en dicha Brañina (o Brañuca, como se cita en otros documentos de El Pedregal) en los veranos* – Consuelo, su hija Alicia y el marido de ésta (Segundo, El Chiquín de Cezures) vendieron sus propiedades en Adrao (Valdés), pero ya cerca de Relloso (Tineo), para comprar en La Brañina a los de Chivas de la Pereda dos casas y dos fincas – Una casa del Colandro de Buspaulín – Otra de Casa El Calamandro de Los Corros – Casa Aurelio – Casa Ovidio

de El Pedregal (Casa Rama, en la que vivieron los progenitores de Pili la del Biforco: el padre era conocido como Brañina) – Casa de El Español, que estaba entre la de Casa Xuaco y la de Ovidio Rama'.

El 7 de junio de 1764 firma como testigo (Mill, J.: 2024) en la reclamación de hidalguía de Blas Fernández, de El Pedregal, un vaqueiro de La Brañuca (La Brañina), Domingo del Río, apellido valdesano, quizás marinueto de la montaña, pero vecino de la parroquia de El Pedregal. En el documento del impuesto del año 1883-84 (*equivalente al de la sal*, como reza su encabezamiento) del Ayuntamiento de Tineo, perteneciente al acervo documental de Antonio Bermejo (ver más adelante), cedido por su esposa Virginia Cano y transcrito por Mari Paz García González, figura un contribuyente de la parroquia que reside en La Brañuca con un apellido netamente vaqueiro: Francisco García *Feito*. Y cabe señalar al respecto que, aunque en el *Instrumento* que sigue se recoja que La Brañina no fue una braña en el sentido estricto de la palabra, hay que tomarla como tal (aunque sea de menor entidad que otras) pues tuvo ocupación por vecinos de El Pedregal y de las brañas de Valdés y posee todos los componentes de un hábitat vaqueiro. En los padrones de moneda forera (desde el primero disponible de 1632) no aparece ninguna referencia expresa a vaqueiros de La Brañina o Brañuca de la parroquia de El Pedregal. En la sentencia de 1 de marzo de 1960 del Juzgado de Primera Instancia de Tineo, relativa a la reclamación de las tierras de Modreiros por parte de Diego de Zuleta y Queipo de Llano, Conde de Casares, contra Tomás Lorences Menéndez se califica a dicho lugar

Modreiros como 'braña'. No en vano el apellido Lorences es vaqueiro, según Herrero Tejedor, Tomás Ramón (2008). Y todos los pueblos de la vertiente NO del Alto del Pan de la Vara, hasta El Pevidal, también lo fueron en los siglos XVII y XVIII.

Instrumento Correspondiente al Pedregal y la Fábrica de su iglesia, de la braña de la Brañuca. **(Por Senén González Ramírez: 2024).** Libro de Fábrica de la Iglesia de los Santos Justo y Pastor del Pedregal. Archivo Histórico Eclesiástico de Oviedo, 59.11a. 1.779 -1.882.

Señor: Josef Pérez, vecino del lugar del Pedregal del Concejo de Tineo, por sí y en nombre de los demás vecinos de dicho lugar, puestos a los pies de V.S. dice: Que don Pedro de Merás y Solís (1), Subdelegado de V.S. en dicho Concejo, les molesta y apremia al suplicante y más vecinos a que restituyan la renta que han cobrado de los vaqueros de la braña de la Brañuca, términos de dicho lugar, por decir tiene orden de V.S. para embargar y depositar todas las brañas de dicho concejo, siendo así que la referida braña no lo es de tanto; solamente unos términos de dicho lugar en donde los vecinos de él apastan y cortan, siendo todo el dicho lugar y sus términos de realengo y comunes de los vecinos todo su aprovechamiento, sin que Señor, Convento ni Comunidad en dicho lugar tenga hacienda, voz, ni derecho ninguno, según tiene dichos términos, sus límites y linderos señalados y por ser lugar en montaña y camino pasajero en donde todos los vecinos dan albergue a los pasajeros y pobres, por no haber mesón, venta ni hospital, los vecinos tienen por tradición y noticias antiguas fuera libre de tributos y realengo, por esta razón como lo son los vecinos de brañas del Puerto y por la omisión y por negligencia de nuestro portador se perdieron los títulos y cédulas reales que tuvieron y hoy están pagando todas las pagas reales y concejiles, como todos los demás vecinos del concejo por

haberlos obligado los poderosos a ello, sin tener medios ni papeles para defenderse, todo lo que verifica ser así cierto por ser los lugares inmediatos de los conventos de San Juan de Corias, Sta. María la Real de Obona; del Cabildo de Oviedo y otros Señores poderosos donde gozan rentas y presentaciones de curatos y de sus frutos diezmables; y en el dicho lugar los frutos y parte de ellos diezmables eran de los vecinos, los cuales por tener iglesia muy capaz y consta que hicieron los vecinos y un devoto, por obviar de quedar sin misa muchas veces y morir sin los Santos Sacramentos, por estar una legua de la villa de Tineo, en donde eran feligreses, los cedieron al cura de dicha villa por venir a darles la asistencia el párroco a dicha iglesia del Pedregal, como hoy lo hace; y por esta razón hoy se hallan los vecinos muy pobres y sin medios para la asistencia de cera y aceites y ornatos para la asistencia al divino templo, por no tener como no tiene dicha Parroquia e Iglesia de San Justo del Pedregal renta de fábrica ninguna, excepto la renta de la referida braña de La Brañuca, que ésta no viene a ser braña porque tan solamente vienen a embranar y dar pastos a sus ganados unos vaqueros del concejo de Valdés tres meses del verano y estos son vecinos todo el año del concejo de Valdés y renteros del Marqués de Ferrera; y los vecinos de dicho lugar del Pedregal de nuestros propios términos (y aunque se nos sigue agravio) les hemos arrendado un pedazo de término para que vengan dichos tres meses a dar pastos a los ganados; *cuyo producto por tener cortos medios los vecinos los aplicamos a la fábrica de dicha parroquia para cera, aceite, ornatos y reparos de dicha iglesia y culto divino, con lo cual se compran ornatos y reparos de dicha iglesia;* y algunos años que no alcanza dicha renta se busca prestado o se escota entre los vecinos, como se ha hecho estos inmediatos años; que para comprar un cáliz, una casulla y misal por la necesidad que tenía dicha iglesia, se busca prestado y aún se está debiendo a quien lo prestó; como todos, me obligo a justificar y que el cura de dicha parroquia lo certifique por los libros de dicha iglesia; y siendo corta esta renta aplicada a tan buen fin y siendo como es de los vecinos de dicho lugar por carecer ellos de los pastos y aprovechamientos que arriendan a los vaqueros para dichos tres meses y ellos están pagando y contribuyendo a S.M., Dios le guarde, con todas las Pagas Reales, donativos, además de la asistencia y albergue que dan a todos los pasajeros sin intereses...[]...

Por todo lo referido y atendiendo V. S. con su acostumbrado celo y en virtud a nuestra pobreza con todos medios y ser aplicado este caudal a fin del culto divino, espero V. S. mande que dicho don Pedro Manuel de Merás, *no nos obligue a restituir este caudal por estar ya empleado en lo que llevo referido en el servicio de dicho culto divino;* y que dicha renta de dicho pasto de dichos tres meses no se entienda por las razones referidas de la dicha braña y se nos deje libre y desembarazada por no ser de ningún Señor, Convento ni Comunidad, que así lo espero de V. S. a quien guarde Nuestro Señor dilatados siglos.

Auto

Certificando el cura párroco de la feligresía de San Justo del Pedregal ser cierta la relación que se hace en esta petición que don Pedro de Merás, Juez Ordinario (2) del concejo de Tineo, no moleste a estas partes en la paga de la renta de la braña que se expresa. Y para que en todo momento conste y sirva de resguardo a los depositarios de estos efectos se le dé su resguardo de esta Provisión el Sr. Don Antonio Joseph de Cepeda (3) del Consejo de S. M. en el de Hacienda; lo mandó y firmó en este lugar y Puerto de Vega, Concejo de Navia, a dieciséis días del mes de junio de mil setecientos quince años=Cepeda= Ante mí=Manuel Díez Gutiérrez.

Informe

Cumpliendo con lo que se me previene en el despacho arriba de Su Señoría el Sr. don Antonio Joseph Cepeda, Juez Privativo de lo enajenado a la Corona, por lo que mira a la utilidad de la iglesia de San Justo y Pastor del Pedregal, sus anejos, certifico y hago fe en cuanto puedo a todos los Sres. Jueces, así eclesiásticos como seculares que la presente vieren, en como en las cuentas que se tomaron de veinticinco a veintiséis años que ha que soy cura de dichas parroquias a los mayordomos de la fábrica de San Justo y Pastor del Pedregal, siempre les hice cargo de nueve reales de inquiz que dicha fábrica tiene sobre la braña de La Brañuca, términos de dicho lugar del Pedregal, cuya cantidad estaba cargado por los curas, mis antecesores, a los mayordomos que han sido en sus tiempos de dicha fábrica de inmemorial tiempo a esta parte; y ésta la perciben y han percibido siempre de los vaqueros los tres meses del año [que] vienen a apacentar sus ganados a dicha braña y el más residuo que pagan algunos años lo perciben los vecinos de dicho lugar y otros; habiendo falta de algunos ornamentos u

otras alhajas para dicha iglesia y para su *reedificio*, por ser esta de bóveda, con sus capiteles de lo mismo; y dos campanas; y sus vecinos no ser de dieciocho arriba; y éstos pobres miserables, que se mantienen de su industria y trabajo, aplican para otros menesteres el producto de dicha braña, consignándola por dos en tres años conforme a los costos que han tenido las cosas que se han reedificado y comprado; y aún este presente año han consignado para el campanario, que han reedificado en dicha parroquia como es notorio; que por ser tan corto número de vecindario y ser pobres como llevo dicho, dicha fábrica no tiene otra renta ni efectos ningunos, sino algunas limosnas de pepitorias los domingos; y es tan corta que en todo el año en ninguno no pasan de veinte reales como constará de las cuentas.

Y en cuanto a lo montañoso del lugar, [a] distancia una legua de la villa de Tineo, es notorio como también el que los vecinos de dicho lugar percibían la tercia parte del *introitu eclesia* por haber reedificado; y el que antiguamente no se le daba más que medio servicio y hoy se le da entero, en que parece lo han cedido a los curas, pues hoy les dan el servicio entero y percibe el dicho *introito* íntegramente, menos los cuatro ofertorio que sobre dicho introito ha litigio en el tribunal eclesiástico de este

Obispado con el venerable Deán y Cabildo de la Sta. Iglesia de Oviedo; y con este motivo he visto el libro de apeos antiguos que dicha Sta. Iglesia tiene, que llaman Prior por haberlo hecho con Facultad Real y más requisitos un prior que ha sido de dicha Sta. Iglesia y en la cláusula que mira a lo del Pedregal dice: 'Que dichos vecinos aperciben dicha tercia parte por haberla reedificado, cuya cláusula *juro in verbo sacerdotis* haberla visto en dicho libro'.

Y en dicho lugar y sus términos no tiene ningún monasterio ni iglesia, ni persona poderosa, bienes, ni parte en él por ser de los vecinos; y éstos dan posada a los pobres viandantes que pasan *por no haber hospital en dicho lugar*, en los que menciona la relación no se tenía privilegio, [alg]uno por no ser oriundo de dicho lugar Lucas Felipe Caballero Flórez Valdés.

Visto este pedimento y certificación [y] su continuación dada por el licenciado Don Lucas Felipe Caballero Flórez Valdés (cura de las parroquias de San Pedro de la villa de Tineo y Santa María de Máñores y San Justo y Pastor del Pedregal) [y] por el Sr. Don Antonio Joseph de Cepeda, del Consejo de S. M. en el Real de Hacienda en este lugar y Puerto de Vega, concejo de Navia, a trece de febrero de mil setecientos y dieciséis años dijo Su Señoría *que la Junta del concejo de Tineo no obligue a estas partes al depósito de las rentas de la braña de Brañuca* por lo correspondiente a lo que dan y pagan en cada un año a dicho iglesia; y por este auto que firmo así lo proveímos y mando y en fe a él lo firmé; y yo escribano doy fe.

Mediante que por las Reales Ordenes de S. M. de valimiento de rentas, puertos y brañas, se limita lo que pertenece a las cosas eclesiásticas y por lo proveído antes de ahora por S. S. se libre despacho para que la Junta Ordinaria del concejo de Tineo no moleste a estas partes cerca del contenido de esta petición; ni los depositarios de los pastos que expresa.

Lo mandó el Sr. Regente de la Real Audiencia de esta ciudad de Oviedo y su Principado, Juez Conservador de Rentas Reales en él y en ella, a once días del mes de agosto de mil setecientos y dieciocho años: Cepeda. Colloto.

Por tanto, le mando vean los autos antes de ahora por mí proveídos y el aquí inserto, los cuales guarden, cumplan y ejecuten sin contravenir en manera alguna; y mando a escribano segundo lo notifique, pena de seis mil maravedíes. Dado en Oviedo a once de agosto de mil setecientos y dieciocho años: don Antonio Joseph de Cepeda. Por mandado de S. S. Manuel González Colloto.

En la villa de Tineo, a trece días del mes de agosto de este año de mil setecientos y dieciocho. Yo, Juan de Rojas de Sanfrechoso, vecino y escribano público de número antiguo y perpetuo y Alcaldía Mayor de esta dicha villa y concejo de Tineo, siendo [seguido] por Joseph Pérez, del Pedregal, con el Real Despacho de esta otra parte de S. S. el Sr. Don Antonio Joseph de Cepeda, del Consejo de S. M. en el Real de Castilla, Regente de la Real audiencia de este Principado y ciudad de Oviedo y Juez de ella, [siendo] su fecha en dicha ciudad de Oviedo a once del corriente mes de agosto de este dicho año de mil setecientos dieciocho, firmado de S. S. y refrendado de Manuel González Colloto, escribano, lo leí y notifiqué e hice notorio a su Merced don Matías Antonio Francos Miranda (4) Juez Ordinario por S. M. y estado noble de hijosdalgo de esta dicha villa y concejo; y con este Real Despacho le manifesté y di a leer los [de] S. S. que menciona el pedimento, que él expresa; [siendo] su fecha en el Puerto de Vega, concejo de Navia, a dieciséis de junio del año de mil setecientos y quince, refrendado de Domingo García en su persona, que habiendo visto, leído y entendido, dijo que obedece como debe (y que por su resguardo) y que conste que se pide y manda se le dé un traslado de este Real Despacho con su notificación; y que en el ínterin no repare perjuicio; y lo firmó, de que yo escribano doy fe: don Matías Antonio Francos Miranda. Juan de Rojas de Sanfrechoso. Doy fe de que, en cumplimiento de la respuesta de la notificación de arriba, entregué a Su Merced, dicho don Matías Antonio Francos Miranda, Juez Ordinario por S. M. y estado noble de hijosdalgo de la villa y concejo de Tineo hoy quince de agosto de este dicho año el traslado auténtico del Real Despacho de esta otra parte; y de su notificación y respuesta como en ella consta haberlo pedido y lo firmó: Juan de Rojas de Sanfrechoso.

Este instrumento que aquí va referido a favor de la fábrica de la iglesia de San Justo y Pastor del Pedregal, hijuela de San Pedro de Tineo, se archivó en el archivo de tres llaves de esta villa, que se halla en las Casas Consistoriales de ella, siendo escribano de Ayuntamiento don Francisco Rodríguez Espina; y para su resguardo y que haya memoria del dicho instrumento, lo firmo en el mismo día de su resguardo original, en veinte y

siete de agosto de este año de mil setecientos ochenta y siete. Don Manuel Vigil Jove.

(1) Don Pedro Manuel de Merás y Solís, fue el VIII Sr. de las Casas de Merás, de sus vínculos y mayorazgos. Regidor perpetuo de los concejos de Tineo, Cangas y Valdés. Empadronador por el estado noble. Patrono de la capilla de La Asunción en el templo, parroquia de Tineo; y de las de los Dolores en el de San Pedro de Paredes (Valdés). Hijodalgo notorio de casa y solar conocido de armas pintar y poner. Fallecido en 1731. 'Origen y descendencia de la ilustre Casa de Merás', Senén González Ramírez. 2ª edición, año 2023.

(2) Juez ordinario es todo aquel que ejerce su jurisdicción por derecho propio y se halla establecido por oficio permanente para administrar justicia en un punto determinado.

(3) Cepeda, Antonio José. Nació en Osuna (Sevilla), 11 de junio de 1671 y falleció el 7 de febrero de 1730. Oidor de la Chancillería de Valladolid, consejero del Consejo Real de Castilla, regente de Audiencia. Hijo de Pedro de Cepeda, alcalde y regidor perpetuo de dicha localidad y de Elvira de Torremontes.

Se sabe que completó sus estudios en el Colegio Mayor de Cuenca (Salamanca) hacia el año 1690. Posteriormente se trasladó a Oviedo, localidad en la que había obtenido el puesto de

primer regente de la Audiencia Provincial ya en julio de 1717. Un mes más tarde recibió el nombramiento de consejero honorario del Consejo de Castilla, título que se otorgaba en prueba de reconocimiento oficial a la trayectoria profesional y, en muchas ocasiones, como paso previo al ingreso efectivo en aquél con el rango de consejero titular.
(4) Fue Señor de las Casas de los Francos Miranda de Sobrado.

Para poder explicar adecuadamente un posible origen del pueblo vaqueiro tenemos que tener en cuenta unas consideraciones. A partir del siglo V antes de nuestra Era empiezan a llegar a esta región grupos étnicos que proceden de Centroeuropa. Pero no eran todos celtas, ni mucho menos. Existe una gran devoción hacia la vida y cultura celta. Pero no debemos excedernos en esta autoafirmación de nuestra identidad. Hay que empezar por decir que no todos los que llegaron en diversas oleadas eran celtas, porque, después de atravesar media Europa, entraron ya muy mezclados y, una vez en este territorio, se fundieron con la población local. Recordemos que, en esos momentos, el suelo asturiano era un vasto mosaico, cuyas peculiaridades raciales conocemos a través de Plinio el Viejo, Estrabón y otros historiadores. En la zona costera de Llanes estaban los orgenomescos; en Cangas de Onís, los vadinienses; en el occidente, varias poblaciones galaicas, entre las que destacaban los albiones; los luggones se asentaban en la zona del mismo nombre del municipio de Siero; los pésicos más hacia las zonas de Valdés y Tineo (con su capital en Pravia, zona de Flavium Avia, según Vespesiano) y en la horquilla central los astures propiamente dichos. Los pésicos llevarían a cabo un pastoreo trashumante, al estilo alpino o escandinavo. Una de las múltiples hipótesis que se barajan sobre el origen y evolución de este grupo racial es la de que podrían ser el ancestro del pueblo vaqueiro. De ser así, el avance de la agricultura, con

la romanización, los habría empujado a las tierras altas y, con ello, a una profusa ganadería.

Pero en cuanto a dichos orígenes del pueblo vaqueiro, muchos fueron los antropólogos e historiadores que barajaron diversas teorías sobre su procedencia y que han sido esgrimidas a lo largo del tiempo: celtas, esclavos romanos, caldeos, vikingos, nativos que se negaron a luchar al lado de los reyes astures en la Reconquista, esclavos que se revelaron en tiempos del Rey Aurelio, normandos vencidos por el Rey Ramiro en La Coruña, esclavos árabes, moros, mozárabes, moriscos expulsados de Granada tras la rebelión de Las Alpujarras… (González Alonso, N.: 2005; González Álvarez, D.: 2008). Sin embargo, Acebedo Huelves (1893), enlazando con lo que decíamos más atrás, se decantó por un origen celta, si bien entre los historiadores de la época tal atribución fue tenida más bien como una cuestión de prestigio en la ideología y en el discurso historiográfico (Marín Suárez, C.: 2005). Según la antropóloga María Cátedra (1989) la opinión más extendida entre los xaldos y los marnuetos es la de que los vaqueiros son de raza mora, alegando un origen infiel de esta estirpe, a la que también han tratado de atribuir diferencias fisiológicas y somatotípicas. En tanto que estos aldeanos se reservaban para sí un origen cristiano. Pero se analizaron grupos sanguíneos de muestras de vaqueiros, xaldos y marnuetos sin hallar diferencias sustanciales entre ellos. También se barajó una posible braquicefalia del pueblo vaqueiro, pero se comprobó que era común a otras partes del territorio asturiano. Como se dijo, se aventuraron muchas hipótesis sobre su origen, unas más atinadas y otras menos... En 1829, un médico, el Doctor Federico Rubio, analizó la raíz del pelo de una muestra del pueblo vaqueiro y concluyó que podrían ser esclavos caldeos traídos por los fenicios. Menéndez Pidal habla de pueblos del sur de Italia que emigraron a la Península Ibérica durante la República romana, entre el 510 y el 27 a.C. Lo que sí está muy extendido en la literatura (sin ningún fundamento) es la creencia de que los vaqueiros son descendientes de 'moriscos' (se utiliza ese término corrientemente) expulsados de Las Alpujarras en 1571. Para Aramburu Zuloaga serían mozárabes traídos por Alfonso I entre el 739 y el 757. O bien vikingos daneses que intentaron saquear La Coruña en agosto del año 844 y que, tras ser derrotados por Ramiro I, los que sobrevivieron huyeron a los montes, tesis defendida también por Menéndez Pidal y García Tuñón y Quirós.

Como se ve, son varios los autores que aventuran un origen moro. No hay ninguna prueba de ello, pero como hipótesis no sería tampoco disparatada. La fecha probable de la rebelión de Pelayo se sitúa hacia el año 718. Durante varios siglos la frontera fue flexible, variando muy a menudo. No es nada descartable que en cualquiera de las batallas que se libraron en la línea del frente, uno o varios grupos de musulmanes quedaran

aislados (incluso con mujeres) y se refugiaran en las zonas altas.
<Hay en la nobilísima (Rosso de Luna, M.: 1916) obra de Acevedo una nota que vale por la obra entera y que dice 'Don Ricardo Piedra, médico de Luarca y gran conocedor de los vaqueiros, aseguró al célebre Don Alejandro Menéndez de Luarca, que entre los más ancianos de ellos se conservaba la tradición de haber sido ellos los dueños de las vegas y cañadas de Asturias y que unos extranjeros los habían despojado y obligado a subir a las pobres y tristes brañas que hoy ocupan'. Es decir, que en tales sitios y en las alzadas quedó porfirizado el pueblo vaqueiro por marnuetos lunares y por xaldos ofitas… Los tradicionales enemigos de los vaqueiros fueron las gentes lunares de la marina, que les confinaron hacia las brañas y hacia las alzadas. [En fin: extravagancias de Rosso de Luna, que adorna finalmente con unos cantares vaqueiros: Mill, J.: 2025] [] Os vaqueiros son vaqueiros, etchos mismos lo xuraron y vale más un vaqueiro que veinticinco aldeanos [] Llamásteme vaqueirina, you pur vaqueira mi tengo, quiero más ser vaqueirina que no aldeana sin pelo [] Vale más una vaqueira con una saya

de estopa, que una xalda o una maruya vestida de buena ropa [] Puede amarrarse a un vaqueiru, si queréis con tres ou cuatro, pero da diente con diente cuando indilga a un escribanu>. Aunque hay que decir también que los xaldos siempre esgrimieron algunas coplas contra los vaqueiros, como la de 'el que no te da la parada tiene la pata levantada'.

Pero Rosso de Luna también escribió en 1916 algunas cosas atinadas sobre los vaqueiros: <Pese al hoy indiscutible y noble cristianismo de los vaqueiros un viejo odio religioso los separó de los demás. Hubo hombres santos, como aquel párroco de Barcia (Luarca) y otro de La Espina (Salas), que enterraron a los vaqueiros en sepulturas reservadas al clero o a hijosdalgo. Y hasta un santo presbítero noble que ordenó que su cadáver fuese enterrado en las sepulturas de los vaqueiros, mandando también que un vaqueiro llevase el pendón en las fiestas religiosas; pero esto no fueron sino cristianísimas excepciones, puesto que lo ordinario era separarlos de los demás cristianos por una gran viga en la iglesia, al tenor de las Sinodiales ovetenses (Bulas y Provisiones de 1765); privarles del voto (Ordenanzas de 1718); confinarles en invierno en sus estériles brañas, obligándoles, cuando las dejaban, a alzarse hacia las montañas de verano; a que no cerrasen las puertas ni pasasen por los pueblos no vaqueiros sino a 'ruecas y cencerros tapados'; abrumándoles con duras obligaciones el señor de la braña, amén de repugnantes impuestos, como el del marco, que recuerda el célebre derecho de pernada; haciéndoles tributar sin darles derechos políticos ni civiles más nimios; prohibiéndoles, como verdaderos parias, el ser curas o médicos, ni ejercer otras profesiones liberales, a la par que vivir y casarse con los de los valles, hasta que unos nobles párrocos, como los citados, lo impidiesen ya en pleno siglo XIX, escudados por aquella celebérrima circular del jefe político, Don Juan Ruiz Cermeño,

quien, en 1844, cortó de raíz todas las antiguas diferencias, con espíritu al par político, jurídico y evangélico>.

Incidiendo sobre el origen vaqueiro, cobra sentido también la hipótesis pésica, a pesar de haber transcurrido más de dos mil años. La comparten Acevedo y Huelves (que habla de celtas puros, aunque hoy sabemos que tuvo lugar un gran amalgamamiento genético), el arqueólogo J.M. González y el historiador Gómez Tabanera. Entre el 29 y 19 a.C. los romanos sometieron las regiones que hoy conocemos como Asturias y Cantabria y en el siglo I comenzaron una intensiva minería, sobre todo del oro, con un trabajo inhumano, como sabemos por Plinio el Viejo, Estrabón, Diodoro y otros historiadores antiguos y ya quedó reflejado en un capítulo anterior. Pero también pusieron en marcha una arrolladora expansión agrícola. Se cree que por estos motivos muchos pésicos no se sometieron al también sacrificado y esclavista trabajo agrícola y huyeron a las montañas. Podrían ser los ancestros de los actuales vaqueiros...

La primera referencia escrita sobre las brañas aparece en un dudoso documento del año 790, mediante el cual Adelgaster (hijo natural del rey asturiano Silo) hace donación de varias de ellas al Monasterio de Obona. El profesor Francisco Feo Parrondo documenta que en 1484 los vaqueiros hicieron una reclamación a los Reyes Católicos, debido a la discriminación que sufrían, decretando los monarcas que 'debían ser tratados adecuadamente'. La segregación ya viene de lejos...

La solución a tantos años de intriga podría venir dada por el análisis del ADN nuclear o mitocondrial si se encontraran restos óseos de aquellos primeros vaqueiros. O algún objeto que hubiese estado en contacto con dichos vaqueiros, pues recientemente se ha conseguido aislar ADN humano en un adorno de diente de ciervo de hace 20.000 años en una cueva de Denisova (Rusia), una de las cunas de la Humanidad, identificando a la persona que lo fabricó o lució, una mujer. Así que no perdamos la esperanza...

La discriminación del pueblo vaqueiro fue constante hasta las últimas etapas del siglo XIX y principios del XX. Resulta curioso ver como la Iglesia, que tuvo tolerancia infinita con los infieles de todo el mundo, se mostró recelosa (y a veces implacable) con el supuesto paganismo de estos asturianos, almas como las demás. Tanto en iglesias, entierros, procesiones o cualquier otra pompa o celebración se vio esa mano oscura del rechazo social. En 1820 lo vaqueiros de una zona de Novellana (Cudillero) se amotinaron a la puerta de la iglesia y entraron en la misma para ocupar lugares del templo mezclados con el estado llano. Hay constancia también de una petición eclesiástica al gobernador civil de Asturias, en 1844, en el sentido de que los vaqueiros de las brañas dependientes de Brañalonga (Tineo) cumpliesen con la inmemorial costumbre de situarse en el templo separados de los demás parroquianos. Pero la resolución administrativa fue favorable a las brañas, publicándose en el Boletín Oficial de Oviedo el 7 de junio de ese año (Gayo Corbella, G.: 2011) Recordemos también como las Cortes de

Cádiz de 1812 abolieron la estructura social vigente: nobles, hidalgos, pecheros, xaldos, marinuetos, vaqueiros, extranjeros…, aunque después llegaría una época tan convulsa (motines, asonadas, primera guerra carlista, constituciones fallidas…) que los derechos de unos pobres vaqueiros quedaron olvidados…

La marginación del pueblo vaqueiro se extendió a casi todos los ámbitos sociales e institucionales, hasta entrado el siglo XIX. Como muestra de ello, la vergonzosa e inhumana pretensión en el siglo XVII (Baragaño, R.: 1977) del noble asturiano Diego das Marinas, señor de La Campona (Grado), solicitando al rey la castración de los vaqueiros para que 'no se propagase esa raza despreciable' (según aseguraba), propuesta que fue avalada por otros nobles asturianos. Algo ruin y abyecto, (como cita García-Egocheaga Vergara, J.: 2003) que ensombrece su estirpe y la de quienes lo secundaron. Fueron muchas las afrentas que tuvieron que soportar en todos los órdenes, de ahí tal vez el carácter esquivo con que los describe Jovellanos. 'El sacerdote Don Cándido García Tomás (García González, M. Paz: 2025) cura párroco de la Iglesia San Pedro de Tineo, pidió perdón a los vaqueiros por las tantas ofensas discriminatorias que éstos recibieron por parte de la Iglesia'.

Respecto a su habla se consideró una forma dialectal con entidad propia, sobre todo durante la primera mitad del S. XX. A ello contribuyó, sin duda, la difusión del libro titulado 'Composiciones en dialecto vaquero' (1883), de José María Flórez y González.

'Acosados y rechazados secularmente (López-Seivane, F.: 2015) por los xaldos, formaron una pequeña sociedad autónoma, que les ha permitido llegar hasta nuestros días con su leyenda a cuestas. En su entorno, muchos les despreciaban, como ocurría con otras etnias. Ellos dicen que los xaldos sedentarios que vivían en la parte plana de los valles les envidiaban por su vida libre y sin ataduras, criticándolos por no pagar los diezmos (impuestos de la época). En realidad, los vaqueiros siempre han vivido en función de las necesidades de su ganado y al margen de quienes les rodeaban. Son trashumantes y endogámicos. Cada pequeño clan (Fayanás Escuer, E.; citando a Richard Ford) se mantiene solitario y altivo, protegiéndose contra la Humanidad como protegen a sus rebaños del lobo'.

La autora de El Pedregal María José Buría cita la finca de Casa Romanín conocida como Prau Braña La Espina, que está ubicado debajo de la cuadra de Javier de La Lolita, en Las Pontigas. A propósito de este topónimo podemos hacer una breve referencia a la población y penillanura de La Espina, dada su cercanía a la parroquia objeto de este libro. Con los años, La Espina pasó de ser una braña (Rodríguez Muñoz: 2000) de vaqueiros de alzada, con trashumancia preferente a Somiedo, a ser un pueblo de población fija. Acevedo y Huelves (1915) también se refiere a La Espina como uno de los asentamientos vaqueiros que fueron perdiendo su carácter trashumante y que se sedentarizaron. La historiadora Nuria González Alonso

(2012) también cita como parroquia vaqueira en su momento la de Santa Marina de Bodenaya, compuesta por las localidades de Bodenaya, Brañemeana, Cotariello, El Carámbano, El Castro, El Couz, La Cuerva, Las Palmeras, Las Regueras del Medio, Las Rubias, Porciles de Arriba y Porciles de Abajo. Y que en las parroquias de Santa María de Ardesaldo y Santa Marina de Bodenaya destacan en el periodo 1700-1820 los apellidos vaqueiros De Castro, Del Oso, Presol y Rubio. Los cuales también se repiten en las Respuestas Generales al Catastro de Ensenada como vaqueiros que se dedicaban a las labores de arriería y trajinería, dos de las ocupaciones características de este grupo social. Así, por ejemplo, 'Juan del Oso, que se industria con dos caballerías, en portes, comprar granos y sal en una parte y vender en otra y le regulan al año de utilidad doscientos reales. Que Pedro Presol trafica en paños bastos, estameñas, bayetas y otras cosas de buhonería y le regulan por estrato trescientos reales al año...'.

De todas formas, La Espina fue una braña que evolucionó, siendo sede de dos hospitales de peregrinos, uno de ellos parece ser que fundado utilizando las donaciones que Alfonso III El Magno hizo en el año 883 al santuario de Compostela; y el otro, llamado de San Pedro Apóstol, sufragado por Fernando Valdés Salas, obispo de Oviedo e Inquisidor general. Ya vimos como en El Pedregal la Casa de Begega parece tuvo este cometido, aunque no existan documentos que puedan acreditarlo, como tampoco el periodo de prestación, por lo que no se puede saber si la función hospitalaria tuvo la misma cobertura que las hospederías asistenciales de La Espina y La Pereda.

 Tales hospitales y sus malaterías estaban exentos de impuestos gracias a los privilegios otorgados por los reyes, entre ellos Alfonso IX, según se desprende de documentos del año 1224. Las funciones de los de La Espina, al menos, entraron en un periodo de decadencia el siglo XVIII y a ellos y sus malaterías pertenecían las tierras del pequeño puerto de 650 metros de altitud. Al ser cruce de caminos, esta braña de La Espina fue próspera e importante, firmándose en ella en el año 1277 una carta de hermandad entre Avilés, Pravia, Grado, Salas, Somiedo, Valdés, Tineo, Cangas y Allande, naciendo así lo que podría denominarse la primera federación de concejos asturianos. La Espina perteneció al concejo de Tineo hasta el siglo XVI y a principios del XIX formó Ayuntamiento independiente durante tres años junto con Bodenaya, Idarga y Brañalonga, siendo la sede y capital del concejo. El Ayuntamiento (las llamadas Casas de Ayuntamiento) estaba en la venta (hoy en estado ruinoso) al lado del actual cruce, en la que pernoctó Jovellanos y de la que escribió que era la peor en la que se había alojado.

Los vaqueiros más antiguos (Mill, J.: 2024) de los que se tiene noticia son los restos óseos de dos hermanos del Mesolítico bautizados por los arqueólogos como Wenceslao y Ataulfo, que fueron encontrados en el interior de una cueva de La Braña-Arinterio, en el municipio de Valdelugueros, dentro del término provincial de León (pero colindando con el municipio de Aller, en Asturias) a 1489 metros sobre el nivel del mar.

Pasaban los meses de frío (con los ganados que ya habían conseguido domesticar) en la costa asturiana, donde ya se han estudiado varios yacimientos de esta época en la franja que une el litoral oriental de Asturias y el occidental cántabro. Los prehistoriadores de la Universidad de León Ana Neira y Federico Bernaldo de Quirós creen que los dos individuos pertenecerían a un grupo que rondaba las cincuenta personas y que atravesaba periódicamente los pasos de la montaña buscando el buen tiempo, algo que actualmente siguen haciendo numerosas familias asturianas y cada vez menos vaqueiros. En definitiva, se trataba de vaqueiros de hace ± 7.000 años, que trashumaban de León a Asturias y viceversa con sus ganados.

Reseñas fotográficas

38: Begoña Rodríguez Calzón, de Casa Burgos de Cezures, que nos aportó datos esenciales sobre la población de La Brañina o Brañuca en el siglo XX.

40: Ante una cabaña (que pudo ser en su día vivienda habitada) en La Brañina, de izquierda a derecha Fabián, Ana Isabel, Jacinto y Tino Cuña.

43: Cabaña situada más allá de La Pena la Liebre (en dirección a La Casa del Puerto) que todavía se mantenía en pie y era usada en el año 1971.

45: Al lado de una casa que estuvo habitada a mediados del siglo XX y que se ha venido completamente abajo, quedando ahora solo en pie unas paredes que cubre la hiedra y las zarzas. De izquierda a derecha, Ana Isabel con Edgar y Oriol, Jacinto, Fabián y Tino Cuña.

47: Esta es la cruz de Las Aurales, que fue subida desde La Pereda en procesión y colocada en lo alto por iniciativa del misionero que aparece en la foto inferior. Pudo haber sido en 1951, ya que por aquella época un religioso procesionó con la Virgen de Covadonga por Santa Eulalia, El Pedregal y La Pereda y, por tanto, muy bien pudiera haber sido este mismo monje el de la iniciativa de ubicar la cruz de madera en el alto de Las Aurales. Se da la circunstancia de que en el año 1971 se declaró un gran incendio en ese pico, quemándose todo el rozo, sin que la cruz (que estaba caída en el suelo) fuera presa del fuego. El autor de este libro (que por aquellos años era corresponsal de La Voz de Asturias en La Espina, Tineo y Salas) reflejó el suceso en el periódico bajo el título de 'La cruz que, pese al fuego, no ardió', noticia que fue recibida con júbilo en el Obispado de Oviedo, pues el asunto fue tomado casi como una especie de milagro, pues así se comunicó al párroco [Don] José Luis García Vigón.

49: Jacinto, Fabián y Tino junto a la pared de una de las casas que estuvo habitada y con ganadería en La Brañina. En la actualidad solo queda una parte de las paredes.

51: Restos de una casa que estuvo habitada en La Brañina en la primera mitad del siglo XX. La foto fue tomada en el año 1971 y en la actualidad no son visibles sus vestigios al haber sido fagocitados por el monte bajo y las zarzas.

53: Fabián y Tino en el lugar conocido como el Miru'l Galán ante los restos de una cabaña que fue ocupada entre los siglos XII y XIV, según se desprende de la datación de los vestigios cerámicos hallados en la misma.

55: De izquierda a derecha, Fabián, Ana Isabel (con Oriol en brazos de su madre y Edgar mirando al suelo), Tino Cuña y Jacinto en La Pena de La Liebre, ante la fértil vega de El Pedregal.

57: En La Pena de La Liebre, ante el monumento a Galdino. De izquierda a derecha, Tino Cuña, Jacinto, Joseph Millariega y Fabián.

61: Foto del etnógrafo alemán Fritz Krüger (1889 – 1974), que durante el mes de agosto de 1927 realizó muchas

instantáneas de los vaqueiros de alzada, muy especialmente
en el concejo de Tineo. Esta cabaña parece ser una de las de
La Brañina, lo cual es altamente probable, teniendo en cuenta
que también dejó constancia de otras muchas de La Casa del
Puerto y zonas anexas como Las Tabiernas.

(La segunda fotografía (misionero) de la página 537 pertenece
al archivo personal de Eudosia Capitán, de La Pereda. Las restantes, así como los textos explicativos, son del autor. Revisó
las reseñas fotográficas Mari Paz García González).

3

Crónica de una muerte anunciada

'En el año 1972 (**Manuela Fernández Álvarez, Mary Loly**: 2025) mis padres Isidro y Delfina (con 65 y 54 años, respectivamente) debieron dejar el pueblo de El Pedregal para establecerse en un bar en Moreda de Aller y residir en un piso de la localidad. Yo tenía entonces 17 años y mi hermana 16, lo que para nosotras supuso una situación traumática, pues debimos acompañarlos, dejando también casi para siempre el ambiente genuino de nuestra infancia en un pueblo en el que nos habíamos criado. ¿Por qué tuvimos que cambiar de residencia? Porque mi padre Isidro se ganaba la vida con un camión y le quitaron el carné de conducir debido a que perdió la vista. Mi madre era una mujer admirable y ejercía de modista, comadrona, practicante, cocinera y tejedora en todo el pueblo. Pero hubo que dejarlo todo atrás y marcharnos, ya que nos habíamos quedado de repente sin los ingresos del cabeza de familia, aunque dos años después, a los 67, Isidro iba a fallecer de pleuresía cuando era relativamente joven. Y mi madre Delfina también iba a fenecer de cáncer un año después de haber abandonado el pueblo, cuando solo tenía 55 años. Estas muertes para nosotras fueron tremendamente traumáticas y mi hermana y yo nos quedamos sin nuestros queridos progenitores, aunque en mi caso ya estaba casada. Mi hermana Maribel contraería nupcias más tarde, a los 21 años, aunque no mucho después, a los 33, iba a fallecer asesinada por encargo de su marido, dejando dos hijos de 3 y 10 años, de los cuales yo me hice cargo, consiguiendo su custodia después de muchas alegaciones y vistas en los juzgados, pues la familia del asesino se oponía. Desde el primer momento me llamaron 'mamá' y son como hermanos de mis otros tres hijos. Siempre fueron muy estudiosos, cariñosos y buenos conmigo y con todo mundo, siendo nuestra relación a lo largo del tiempo muy buena. A pesar de que me quedé sola en el mundo con los cinco, lo volvería a hacer una y mil veces...'

Radiotelevisión del Principado de Asturias (2014): Muerte y resurrección de una familia. María Isabel Fernández Álvarez. Con 33 años: muerte por encargo de su marido (24 de abril de 1991) Le asestaron cinco puñaladas. Deja dos hijos. La niña pequeña ha vivido una experiencia terrible: cuando apenas tenía tres años presenció el asesinato de su madre. Estaba en sus brazos y vio como moría desangrada con cinco brutales cuchilladas en su cuerpo. Fue un crimen por encargo. Ella y su hermano saben hoy quién dio la orden de matar: su propio padre. La tragedia destruyó el hogar de quienes, tras muchos años de lucha, han conseguido superar el doloroso crimen. Esta es la crónica de la muerte y resurrección de una familia... **Manuela Fernández Álvarez, hermana de María Isabel** [en adelante, **Mary Loly**]: Ella siempre me decía que 'si me pasa algo no me los abandones nunca, que yo tengo un presentimiento muy fuerte de que a mí me va a pasar algo, pero a ellos no…'.

Margarita Pando, amiga de María Isabel: Nunca pude esperar tal cosa… Fue un drama, con una niña tan pequeña y el niño que tendría unos 11 años. Algo muy fuerte…

Francisco Bayón, Policía Local de Aller: [en adelante, **Bayón**]De los comentarios que se escuchan en el pueblo, de los vecinos inmediatos (e incluso algún familiar) se deduce que parece ser que ya temían que pudiera llegarse, incluso, al asesinato…

Julio César González, médico del Centro de Salud de Moreda: [en adelante, **Médico**] Me dijeron que acudiera a la calle de La Estación, que había ocurrido algo, aunque no tenían muy claro lo que era, pero que requería urgencia. Entonces salí hacia esa calle y cuando llegué a allí me encontré a una señora tirada en el suelo, ensangrentada y, según la toqué… ¡vamos: estaba ya muerta!

Avelino Menéndez, director del Colegio Público de Moreda: [en adelante, **Director**] Este crimen, este hecho dramático, seguramente fue el acontecimiento más trágico que ocurrió en el municipio de Aller después de la Guerra Civil…

RTPA: María Isabel Fernández fue asesinada el 24 de abril de 1991 en el portal de su propia casa, en Moreda de Aller. Dos días antes, Jesús Mejuto, con tan solo 23 años, su novia, Purificación Crego, de 19 y Emilio Mariño, de 30 años, habían viajado desde Galicia al concejo de Aller con la sola misión de matar a María Isabel. Los sicarios saben que su víctima tiene un bar en Moreda, situado debajo de su vivienda. Además, portan una foto de María Isabel y la llave de su portal. El

cerebro del equipo, Jesús Mejuto, identifica el objetivo y decide que el crimen será esa misma noche.

Bayón: Los tres (la pareja y el subcontratado por ellos, Emilio) estuvieron el día anterior   dando vueltas por Moreda y parece ser que controlando en el bar de la víctima y tomando algo allí…

RTPA: Para estimularse y reforzar su coraje los tres sicarios pasan la noche bebiendo y consumiendo algunas drogas, sobre todo el aspirante a boxeador, Emilio Mariño, que será el brazo ejecutor del crimen. Esa misma noche, en el portal de María Isabel rompen una bombilla y la llaman insistentemente. María Isabel, preocupada, no abre la puerta… Pero Emilio Mariño espera en el portal a María Isabel. Son algo más de las ocho de la mañana… [y la apuñala cinco veces].

Mary Loly: Mi hermana, según estaba apuñalada, consiguió salir a la calle para que le cogieran a la niña. Una persona que trabajaba en una administración de lotería pasaba por allí, la vio y cogió a Delfi en el cuello. Entonces mi hermana ya se desplomó… Iban a hacerlo por la noche, por lo visto, pero mi hermana se dio cuenta y nos llamó diciendo que no sabía lo que pasaba, que no había bombilla. Entonces unos vecinos se ofrecieron a subir con ella al piso. Pero nadie pensó que al día siguiente por la mañana él la iba a estar esperando…

Amparo Tuñón, vecina de Moreda: [en adelante, **Vecina**]. Yo sentí unas voces pidiendo ¡auxilio, auxilio!, entonces yo pensé que se había muerto alguien y miré a la ventana y no había nada… (eran sobre las ocho y media de la mañana). Entonces vi que salía del portal una chica con una niña en los brazos, llena de sangre… Entonces yo cogí en brazos a la niña (a Delfi)

y también vi como entonces Maribel se desplomaba: la cogí, pero se cayó llena de sangre... Entonces vi salir a un asesino con un cuchillo grande y empecé a gritar: ¡Asesino, asesino, cogerle!

RTPA: Emilio Mariño huye de la escena del crimen, pero sus planes no salen según lo esperado...

Mary Loly: El matrimonio que lo esperaba en un coche había huido, no estaba, no lo esperaron...

RTPA: María Isabel, tras salvar probablemente la vida de su hija, se desvaneció...

Médico: En el momento que yo la ausculté no tenía ya ruidos cardiacos y en los ojos se apreciaba midriasis (la pupila dilatada): estaba ya cadáver en medio de un charco de sangre. Miré la zona de alrededor, porque me dijeron los vecinos que bajaba con una niña pequeña en brazos y el portal estaba lleno de sangre...

Mary Loly: Llegué y solo pude intuir cómo estaba... Me quedé a unos veinte metros, ya que no me dejaron acercarme. Había mucho revuelo de policía y una vecina me dijo que estaba muerta. Pregunté rápidamente por Delfi y me dijeron que estaba bien. Después ya vi a la niña en el cuello de la señora que la recogió, pero tampoco me dejaron acercarme a ella en aquel momento...

RTPA: María Isabel acaba de ser asesinada en el portal de su casa y Emilio Mariño, su asesino, ha huido a pie...

Bayón: Este es el portal donde ocurrieron los hechos y al llegar a su altura me encontré con una persona que yacía en el suelo sangrando abundantemente y rodeada de varios vecinos. No vi a la niña, pues ya la habían retirado y algunas personas que pasaban conduciendo me dijeron que habían visto al individuo sospechoso corriendo en dirección contraria a ellos. Entonces decidí echar a correr en busca del presunto autor de los hechos en la dirección que los vecinos me habían indicado... Al llegar a un punto me encontré con el dilema de por dónde podría haber tirado el sujeto, ya que había tres opciones: cruzar la vía en dirección al río, tomar el paseo peatonal Vicente Madera hacia la localidad de Caborana o continuar corriendo carretera arriba... Descarté la vía y el río, por ser una zona con poca escapatoria (además unos compañeros inspeccionaban esa zona), así que decidí cubrir la carretera en dirección a Caborana. Y cuando avancé ya lo avisté más adelante... Iba mirando hacia atrás, pensando que solo debía preocuparse de mí, en la creencia de que no había más operativos, pero no contó con que otros compañeros habían llegado con el vehículo oficial y lo interceptaron, procediendo a identificarlo y detenerlo. No tenía camisa, solo una cazadora de cuero abrochada, un pantalón vaquero con manchas de sangre y unos playeros también con sangre, pero ya no tenía el cuchillo.

RTPA: Manuela, que todavía se encuentra en el lugar del crimen, es informada de la detención de Emilio Mariño. En un principio, la policía cree que el detenido intentó robar a María Isabel...

Mary Loly: Entonces fue cuando dije: ¡no, no, no! ¡Fue él, fue él...! Fue su marido, Goyo: ¡fue él y fue él...!

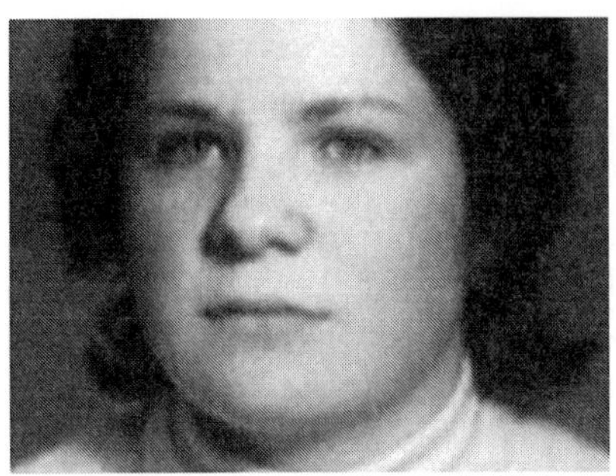

RTPA: Y él es Gregorio Casal Pazo, el marido de la víctima y el padre de sus dos hijos.

Mary Loly: Me atacaron los nervios y me cogí a una barandilla que había en aquel lugar: ¡yo solo repetía eso…! Y ellos me decían ¡Pero si ya lo cogimos, pero si ya lo cogimos! ¡Sabemos que fue él! ¡Pero yo seguía y seguía con la misma cantinela!

RTPA: Manuela está en estado de shock, pues tiene la seguridad de que el asesinato ha sido planeado por Gregorio.

Mary Loly: Entonces subió un inspector de la Policía judicial de Mieres a verme y me preguntó que por qué estaba yo tan empeñada en acusar a mi cuñado. Y le contesté que por lo mucho que la amenazaba. ¡Que el cómo había sido era cosa de ellos: que lo averiguaran…! Pero que yo estaba segurísima de que había sido él, ¡segurísima! Porque se trata, les dije, de un hombre malo… ¡Malo hasta lo irremediable!

Bayón: Yo lo que sí recuerdo es que cuando terminé de hacer las declaraciones en las dependencias de la Guardia Civil de Moreda y salía del edificio, entraban con el marido de la víctima ya detenido…

Mary Loly: A la una de la tarde me llaman del cuartel de Moreda y me dicen que ya lo tienen detenido, que lo habían cogido en casa, curiosamente escuchando las noticias de lo que había ocurrido. Y que el que había arrestado junto al río ya había confesado todo…

RTPA: Manuela siempre lo supo: en efecto, Gregorio, en trámites de separación de María Isabel, había encargado su asesinato.

Director: La gente estaba realmente horrorizada, porque ya desde el primer momento se intuía que esto era un asesinato

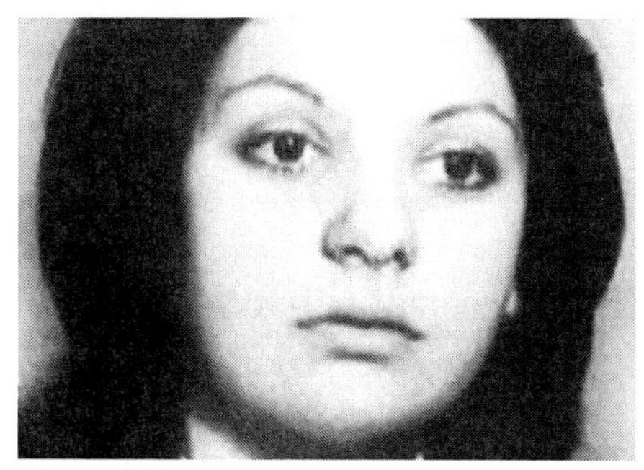

por encargo, que no encajaba en la forma de pensar de aquella época.

Vecina: En Moreda todo el mundo lo vivió con consternación plena: nadie nos lo podíamos creer y yo la primera... Algo que nunca había pasado en este pueblo. Son noticias que las ves y que crees que pueden pasar en cualquier sitio del mundo, pero no aquí y sobre todo con personas que tú conoces y a las que quieres...

RTPA: El 24 de abril de 1991 no es solo la fecha en que María Isabel fue asesinada, no es solo el día en que su marido fue detenido por el crimen, fue el día en que una niña y un niño (3 y 11 años), repentinamente, se habían quedado sin padres.

Florina García, Abogada de Gregorio Casal: [en adelante, **Abogada de Gregorio**] Cuando lo fueron a buscar al colegio y le dijeron que había pasado algo, el niño preguntó si su padre la había matado: ¡era algo como que él ya esperaba!

Mary Loly: Al día siguiente mi hermana fue enterrada donde mis padres y cuando yo volví a casa allí estaban mis tres hijos y los dos de ella, Iván y Delfi, así como la familia... Iván me dijo que si a partir de ese momento me podía llamar 'mamá'... ¡Y yo le dije que claro que sí! Y Delfi, que tenía dos años y medio, nunca me lo preguntó siquiera: de oír a cuatro niños llamarme mamá ella empezó '¡mamá, mamá, mamá...!'. Y hasta hoy....

RTPA: Cuatro días después del crimen Jesús Mejuto y Purificación Crego., dos de los sicarios contratados para el asesinato, fueron detenidos en el hostal O Pino, en la localidad gallega de Arca. Aún quedaban muchas preguntas que, poco a poco, irían respondiéndose... ¿Por qué decidió Gregorio asesinar a su esposa? ¿Cómo se preparó el crimen? ¿Conseguirían los

 niños olvidar que su padre ordenó la muerte de su mujer? María Isabel Fernández murió asesinada en abril de 1991. Tres sicarios gallegos viajaron hasta Moreda para asesinarla. Su marido Gregorio contrató a los mercenarios. Cuatro días después del crimen todos los implicados estaban en prisión. Esta es una historia dramática que venía fraguándose desde hace ya muchos meses…

El periódico La Voz de Galicia aseguró en su momento que 'Jesús y Purificación, tras el crimen de Moreda, escaparon del lugar en un coche y no se detuvieron hasta llegar a Melide, donde en un taller adquirieron otro vehículo para continuar su huida. Acabaron en un hostal de Arca (O Pino), donde la Guardia Civil no tardó en dar con ellos. El juez los envió poco después a la prisión de A Coruña y de ahí a Asturias. Allí fueron internados en la cárcel provincial de Oviedo'.

Mary Loly: Si te amenazan continuamente diciéndote 'si te separas de mí ¡te mato y te mato y te mato!' pues llegará un momento en el que terminas creyéndote que te va a pasar eso…

RTPA: ¿Cómo empezó todo? María Isabel y Manuela abandonan su pueblo natal de El Pedregal, concejo de Tineo, para vivir en Moreda. Sus padres abren el Bar Peláez en la calle de La Estación.

Mary Loly: Mi hermana no paró de trabajar desde los 15 años (en que nos fuimos de nuestro pueblo de El Pedregal con nuestros padres a Moreda) hasta que se murió… ¡Nunca, nunca, nunca…!

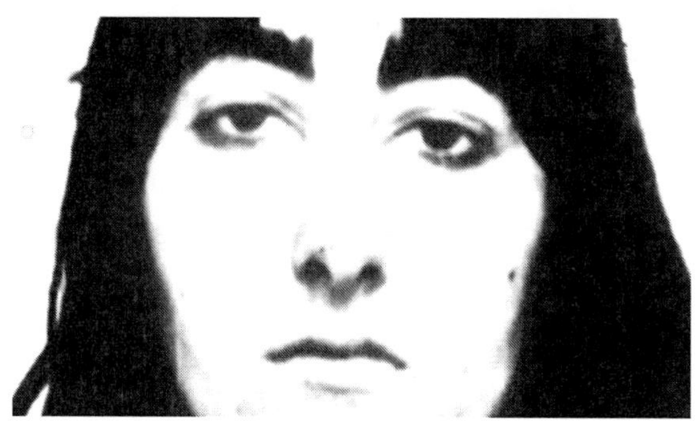

RTPA: En menos de un año las hermanas sufren en sus carnes un duro golpe: sus padres fallecen y se quedan solas siendo aún unas adolescentes. Manuela, la mayor [Mary Loly], se casa pronto…

Mary Loly: Mi hermana también se casó y los dos estuvieron atendiendo el bar. Tuvo un niño, Iván…

RTPA: María Isabel se casa con Gregorio Casal, un hombre 17 años mayor que ella y con un carácter muy distinto.

Director [del Colegio]: A mí me parecía que era una persona huidiza: su carácter no era como el de la señora…

Bayón [Policía Local]: Era poco hablador, muy serio, lo que quizás llame la atención si tiene que atender un establecimiento, un bar, lo que podría resultar poco atractivo para el público. Pero, lógicamente, nadie se podría imaginar que iba a llegar a esos extremos…

RTPA: Por el contrario, María Isabel era alegre y extrovertida, acostumbrada a tratar con la gente por su trabajo en el bar.

Vecina: A María Isabel siempre la consideré una buena mujer: una ama de casa clásica, siempre pendiente del trabajo y de su hijo sin vida social ninguna. Simplemente se dedicaba a trabajar y a cuidar a su hijo y cuando quedó embarazada del segundo hijo estaba muy contenta porque iba a ser madre otra vez. Yo la recuerdo así…

Mary Loly: Era la persona más buena, más trabajadora, más desprendida que yo conocí…

RTPA: Isabel trabajaba de continuo en el bar. Los escasos momentos de ocio los pasaba con sus hijos, a los que adoraba.

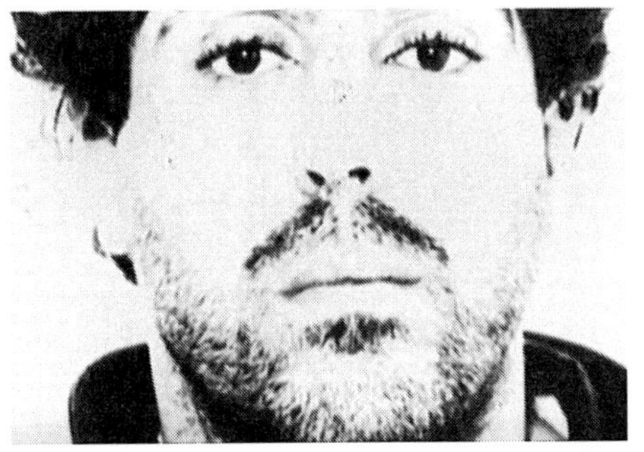

Pero Isabel ocultaba a su entorno una terrible realidad: [Recreación RTPA] —¡Dinero para que tú te vayas a comprar el vestidito, el no sé qué..., los maquillajes, de eso nada...! —*No estamos hablando de eso, por favor, Gregorio, escúchame, no es para gastar, es que no me llega el dinero... ¿Es que no lo entiendes? ¡Es que con el sueldo mío no me llega para mantener la casa!* —Mira, yo te doy todo el dinero que necesites, todo el dinero que necesites: todo lo que yo gano es para ti y para los niños. ¡Os doy todo lo que quieras! Pero para que me vayas a comprar vestiditos y salgas por ahí con tus amigas, no... —*Gregorio, por favor, no quiero discutir, tienes que entender que a mí con el sueldo no me llega: lo único que quiero es para mantener la casa... ¡Gregorio, por favor!* —¿Y no tienes bastante con lo que te doy? —*No, no me llega...*

Abogada de Gregorio: Mi cliente estaba jubilado prematuramente, porque desde hacía muchos años (en concreto desde 1998) se le había diagnosticado neurosis y trastornos depresivos y anímicos.

RTPA: [Recreación] —*Gregorio, por favor, ¿me vas a dar el dinero, sí o no? No quiero discutir* —Te doy el dinero que necesites... ¡Tú pídemelo! No tienes más que pedirlo: ¡de verdad! ¡Te lo doy! ¡Pero como te vea por ahí saliendo con tus amigas, comprando maquillajes, vestidos y todas esas cosas que no necesitas! —*Gregorio, por favor, no alces la voz, que no es eso...* —Mira, ¿sabes qué te digo?, que las mujeres donde mejor estáis es en la cocina... ¡En la cocina te vas a quedar y no vas a ir a ningún sitio!

RTPA: Un hombre con un carácter depresivo, obsesivo y celoso... [Recreación RTPA] —¡Las mujeres donde mejor estáis es en la cocina y te voy a encerrar ahí! ¡Ahí te quedas...!

Mary Loly: Era la persona más egoísta y el hombre más malo que yo conocí... Solo le interesaba el dinero, no quería absolutamente a nadie, a nadie... Mi hermana llevaba mucho tiempo agobiada de trabajo, de vivir con un hombre que..., que no sé..., quizás por tener 17 años más que ella la agobiaba continuamente. Ella era quien atendía el negocio, a los hijos... Y siempre estaba de buen humor, con buena cara y él era todo lo contrario. No la trataba bien de ninguna de las formas y entonces, como es lógico, aunque en aquella época era distinto, ella tuvo la valentía de decir, pues me voy a separar...

Vecina: A mí solamente me dijo que se había separado y yo intuí que se debía a que la convivencia no era buena. Yo lo veía a él un poco huraño y extraño y a ella se le notaba que no era feliz, pero nunca me llegó a hacer ningún otro comentario...

RTPA: Finalmente, el 5 de marzo de 1991 el juez de Pola de Lena dicta sentencia de separación conyugal. El texto acuerda la separación, confiando a Gregorio la guarda del hijo mayor del matrimonio (llamado Iván) y a María Isabel la de la hija menor, llamada Delfina, de tres años de edad, resolución que fue recurrida por ambas partes.

Mary Loly: Él empezó a amenazarla, a amenazarla y a amenazarla... De hecho, en una ocasión en que Gregorio fue a ver a los niños tuve que arrancar a Delfi de su cuello, porque él no la quería devolver. Él solo pretendía en todo momento quitarle a ella sus hijos y su modo de vida, que era su negocio. Cuando él en algún fin de semana no devolvía a mi hermana los niños, ella cogía unas depresiones tremendas y fue entonces cuando yo tomé la decisión de que Delfi no se iba a separar de ella.

RTPA: María Isabel vive aterrada: sabe que su marido es capaz de cualquier cosa…

Mary Loly: Mi hermana tenía todo el cuidado del mundo y no salía a ninguna parte…

RTPA: Gregorio comenzó a concebir la idea de acabar con la vida de su mujer y se le ocurrió la contratación de un sicario. El hombre está decidido: va a hacer lo necesario para acabar con la vida de su mujer. El 19 de abril de 1991, en compañía de su hijo Iván, sale de Mieres para dirigirse a Galicia con el pretexto de visitar a sus padres. Gregorio llega a Boi Morto (La Coruña), su localidad natal y contacta con Jesús Mejuto, un individuo con varios antecedentes penales, que acude a la reunión acompañado de su novia Purificación Crego, una joven de tan solo 19 años.

Abogada de Gregorio: Una chica muy joven y desorientada [Puri Crego] que admitió que fumaban a menudo porros con su novio. Se les encontró en su día cajas de estupefacientes. Debían de ser gente que bebían y se drogaban…

RTPA: En la reunión [de Gregorio Casal en Galicia] empiezan a planificar el crimen. Iván, el joven e inconsciente hijo de la pareja, está presente en las conversaciones en las que su padre negocia la muerte de su madre. Años después quedó probado en el juicio que los dos sicarios decidieron contar con un tercero, Emilio Mariño, boxeador de profesión, a fin de que actuase como ejecutor material de la muerte de Isabel, convenciéndole bajo promesa de entrega de unas 350.000 pesetas. Posteriormente, un guardia civil que trabajó en la investigación aseguraría que Jesús es *el listo* y Emilio *el músculo*. En una pensión cerrarían el acuerdo que implicaba matar a la mujer de

Gregorio, el cual, además, llevó apuntado en un papel los horarios habituales y rutinas diarias de María Isabel y facilitó una foto. Días después Gregorio y su hijo regresan a Mieres. Los sicarios lo hacen el 22 de abril, dos días antes del crimen. Vienen dispuestos a matar, pero antes cobran la mitad de lo estipulado, algo más de un millón y medio de pesetas. La reunión fue en la gasolinera Arroxo de Mieres. La suerte ya está echada y la infeliz María Isabel tiene la muerte de cara. Tras el crimen, Gregorio y los tres sicarios son detenidos y esperan el juicio. En Moreda, además de la rabia lógica por el luctuoso suceso, el hecho de contratar asesinos a sueldo provocó una gran conmoción. ¿Qué es un mercenario, un sicario, cómo trabaja?

Mónica Fernández, gabinete criminológico Llames Feito: [en adelante, **Gabinete**] Un mercenario es una persona que no pertenece a ningún grupo organizado y se dedica a matar a otras personas por encargo: solo se dedica a eso…

RTPA: Gregorio contactó fácilmente con los sicarios gallegos. Pero ¿realmente es tan sencillo contratar a un asesino a sueldo? Lo hemos intentado a través de la red en las páginas de contactos y hemos encontrado varios anuncios de sicarios. Queríamos verificar si realmente son profesionales o unos imitadores. Se enviaron varios mensajes a distintas direcciones y hemos recibido, al menos, cuatro respuestas veraces desde Perú, Colombia y España. El denominado *Inferno* nos autoriza a proporcionar su nombre y los siguientes datos: 'Los precios

varían según el objetivo, aunque el mínimo son 5.000 euros por persona. Me dedico a esto porque es la forma más fácil de ganar dinero, a pesar de haber estudiado Psicología. Además, fui militar. Por lo general, trabajo solo y no elimino niños'. Otro sicario nos da su número de teléfono móvil de Lima: 'El precio en España es de 2.500 euros para eliminar, más el viaje: incluye muerte o golpizas, dejar paralítica a una persona o vegetal. No cobro adelantos'.

Gabinete: Los distintos trabajos que pueden hacer estas personas son desde una paliza hasta un asesinato, dejarte inválido, hacer un secuestro exprés, cobrar deudas amenazándote y amenazando a tu familia...

RTPA: Su falta de relación con la víctima es una de las grandes bazas en el trabajo del sicario. La policía no puede encontrar vínculos familiares, laborales o de amistad. Sorprendentemente, aumentan los crímenes realizados por sicarios. En nuestro país se han cometido, al menos, 40 asesinatos por encargo en el año 2013.

Gabinete: Los clientes pueden ser cualquier tipo de personas... Una esposa que quiere matar al marido, el empleado que quiere matar al jefe, cualquiera que quiera vengarse de otro: puede ser contra cualquier persona... Tienen la misma pena el conseguir la custodia legal de sus sobrinos, que oficialmente les correspondía a los abuelos paternos.

Bayón: [Policía Local]. Ella parece ser que tuvo bastantes problemas para hacerse con la custodia de los niños. Anduvo recogiendo firmas por el pueblo para presentar en el juzgado...

RTPA: Manuela (Mary Loly) sabía que si entregaba los niños a la familia paterna probablemente no volvería a verlos más: una llamada telefónica lo confirmó...

Mary Loly: Yo estaba muy pensativa: qué voy a hacer, qué no voy a hacer... Y suena el teléfono en mi casa: y era la persona encargada de recoger a los niños, el marido de una hermana de mi cuñado, que me dijo que si no tenía a los niños a las tres de la tarde del día señalado acudiría a la Guardia Civil para que los agentes le acompañaran a buscarlos y que luego ya vería cuando me los entregaba...

RTPA: A pesar de que Gregorio estaba en prisión, seguía manejando los hilos de su familia, la familia a la que destrozó...

Mary Loly: Me llama el director del colegio y me dice que mi hija mayor, Raquel, le había dicho que estaba viendo a Delfi cogida de la mano de una señora saliendo del colegio. El director salió corriendo y se movilizó el centro entero... Yo fui también rápidamente y además llegó la policía y cogieron a ese cuñado del que hablé antes y a dos señoras, a dos..., porque no sé cómo se puede llamar a dos mujeres que van a secuestrar a una niña. Entonces ese fue el detonante para que me dieran a mí la guarda y custodia de los niños.

Director: Ella lo peleó, desde luego, de una manera envidiable y se implicó hasta el punto de convertirse en la verdadera madre. Realmente, es encomiable todo lo que se puede decir de Manuela (Mary Loly), que asumió toda esta circunstancia tan trágica y salió adelante.

RTPA: Y comenzó el juicio... Iván, el hijo de Gregorio y de María Isabel, ya es un adolescente y ve la foto del asesino en el periódico. Años antes (y sin saberlo) estuvo presente en la reunión en la que se contrató a los asesinos para matar a su madre...

Mary Loly: Y él me dijo que, sin duda, había visto a esas personas en un bar de La Coruña. —*¿Y ahora qué hacemos, Iván? Yo se lo tengo que decir al abogado...*, le sugerí. Y él me contentó que, por supuesto, que se lo comentara... Y el abogado me indicó que inmediatamente tenía que hablar con el fiscal, porque eso cambiaba las cosas. Entonces el delito de homicidio pasó a ser calificado de asesinato. A Iván le preguntaron si él lo declararía en un juicio y afirmó sin dudarlo que sí... Es más, trataron el asunto con cautela y le pusieron de manifiesto que si no quería hacerlo no lo hiciera: pero el aseguró muy convencido que declararía.

Abogada de Gregorio: Le habían enseñado una foto de Jesús Mejuto (que había salido en La Nueva España) y él afirmó:

—*¡Ah, sí! ¡Con este hombre habló mi padre...!*

RTPA: El 30 de abril de 1993 Emilio Mariño (brazo ejecutor del crimen) y Gregorio Casal, inductor del asesinato de su esposa, son condenador a 27 años de prisión cada uno. El fiscal pedía un total de 84 años para los acusados. Purificación Crego es considerada cómplice del delito y tiene una pena de 18 años.

Abogada de Gregorio: Purificación mantuvo siempre que habían ido de viaje de novios a Asturias y que llevaron a Emilio porque éste les pidió que lo llevaran... Ella nunca admitió nada: lo negó rotundamente. Ella estaba de viaje de novios con Jesús Mejuto...

Sección de homicidios. Muerte y resurrección de una familia

RTPA: Jesús Mejuto se fuga y no es sometido a juicio, pero el Código Penal de 1973, por el que fueron juzgados, beneficiaba ampliamente la reducción de condenas.

Abogada de Gregorio: Ni siquiera se cumplían los 2/3. Se salía muchísimo antes: a la mitad… Si estamos hablando de una condena de 27 años, los dos tercios serían 18 años y con 10 años ya se saldría.

RTPA: Efectivamente, los inculpados salieron de la cárcel en menos de 15 años. Gregorio Casal y Purificación Crego ya han fallecido. Iván y Delfi, los hijos de María Isabel, con la ayuda de su tía (Mary Loly) y de los que hoy son sus hermanos consiguieron salir delante de un suceso que pudo haberles destrozado la vida.

Director: [del Colegio Público de Moreda] Iván, el mayor de los dos hermanos, ya estaba escolarizado y todo el problema hizo que el chico fuera un poco retraído. Realmente, lo pasó mal…

Serafín Lemos, catedrático de Psicología: Hay mucha gente que, a pesar de sufrir situaciones traumáticas, sale a flote. Influyen las características personales y las de la familia e incluso del vecindario, del entorno social más próximo…

RTPA: A pesar del dolor por la pérdida de una madre y de una hermana, esta familia ha superado las tragedias y son optimistas, conscientes de que la fatalidad puede ocurrir en cualquier momento.

Reseñas fotográficas

Página 63: Carátula del programa de homicidios elaborado por la RTPA titulado 'Muerte y resurrección de una familia' con la foto de carnet de María Isabel Fernández Álvarez, la hermana de Mary Loly que fue asesinada por un sicario.

65: Gregorio Casal, que encargó a unos sicarios el crimen de su esposa María Isabel, viajando con su hijo a Galicia para ultimar los detalles del macabro encargo.

[*Nota auctoris*: Pedimos disculpas por el hecho de que las fotografías de Gregorio Casal, Jesús Mejuto, Purificación Crego y Emilio Marino se presenten entrecortadas, pero así es como figuran en el video de la televisión que emitió el reportaje (la RTPA) y, al no disponer de otras de mejor calidad, se optó por incluir las que figuran en este capítulo, al entender que, aún así, podrían resultar relevantes para el lector o lectora]

66: Manuela Fernández Álvarez (Mary Loly), hermana de la fallecida, durante la entrevista de la RTPA.

68: Fotografía de carnet de María Isabel según la emitió la televisión autonómica.

69: Mary Loly en los años en que su hermana María Isabel fue asesinada mediante cinco cuchilladas.

70: Jesús Mejuto, el cerebro de la macabra operación.

71: Purificación Crego, la novia de Jesús Mejuto y copartícipe en la delictiva, siniestra y lúgubre trama.

72: El autor material del crimen, Emilio Mariño (antiguo boxeador y 'el músculo').

74: Gregorio Casal, detenido y cabizbajo (la foto procede de un periódico y de la filmación de la RTPA, por lo que su calidad, como en otros casos, no es muy buena), camino del calabozo.

75: Otra toma de Mary Loly en la entrevista de la RTPA.

76: Manuela Fernández Álvarez (Mary Loly) en la actualidad.

77: Los hijos de María Isabel, Iván y Delfi, filmados de espaldas por la Radiotelevisión del Principado de Asturias cuando se realizó el reportaje, el 30 de abril de 2014.

79: Esta captura de la filmación tampoco es de buena calidad, pero se ha intentado reproducir en el libro porque es tremendamente dramática. A la derecha, Delfi, la hija de María Isabel llevaba en brazos, aparece en un portal tras ser su madre acuchillada. A la izquierda, María Isabel, tendida ya en el suelo.

4

Antepasados hijosdalgo y hombres buenos labradores

Los padrones de hidalguía o padrones de nobleza (Hidalguía, A.G.: 2022; Mill, J.: 2025), así llamados por la historiografía moderna, son en realidad una tipología documental producida en su origen con una función fiscal y recaudatoria por la que los vecinos del concejo debían pagar (pechar) el impuesto de moneda forera a la Corona de Castilla en función de no haber sido declarado hidalgo (del estado noble) y ser pechero del estado llano. El padrón recoge los dos estados según el vecino empadronado (cabezas de familia, viudas y menores: en el caso de éstos últimos solo se hace referencia a ellos) y pronto se conocieron estos censos como padrones de moneda forera o a callehita, al realizarse casa por casa. La acuñación de moneda era un privilegio exclusivo del rey y una forma de ingreso en su Hacienda al mismo tiempo. La diferencia entre el valor nominal y el del metal contenido en ella era el beneficio obtenido. En caso de necesidad los reyes acostumbraban a rebajar la cantidad de metal contenido en la moneda, pero sin variar el valor nominal de la misma, lo cual se conocía como 'quiebra de moneda o devaluación'. Los principales perjudicados de esta forma de actuar eran sus súbditos, puesto que producía una subida de precios. Para evitarlo los concejos castellanos en las cortes de Benavente de 1202 compraron a Alfonso XI el derecho de acuñar moneda por siete años, lo cual se consolidó en un tributo llamado 'Moneda Forera'. Dicho impuesto pervivió como tal hasta el año 1724 en que fue suprimido oficialmente, aunque le sobrevivió el registro fiscal que lo sustentaba como padrón o censo de vecinos con el fin esencial de establecer un control sobre la población y la vecindad; y también como fedatario de la condición y estado de los habitantes

del municipio, aspecto este clave en la sociedad del Antiguo Régimen como, por ejemplo, en los casos de elección de cargos de regidores o jueces. Su confección era obligatoria cada siete años, pero en la práctica esa secuencia, por muy diversos motivos, no se cumplió y así se conservan intervalos menores y mayores al septenio fijado.

Los padrones de moneda forera de la parroquia de El Pedregal que se muestran a continuación, cuyo valor histórico y documental es incalculable, fueron transcritos y cedidos para este libro por el *hijo predilecto de Tineo* **Senén González Rodríguez (2024)**. 'Comencé a transcribir los del concejo (dice Senén), incluidos los cotos señoriales y varias ejecutorias de hidalguía, en el mes de agosto del año 2000, concluyendo la totalidad de los mismos a las 24 horas del domingo 14 de abril de 2002, sin la interrupción de un solo día. Se hallan encuadernados en dos tomos y ocupan 679 folios por ambas caras'. Vaya aquí nuestro agradecimiento a Senén por su colaboración en este libro al cedernos los de la parroquia de El Pedregal. Su transcripción, es *ad litteram*, reflejando fielmente los vicios y virtudes ortográficas de los diferentes empadronadores, apreciándose en los mismos a lo largo del tiempo una evolución del lenguaje y notables fluctuaciones poblacionales en el siglo XVIII [García González, M. Paz; Mill, J.: 2025]

Septenios: 1632, 1650, 1686, 1692, 1698, 1704, 1722, 1730, 1737, 1744, 1751, 1759, 1766, 1773, 1780, 1787, 1794, 1801, 1808, 1815, 1824, 1831.

Pedregal (Santos Justo y Pastor del). **Tomo I. 17 mayo, 1632.** Sin numerar. (Hijuela de la parroquia de San Pedro de Tineo) Empadronadores locales. Por el Estado Noble: Don Gonzalo García, de El Pedregal. Por el Estado Llano: Pedro García, de El Pedregal.

[] **Padrón:** Gonzalo Danasco, lavrador, pechero - Pedro García, empadronador, pechero – Joan Salas, pechero - Santiago, del Pedregal, pechero - Andrés de la Calle, pechero - Catalina, suegra de Santiago, pechera, pobre - Cuatro yjos [hijos] menores que quedaron de Joan García, yjo de Elvira, pecheros, tienen la hazienda en un cuerpo y por partir - Alonso de Elvira, pechero - Favián, pechero - Domingo Martínez, pechero - Dos menores yjos de Pedro de la Calella, difunto, pecheros, tienen la hazienda partida - Alonso de la Peña, pechero - Joan, menor de Joan de la Peña, difunto, pechero - Tareysona, biuda, pechera, pobre - María, muger que fue de Pedro Rubio, con dos menores, pecheros, tienen la hazienda en un cuerpo y por partir - Pedro del Couz, pechero - Joan Díez, pechero - Dominga, menor, yja de Alonso Díez, pechera - Alonso Martínez, el viejo, pechero - Alonso Martínez, el mozo, pechero - Ynés, viuda de Francisco Domingo del Valle, con dos menores, pecheros, tienen la hazienda en un cuerpo y por partir - Gonzalo García del Cueto, empadronador, pechero - Joan García de Llano, pechero

- Alonso García, su ermano, pechero - Pedro García de Llano, su ermano, pechero.

Pedregal (Santos Justo y Pastor del). **Tomo I. 27 mayo, 1650.** Sin numerar. (Hijuela de la parroquia de San Pedro de Tineo) [En adelante se hará referencia únicamente al tomo y a la fecha, al ser la leyenda igual en todos los padrones: García González, M. Paz; Mill, Joseph: 2025]
Empadronadores locales. Por los buenos hombres labradores: Juan de Salas y Fabián García, de El Pedregal.

[] **Padrón:** El Licenciado Francisco Fernández, clérigo, hescusador de la dicha feligresía - Alonso García del Relayo y Graviel su menor, lavradores - Joan García del Pedregal, lavrador - Clara Rubia, biuda de Pedro García y sus hijos menores, lavradores, dixeron que tienen la hazienda por partir y en un cuerpo - Joan de Salas, empadronador, lavrador - Favián García, del Pedregal, empadronador, labrador - Dominga, biuda de Alonso de Elvira y sus yjos menores, lavradores, tienen la hacienda por partir y en un cuerpo - Pedro el Ruvio, lavrador - La yja menor que quedó de Diego de la Caleya, lavradora - Francisco Díez, lavrador - Pedro del Couz, lavrador - Pedro García, yjo de Favián, lavrador - Pedro, yjo de Santiago, lavrador - Joan Díez, lavrador - Pedro Díez, lavrador - Alonso Martínez, lavrador - Ynés, viuda de Domingo del Valle, lavradora - María de Truévano, lavradora y pobre de solenidad - Pedro, hijo de Alonso de la Peña, lavrador - Joan García, del Cueto, dicho el escapulario, lavrador - Alonso García su ermano, lavrador - Una yja menor de Pedro Arias, difunto, lavradora - Andrés García de la Calle, lavrador - Joan Pérez Faldudo, lavrador.

Tomo II. 30 agosto, 1686.
Empadronadores locales. Por los buenos hombres lavradores: Pedro García y Domingo García, de El Pedregal.
[] **Padrón:** El Licenciado Dn Alonso Flórez Caballero, cura de dicha parroquia, yjodalgo notorio, de casa y solar conocido, de armas poner y pintar - Catalina, viuda de Alonso de [...], lavradora - Domingo García, empadronador, lavrador - Juan García, su ermano, lavrador - Juan de Clara, lavrador - Pedro García, empadronador, lavrador - Alonso García, de la Caleya, lavrador - Catalina, viuda del Gobierno y sus yjos menores, lavradores - Juan de Salas, lavrador - Pedro Santiago, lavrador - Catalina, yja de Pedro Rubio, lavradora - Los menores de Francisco García, que son cinco, lavradores - Thomás García, lavrador - Pedro Cortina, de Modriyeyro [Modreiros], lavrador - Diego García, de la Caleya, lavrador - Pedro García, yjo de Juan de Clara, lavrador - La viuda de Pedro de Avuela y quatro menores, lavradores - Domingo del Couz, lavrador - Domingo Díez, lavrador - Pedro Díez, lavrador - Andrés Martínez, lavrador - Juan Gonzalo, lavrador - Francisco Díez Baldés, lavrador - Francisco Díez, su yjo, lavrador - Juan García, el escapulario, lavrador - Andrés García y su hermano, lavrador - Pedro García, su hermano, lavrador - Francisco, digo Domingo García, del Cueto, lavrador - Francisco García, su hermano, lavrador - Domingo

Pérez, lavrador - Joseph Pérez, lavrador - La viuda de Domingo Cortina, de Modriyero [Modreiros], lavradora - *Domingo Fernández*, forastero por estar letigando su calidad. [Domingo Fernández es el padre de Blas Fernández.

Recuérdese el Capítulo IX *ut supra* 'Hidalgo, pobre y pupilo': <Todo empezó cuando a Domingo Fernández, hijodalgo notorio de sangre en Porciles (Salas) contrajo nupcias en El Pedregal (Tineo) donde fue empadronado como pechero y más tarde su hijo Blas como labrador, en vez de como hidalgos, a la espera de que aclararan sus *calidades* con los documentos resultantes del pleito que seguían en la Real Chancillería de Valladolid...> (García González, M. Paz; Mill, J.: 2025)]

Tomo II. 9 agosto, 1692.
Empadronadores locales. Por los buenos hombres labradores: Juan García y Diego García de la Caleya, de El Pedregal.
[] **Padrón:** Catalina, viuda de Alonso García del Relayo, labradora - Domingo García, labrador - Juan García, su hermano, empadronador, labrador - Juan García de Clara, labrador - La viuda de Pedro García de Clara y sus hijos menores, labradores, tienen la hacienda por partir - Alonsso García de la Caleya, labrador - Juan de Salas, labrador - Los hijos menores de Alonso García de Clara, labradores, tienen la hazienda por partir - Los hijos menores de Francisco García, labradores, tienen sus vienes por partir - Diego García de la Caleya, empadronador, labrador - Pedro García de Clara, labrador - Domingo del Couz, labrador - Diego García, hijo de Diego, labrador - María de

Abuela, viuda, labradora - Domingo Díez, labrador - Pedro Díez, hijo de Francisco Díez, labrador - Pedro Díez, labrador - Andrés Martínez, labrador - Pedro García del Faedal, labrador - Juan de Gonzalo, labrador - Cattalina Díez, viuda y sus hijos menores, labradores, tienen sus vienes por partir - Juan García, del Cueto, labrador - Andrés García, su hermano, labrador - Domingo García, del Cueto, labrador - Francisco García, del Cueto, labrador - Diego de la Calle, labrador - La viuda de Diego la Calle y sus hijos menores, labradores, tienen su hacienda por partir - Elvira, moza soltera, labradora - Joseph Pérez, labrador - Domingo Pérez, labrador - Juan García su yerno, labrador - Dominga Díez, moza soltera, labradora - *Domingo Fernández*, vezino de dicho lugar del Pedregal, vino del conzejo de Salas que confina con éste. Su padre es tenido allí por hidalgo y fue empadronador por los hijosdalgo de aquel concejo y porque en éste le pusieron por forastero trajo [Reales] Provisiones de la Sala de Hijosdalgo de Valladolid y hasta aquí no saven lo que ha sacado ni el estado en que tiene; es por cuanto y por esto no le pueden dar estado conocido y en éste lo dejan sin perjuicio.

Tomo III. 5 junio, 1698. Folios 32 a 33.
Empadronadores locales. Por los buenos hombres labradores: Domingo García y Diego García de la Caleya, de El Pedregal.
[] **Padrón:** El Lizenciado Juan Fernández, Capillero de la Capillanía del Pedregal, presvítero - Domingo García, empadronador, labrador - La viuda de Juan García y sus quatro hijos menores, labradores, tienen la hacienda por partir - Juan de Clara, labrador - Juan de Clara, su hijo, labrador - La viuda de Pedro García y sus hijos menores, labradores, tienen la hacienda por partir - Alonso de la Marina, labrador - Juan de Salas, el viejo, labrador - Juan de Salas, el mozo su hijo, labrador - Diego García de la Caleya, empadronador, labrador - La viuda de

Francisco García y sus tres hijos menores, labradores, tienen la hacienda por partir - Los dos menores del Fraile, labradores, tienen la hacienda por partir - Pedro García, labrador - Domingo del Couz, labrador - Su hijo Ángel, labrador - Los menores de Alonso García, labradores, tienen la hacienda por partir - Domingo Díaz, labrador - Pedro Díaz, labrador - Andrés Martínez, labrador, pobre de solemnidad - Pedro García Faedal, labrador - Alonso García su hijo, labrador - Juan González, labrador - Pedro Díaz del Viforco, labrador - Lázaro García y su hermano, labradores, tienen la hacienda por partir - Domingo Pérez, labrador - Joseph Pérez su hijo, labrador - Juan García de la Yglesia, labrador - La viuda de Diego de la Calle y sus dos menores, tienen la hacienda por partir, labradores - La viuda de Francisco García del Cueto y sus dos hijos, labradores, tienen la hacienda por partir - Los menores de Andrés del Cueto, que son quatro, labradores, tienen la hacienda por partir - Juan García del Cueto, labrador - *Domingo Fernández*, vezino de dicho lugar del Pedregal, vino del conzejo de Salas que confina con éste, su padre es allá tenido por hidalgo y fue empadronador por los hijosdealgo de aquel conzejo y que en este conzejo lo pusieron por forastero; trajo [Reales] Provisiones de la Sala de Hijosdealgo de Valladolid y hasta aquí no saben lo que ha sacado ni el estado que tiene este pleito y por esto no le dan estado conocido y en esto lo dejan, sin perjuicio.

Modreiros

Pedro Cortina, labrador - La viuda de Domingo Cortina y sus dos hijos menores, labradores, tienen la hacienda por partir.

Tomo IV. 18 julio, 1704. Folios 92 a 93.
Empadronador local. Por los buenos hombres labradores: Joseph Pérez, de El Pedregal.

[] **Padrón:** El Lizenciado Juan Fernández, presbítero, hidalgo - Domingo Garzía de Relayo, labrador -Domingo Garzía, su hijo, labrador - Juan García su hermano, labrador - La biuda de Juan García y su menor, labradores, la azienda por partir - Juan Garzía de Clara, labrador - La viuda de Pedro Garzía, labradora - Alonso Marina, labrador - La viuda de Juan de Salas, labradora - Juan de Salas, labrador - Lázaro Garzía, labrador - Lucía, viuda, labradora - Pedro Garzía del Riñón, labrador - Cathalina Díaz, labradora - María Garzía, soltera, labradora, pobre - María Garzía, moza soltera, labradora, pobre - Domingo Garzía, labrador - Diego Garzía, labrador - Ángel del Couz, labrador - Domingo Díaz, labrador - Pedro Díaz, labrador - Andrés Martínez, pobre, labrador - Pedro Garzía del Faedal, labrador - La viuda de Alonso Garzía del Faedal, labradora - Juan de Gonzalo, labrador - Pedro Díaz, el mozo, labrador - Juan Garzía del Cueto, labrador - Francisco Garzía su hijo, labrador - La viuda de Francisco Garzía y sus menores, la azienda por partir, labradores - Andrés de la Calle, labrador - Joseph Pérez, empadronador, labrador - Domingo Pérez, labrador - *Domingo Fernández*, bino del conzejo de Salas que confina con éste; su padre es tenido por ydalgo y dizen fue empadronador por los hijosdalgo de aquel conzejo y porque en este le pussieron por forastero, trajo [Real] Probissión de la [Sala] de Hijosdealgo de Ballado[lid], hi yastaquí no saben lo que assacado ni el estado que tiene este pleyto y por esto no le pueden dar estado conozido y assí lo dejan sin perjuizio.

Tomo IV. 4 noviembre, 1722. Sin numerar.

Empadronador local. Por los buenos hombres labradores: Joseph Pérez, de El Pedregal.

[] **Padrón:** El Lizenciado Juan Fernández, presbítero, ydalgo por su estado sazerdotal - Domingo Garzía, labrador - Juan Garzía, labrador - Juan Garzía Relayo [Rechayo], labrador - Juan Garzía de Clara, labrador - Pedro Garzía Marina, labrador - Juan de Salas, labrador - Lázaro Garzía, labrador - Joseph Garzía, labrador - La biuda de Domingo Garzía y sus hijos menores, la azienda por partir, labradores - Pedro Garzía de Abuela, labrador - Ángel del Coud, labrador - Los hijos menores de Pedro Candrales, la azienda por partir, labradores - Pedro Díez, labrador - Antonio Díez, labrador - Franzisco Garzía del Faedal, labrador - Biuda de Alonso Garzía del Faedal y sus hijos menores, lazienda por partir, labradores - Juan de Gonzalo, labrador - Biuda de Pedro Díez, de Biforco y sus hijos menores, lazienda por partir, labradores - Franzisco Garzía del Cueto, labrador - Antonio de Salas, labrador - Alonso de Marina, labrador - Domingo Garzía su hijo, labrador - Lázaro Garzía del Cueto, labrador - Dominga, biuda de Francisco Garzía del Cueto y sus hijos menores, la azienda por partir, labradores - Andrés de la Calle, labrador - *Blas Fernández*, dize que aunque le puso en el padrón antezedente del año mil setezientos y diez y siete por pechero y por apremio de aber contribuído como tal, sabe que su padre fue del qonzejo de Salas inmediato y confinante con este y que sus parientes por línea recta de barón gozan en dicho qonzejo el estado de hidalgos y contribuyen como tales, cuya notoriedad adquirió después que hizo el zitado padrón, por lo que por no perjudicarle al que debía gozar y justificar thener, por aora no se lo da y pide sele aperziba justifique todo sin perjuizio del Real Patrimonio - Domingo Pérez, labrador - Joseph Pérez, empadronador, labrador.

Tomo IV. 16 junio, 1730. Sin numerar.
Empadronador local. Por los buenos hombres labradores: Joseph Pérez, de El Pedregal.
[] **Padrón:** Dn Antonio Begega Flórez, Señor de la Casa y Solar de Begega en el qonzejo de Miranda y sus hijos Dn Francisco, Lorenzo, Manuel, Martín y Joseph, hijosdalgo notorios de casa y solar conozida, de armas poner y pintar - El Lizenciado Dn Juan Pérez, presbítero, hidalgo por su estado - Domingo García, labrador - Juan García Banda, labrador - Juan de Clara, labrador - Pedro Marina, labrador - Francisco su hijo, labrador - Juan de Salas, labrador - Joseph García, labrador - Diego García y Domingo su hermano, menores, labradores - Juan García, menor, labrador - Marcos de Couz, menor, labrador - Pedro de Abuela, labrador - Antonio Díez, labrador - Thomás Pérez, labrador - Francisco Díez del Viforco, labrador - Antonio de Salas, labrador - Domingo García del Coto, labrador - Andrés García, labrador - Lázaro García, labrador - Andrés de la Calle,

labrador - Blas Fernández, labrador - Domingo Pérez, labrador
- Jazinto García, labrador - Joseph Pérez, empadronador, labrador.

8 abril, 1737. Archivo de la Real Chancillería de Valladolid. Sección de Protocolos. Caja 139-17.
Empadronador local. Por los buenos hombres labradores: Joseph Pérez, de El Pedregal.
En las Casas de Ayuntamiento desta villa y qonzejo de Tineo, a ocho días del mes de abril deste año de mil settecientos treynta y siete, ante Sus Mercedes el señor Juez noble desta villa y qonzejo y el Rejidor diputado de ella y él. Para hazer los padrones a calleyta comparezió Joseph Pérez, por el estado llano, por estar ausente Dn Antonio de Begega Flórez, por los hijosdalgo. Empadronadores nombrados por la feligresía del Pedregal donde son vezinos, quien enterado de la Real Horden que está por cabeza y prezedido de juramento que hizo conforme a derecho de azer bien y fielmente dicho padrón y lo comenzó en la manera siguiente=

[] **Padrón:** Dn Antonio de Begega Flórez y sus hijos Dn Francisco y Dn Lorenzo y otros hijos, hijosdalgo nottorios, de casa y solar conozido, de armas poner y pintar - Domingo García

del Relayo, labrador - Juan García de la Banda, labrador - Juan García su hijo, labrador - La biuda de Juan del Relayo y sus hijos, labradores - Los menores de Juan de Clara, labradores - Juan García Queypo, labrador - Pedro Marinas, labrador - Jazinto García, labrador - Juan de Salas, labrador - Pedro Santiago, ausente, labrador - Joseph García, labrador - Diego la Calle, labrador - Pedro de Abuela, labrador - Los menores de Ángel del Co[u]z, labradores - Antonio Díez, labrador - Los menores de Francisco del Faydal, labradores - Patrizio de la Peña, labradores - Francisco Díez del Biforco, labrador - Los menores de Francisco García del Cueto, labradores - Antonio de Salas, labrador - Domingo García Marinas, labrador - Andrés García, labrador - Lázaro García, labrador - Andrés de la Calle, labrador - *Blas Fernández*, labrador - Domingo Pérez, labrador - Joseph Pérez, empadronador, labrador.

Tomo III. 29 mayo, 1744. Folios 16 a 20.
Empadronador local. Por los buenos hombres labradores: Domingo Pérez, de El Pedregal.
[] **Padrón:** Domingo García, labrador - Juan García, labrador - Bizente García, labrador - Juan García Queypo, labrador - Juan de Salas, labrador - Joseph García, labrador - Diego García, labrador - Pedro de Abuela, labrador - Diego la Calle, labrador - Marcos del Couz, labrador - Christobal Díaz, labrador - Thomás Pérez, labrador - Domingo del Faydal, labrador - Francisco

Díez del Biforco, labrador - Juan García del Cueto, labrador - Anttón de Salas, labrador - Domingo García Marinas, labrador - Lázaro García, labrador - Andrés García, labrador - *Blas Fernández*, labrador - Francisco García, labrador - Domingo Pérez, empadronador, labrador.

Tomo III. 8 marzo, 1751. Folios 21 a 22.
Empadronadores locales. Por los buenos hombres labradores: Juan García Queipo y Francisco García, de El Pedregal.
[] **Padrón:** Domingo García Mariñas, labrador - Juan García Banda, labrador - Juan García Queypo, empadronador, labrador - Bizente García, labrador - Juan de Salas, labrador - Diego García labrador - Francisco García, empadronador, labrador - Diego la Calle, labrador - Christobal Díez, labrador - Thomás Pérez, labrador - Domingo del Faydal, labrador - Juan García del Cueto, labrador - Manuel de Salas, labrador - Andrés García, labrador - *Blas Fernández*, sin embargo que en el padrón del año de mil setezientos veinte y dos que con otros se tubo presente para azer éste, se declara por Joseph Pérez, empadronador que fue de dicho año, aber sido su padre del qonzejo de Salas confinante con este y que sus parientes por línea recta de barón gozaban en él del estado de ydalgos, pidiéndose aperzibiese justificase mediante no lo aber echo y saber lo continuado en los padrones siguientes en el estado de labrador, lo ponen por tal sin perjuicio de su nombre y del Real Patrimonio - Joseph Pérez, labrador - Juan García Cambín, labrador.

Tomo I. 10 febrero, 1759. Sin numerar.
Empadronador local. Por el estado llano: Francisco García Mingones, de El Pedregal.
[] **Padrón:** Domingo Garzía Mariñas, trajinante, labrador y que tiene un hijo soldado de milizias - Juan Garzía Queypo, trajinante, labrador - Bizente García, labrador - Juan de Salas,

labrador - Diego Garzía, trajinante, labrador - Francisco Garzía, labrador - Diego la Calle, labrador - Christobal Díez, labrador - Thomás Pérez, labrador - Domingo del Faydal, trajinante, labrador - Juan Garzía del Cueto, labrador - Manuel Garzía, labrador - Andrés Garzía, labrador - *Blas Fernández*, trajinante, labrador - Joseph Pérez, labrador - Francisco Garzía Mingones, empadronador, labrador.

El oficio de arriero, trajinante o trajinero (Castellón, C.: 2017; Mill, J.: 2024) tiene una tradición de más de diez siglos, ya que su origen se atribuye a los árabes asentados en la Península. El arriero conducía animales de carga que transportaban las mercancías entre pueblos, ciudades, caseríos y comercios; vendían o trocaban productos de primera necesidad como aceite, telas, sal, etc. siguiendo rutas más o menos fijas y cíclicas, y de diferente duración, por lo que era habitual que pasaran bastante tiempo fuera de su población de residencia. Uno de los pilares fundamentales de este oficio eran los denominados animales de carga, único medio de llegar a muchas zonas del interior, incluso a comienzos del siglo XX, por la falta de infraestructuras viarias de comunicación y la agreste orografía de nuestras montañas. Mulos (llamados comúnmente machos) y burros, ambos animales más seguros en terrenos abruptos que los caballos, eran el bien más preciado del trajinero, a los que cuidaban como a un miembro de la familia. En tiempos de la postguerra, algunos arrieros, grandes conocedores de todos los caminos y veredas, también se vieron obligados a dedicarse al estraperlo para poder comer en años de hambre. Sobre todo, se trajinaba con aceite, harina o tabaco, de noche y por malos caminos para evitar los controles de la Guardia Civil, aunque eran muy comunes los chivatazos y se arriesgaban a que les requisaran la carga y a fuertes multas. En muchas poblaciones de interior (y hasta no hace tantos años) era usual ver recuas transportando la cosecha de aceitunas a las almazaras, el corcho o la madera extraída de las montañas e, incluso, la piedra de las canteras.

Tomo III. 17 septiembre, 1766. Folios 36 a 37.
Empadronador local. Por el estado llano: Francisco García Mingones, de El Pedregal.
[] **Padrón:** Joseph Garzía, labrador - Francisco Garzía, empadronador, labrador - Juan Garzía Banda, labrador - Domingo Garzía Banda, labrador - Juan Garzía de Clara, labrador - Juan Garzía Queypo, labrador - Juan Menéndez Salas, labrador - Juan de la Torre, labrador - Ánjel del Couz, labrador - Thomás Pérez, labrador - Domingo Garzía Faydal, labrador - Juan Fernández, soldado miliziano - Juan Garzía Queypo, lo mismo - Joseph Pérez, labrador - *Blas Fernández*, labrador, sin perjuizio de su derecho, mediante se alla haziendo sus diligencias en la Real Chancillería de Valladolid. (En el margen izquierdo dice: 'Blas Fernández y sus hijos Joseph, Suero, Francisco y Juan, hidalgos en birtud de Real carta executoria de Valladolid, que está con este padrón'.)

Tomo IV. 15 julio, 1773. Sin numerar.

Empadronadores locales. Por el estado noble: Don Suero Fernández, de El Pedregal. Por el estado llano: Francisco García, de El Pedregal.

[] **Padrón:** Dn Andrés Fernández de Llano, Teniente cura de dicha parroquia - Suero Fernández, empadronador, hidalgo - Joseph Fernández y sus hijos Domingo, Juan, Blas y Juaquín, hidalgos - Juan Fernández y su hijo Juan, hidalgos - Francisco García, empadronador, labrador - Juan García Banda, labrador - Juan García Queypo, labrador - Juan Menéndez, labrador - Toribio García Faydal, labrador - Joseph Pérez, labrador - Diego de la Calle, labrador - Juan García, labrador - Antonio García, labrador - Francisco Díaz, labrador.

Tomo V. 9 junio, 1780. Sin numerar.

Empadronadores locales. Por el estado noble: Don Domingo Fernández, de El Pedregal. Por el estado llano: Francisco García, de El Pedregal.

[] **Padrón:** Dn Bernardo Pérez, Theniente cura de dicho anejo - Suero Fernández, hidalgo - Joseph Fernández y su hijo Domingo, empadronador por el estado noble, hidalgos - Juan Fernández y su hijo Juan, hidalgos - Joseph Fernández Cuerbo y Arango, forastero, justifique. (Al margen izquierdo dice: *ojo*) -

Francisco García, empadronador por el estado llano, lavrador - Juan García, lavrador - Ysidro García, lavrador - Mathías García, lavrador - Domingo García, Feidal, lavrador - Joseph Pérez, lavrador - Diego de la Calle, lavrador - Juan García Marina, lavrador - Antonio García, lavrador - Francisco Díez, lavrador.

Tomo V. 24 agosto, 1787. Folios 35 a 37.

Empadronadores locales. Por el estado noble: Don José Fernández, de El Pedregal. Por el estado llano: Domingo García, de El Pedregal.

[] **Padrón:** Dn Bernardo Pérez, presvítero, Theniente cura de dicho anejo a la de Tineo - Josef Fernández, empadronador actual y Domingo su hijo y Josef y Manuel hijos de éste, hijosdalgo - Suero Fernández hermano de dicho Josef, hijodalgo - Juan Fernández y su hijo Juan y dos hijos de éste, hijosdalgo - Dn Josef Fernández Cuervo Arango y sus hijos Ramón, Domingo, Juan y Josef, hijosdalgo, en virtud de executoria, que en el día de hoy exivió a su favor, librada por la Xusticia el Sr Rexente de la Real Audiencia de Oviedo con fecha de veinte y dos del presente mes, de que queda copia en el Archivo de este Ayuntamiento= - Francisco García y sus hijos Dn Josef, ausente, Miguel y Domingo del estado llano - Domingo García, empadronador actual por el estado llano, del mismo estado - Ysidro García, pechero - Matías García y sus hijos Pedro y Francisco, pechero - Phelipe García, hijo de Domingo difunto, pechero - Josef Pérez, pechero - Pablo Pérez y su hijo Josef, pecheros - Diego de la Calle y Diego García su sobrino, pecheros - Juan García Marinas y sus hijos Juan, Ángel y Matías, pecheros - Antonio y Juan García, hermanos, hijos de Antonio, difunto, pecheros - Francisco del Viforco y su hijo Antonio, pecheros - Francisco Díaz y su hijo Francisco, pecheros - Pablo Diaz, pechero - Eugenio Pérez y su tío Manuel, pecheros - Pedro Fernández, pechero - Alejandro de la Peña y sus hijos Josef, Juan

y Cayetano, pecheros - Manuel Miranda, pechero - Juan García Barroso, pechero - Juan García Queypo, pechero - Diego Fernández, pechero - Bernardo Menéndez, pechero - Juan Bermejo y su hijo Bernardo, pecheros - Juan, Francisco y Pedro de la Torre, hermanos, hijos de Juan, difunto, pecheros - Pedro Santos García, pechero - Ángel del Couz, pechero - Juan García Cambín, pechero - Juan García de Clara y sus hijos Antonio, Juan, Santiago, Ysidro y Francisco, pecheros - Juan García Galvana y sus hijo Juan, pecheros - Josef García, de Ondinas y sus hijos Juachín y Andrés, pecheros - Josef García, hijo del anterior Josef, pecheros - Andrés Alonso y su hijo Domingo, de Modreyros, pecheros.

Tomo V. 22 julio, 1794. Folios 6 a 8.
Empadronadores locales. Por el estado noble: Don José Antonio Fernández Cuervo Arango, de El Pedregal. Por el estado llano: Pablo Díaz, de El Pedregal.
[] **Padrón:** Dn Bernardo Pérez, presvítero, Teniente cura de esta parroquia, Capellán de la Santtísima Trinidad de ella - Domingo Fernández y sus hijos Joseph, Manuel, Domingo y Ramón, hijosdalgo - Juan Fernández y su hijo Juan, con Francisco, Manuel

y Domingo hijos del último, hijosdalgo - Dn Joseph Antonio Fernández Cuerbo Arango, empadronador actual por el estado noble y sus hijos Dn Ramón, Domingo, Juan y Joseph, hijosdalgo - Domingo Colado y su hijo Pablo, hijosdalgo - Y Pablo Colado hermano del Domingo, del mismo estado - Miguel García y su hermano Dn Joseph, cavo del resguardo de Reclutas Reales de la ciudad de Oviedo, pechero - Domingo García Banda, pechero - Ysidro García, pechero - Mathías García y sus hijos Pedro, Francisco, Juan y Joseph, pecheros - Pablo Pérez y sus hijos Joseph Francisco y Miguel, pecheros - Diego García, pechero - Juan García Marinas y sus hijos Juan, Ángel y Antonio, pecheros - Juan García y Antonio, su hermano, hijos de otro Antonio, pecheros - Francisco Díaz del Biforco, Antonio y su hijo Francisco, hijo de éste, pecheros - Francisco Díaz y Francisco su hijo, pecheros - Pablo Díaz, empadronador por el estado llano, pechero - Eujenio Pérez y su tío Manuel, pecheros - Pedro Fernández, pechero - Alexandro de la Peña y sus hijos Juan, Cayetano y Pedro, pecheros - Manuel Miranda, pechero - Diego Fernández, pechero - Juan Bermejo y sus hijos Bernardo, Josef y Juan, pecheros - Francisco de la Thorre, su hermano Pedro y Francisco hijo de dicho Francisco, pecheros - Pedro Santos García y su hixo Juan, pecheros - Ángel Co[u]z, pechero - Juan García Cambín, pechero - Juan García de Clara y sus hixos Antonio, Juan, Francisco, Ysidro, Santiago y Bonifacio, pecheros - Joseph García, de Ondinas y sus hijos Joaquín y Andrés, pecheros - Josef García, hijo del antecedente, pechero - Andrés Alonso, digo Domingo Alonso de Modrero y su hijo, pecheros - Dn Basilio de Uría y Nieto, hijodalgo.

Tomo VI. 22 marzo, 1801. Folios 23 a 24.
Empadronadores locales. Por el estado noble: Don Ramón Fernández Cuervo Arango, de El Pedregal. Por el estado llano: Pablo Díaz, de El Pedregal.

[] **Padrón:** Dn Bernardo Pérez, presbítero, Theniente cura de la Parroquia del Pedregal, Capellán de la Santísima Trinidad de ella - Domingo Fernández y sus hijos Josef, Manuel, Domingo y Ramón, hijosdalgo - Juan Fernández y sus hijos Francisco, Fernando y Domingo, hijosdalgo - Dn Josef Antonio Fernández Cuervo Arango y sus hijos Dn Ramón, actual empadronador por el estado Noble, Dn Domingo, Dn Juan y Dn Josef, hijosdalgo - Domingo Colado, hijodalgo - Pablo Colado y su hijo Francisco, hijosdalgo - Miguel García y su hermano Dn Josef, cabo del Resguardo de Rentas Reales en la ciudad de Oviedo, pecheros - Domingo García Vanda, pechero - Ysidro García, pechero - Mathías García y sus hijos Pedro, Francisco, Juan y Josef, pecheros - Felipe García, pechero - Pablo Pérez y sus hijos Josef, Francisco y Miguel, con Juan, pecheros - Diego García y su hijo Diego, pecheros - Juan García Marinas y sus hijos Ángel y Antonio, pecheros - Antonio García y su hermano Juan, ausente, pecheros - Francisco Díaz, del Biforco y su hijo Antonio, con Francisco, hijo del Antonio, pecheros - Francisco Díaz y su hijo Francisco, pechero - Pablo Díaz, empadronador por el estado llano, pechero - Eugenio Pérez, pechero - Pedro Fernández, pechero - Alexandro de la Peña y sus hijos Cayetano, Juan, Pedro y Francisco, pecheros - Manuel Miranda y Benito su hermano, pecheros - Diego Fernández y su hijo Santiago, pecheros - Juan Bermejo y sus hijos Josef y Juan, pecheros - Francisco de la Torre, su hermano Pedro y Juan hijo del Francisco, pecheros - Pedro Santos García y sus hijos Juan, Francisco y Fernando, pecheros - Ángel Co[u]z y su sobrino Josef García, pecheros - Juan García Cambín y su yerno Antonio García, con su sobrino Felipe de Sala, pecheros - Juan García de Clara y sus hijos Antonio, Juan, Ysidro, Santiago, Bonifacio y Pedro, pecheros - Josef García, de Ondinas y sus hermanos Joaquín y Andrés, ausentes, pecheros - Domingo Alonso, de

Modreros y su hijo Andrés, pecheros - Juan García Galvana y sus hijos Juan y Martín, pecheros.

Tomo V. 7 mayo, 1808. Folios 9 a 10.
Empadronadores locales. Por el estado noble: Don Joseph Fernández Cuervo-Arango, de El Pedregal. Por el estado llano: Pablo Díaz, de El Pedregal.

[] **Padrón:** Dn Bernardo Pérez, presbítero, Teniente cura de la Parroquia del Pedregal - Domingo y Ramón Fernández, ermanos, hijos de Domingo, difunto, hijosdalgo - Juan Fernández y sus hijos Francisco, Fernando y Domingo, con Lázaro su nieto e hijo del Francisco, hijosdalgo - Dn Joseph Antonio Fernández Cuervo Arango, empadronador actual por el estado noble y sus hijos Dn Ramón, Dn Domingo, presbítero, Dn Juan y Dn Joseph, hijosdalgo - Domingo Colado y sus hijos Santiago y Pablo, hijosdalgo - Miguel García y su ermano Joseph, pecheros - Matías García y sus hijos Pedro, Francisco, Juan y Joseph, pecheros - Pablo Pérez y sus hijos Francisco Miguel y Juan, pecheros - Antonio García Marinas, hijo de Juan difunto, pechero - Antonio García y su ermano Juan, pecheros - Antonio Díaz, del Biforco, su hijo Francisco, pecheros - Francisco Díaz, su hijo Francisco, con Joseph hijo y nieto respective, pecheros - Pablo Díaz, empadronador actual por el estado llano, pechero - Eugenio Pérez, pechero - Pedro Fernández, pechero - Alexandro de la Peña y sus hijos Cayetano, Juan, Pedro y Francisco, pecheros - Manuel y Benito Miranda, hijos de Juan, difunto, pecheros - Joseph y Juan Bermejo, hijos de Juan, difunto, pecheros - Francisco de la Torre, su ermano Pedro y Juan hijo del Francisco, pecheros - Pedro Santos García, sus hijos Juan, Francisco, Fernando, Manuel e Ynocencio, pecheros - Ángel Co[u]z y su sobrino Joseph García, pecheros - Juan García Cambín, pechero - Felipe Menéndez de Salas, hijo de Bernardo, difunto, pechero - Juan García de Clara y sus hijos Antonio, Ysidro, Santiago,

Bonifacio y Pedro, pecheros - Juan García de Clara, menor, Cayetano y Joseph sus hijos, pecheros - Joseph García, de Ondinas, sus ermanos Joaquín y Andrés, con Francisco hijo del Joseph, pecheros - Domingo Alonso, de Modrero, su hijo Andrés e Ysidro su nieto, pecheros - Juan García Galvana y sus hijos Juan y Martín, pecheros - Diego Fernández, sus hijos Santiago y Francisco, pecheros - Diego García de la Calle, sus hijos Diego, Antonio, Juan y Joseph, pecheros. Nota: A cuyo tiempo se advirtió por el empadronador Dn Joseph Fernández Cuervo, deber empadronarse su yerno Manuel Fernández de Lázaro, hijo de Benito, de Santa Eulalia, vezino de dicho Pedregal.

Tomo VII. 11 abril, 1815. Folios 15 a 16.
Empadronadores locales. Por el estado noble: Don Ramón Fernández Cuervo-Arango, de El Pedregal. Por el estado llano: Francisco de la Torre, de El Pedregal.
[] **Padrón:** Ramón Fernández, hijo de Domingo, difunto, hijodalgo - Francisco Fernández y su hijo Lázaro, hijosdalgo - Dn Ramón, Dn Domingo, presbítero, Dn Juan y Dn José Fernández

Cuervo, hijos de Dn José, difunto, con Dn Manuel hijo del Dn Ramón, hijosdalgo, y el Dn Ramón, mayor, actual empadronador noble de dicha parroquia - Pablo Díaz, actual Juez por el estado llano, pechero - Pablo y Santiago hijos de Domingo Colado difunto, hijosdalgo - Miguel García y su ermano Dn José, empleado en las Rentas Reales de Tabaco y su Resguardo, pecheros - Juan, Francisco y José, hermanos y los dos últimos ausentes, pecheros - Pablo Pérez, con sus hijos Francisco y Miguel, éste ausente, pecheros - Antonio Marinas, pechero - Antonio García y su ermano Juan, ausente en la América, pecheros - Felipe Salas, yerno del Antonio, con quien vive y su hijo Bernardo, pecheros - Antonio Díaz, su hijo Francisco, habitantes en la casa llamada El Biforco y Ramón hijo del Francisco, pecheros -   Francisco Díaz, su hermano, digo su hijo y los de éste, Francisco, José y otro José, pecheros - Eugenio Pérez, pechero - Pedro Fernández, digo Juan, Francisco y Pedro, éstos dos ausentes, hijos de Alexandro, difunto, pecheros - Manuel y Benito Miranda, pecheros - José y Juan Bermejo, hermanos, hijos de otro Juan, difunto, pecheros - Francisco de la Torre, empadronador por el estado llano y su hijo Juan, pecheros - Tiene otro casado en el mismo lugar, llamado Pedro de la Torre, pechero - Juan, Francisco, Fernando, Ynocencio y Manuel García, hijos de Pedro Santos, difunto, pecheros - Ángel Co[u]z y su sobrino José García, que viven en unión y los hijos de este José, pecheros - Juan García Cambín, pechero - Juan García, hijo de otro, difunto; y sus ermanos Ysidro, Antonio, Bonifacio y Pedro, estos quatro ausentes, con Cayetano y Francisco hijos del Juan, pecheros - Santiago, ermano del Juan y ausentes, casado en el propio pueblo y su hijo Sebastián, pecheros - José García, de Ondinas, sus hijos Francisco, José y Juan, con Andrés y Joaquín, ermanos del José, ausentes, pecheros - Andrés Alonso, de Modrero y sus hijos Ysidro y Antonio, pecheros - Juan García Galvana y sus hijos Juan y Martín y

 un hijo del Juan llamado José, pecheros - Diego Fernández y sus hijos Santiago y Francisco, que son pecheros - Diego García, Antonio, Juan, José y Pedro sus ermanos, hijos de otro Diego, pecheros - Manuel Fernández, que se le dice de Lázaro, oriundo de Santa Eulalia y su hijo Francisco, hijosdalgo - Dn José Cuervo Arango, hijo de otro del mismo nombre, morador en dicho lugar y Dn José su hijo, hijosdalgo - Leyose este empadronamiento a los expresados empadronadores y enterados de su exordio, ratificaron su juramento y dixeron haverlo hecho bien y sin fraude alguno, sin que de un estado ni de otro dexaren por apuntar razón alguna; excepto Juan, hijo de padre incógnito y aunque tubiese reconocimiento de quién lo hizo; según voz pública era parte cercana de la madre del muchacho, llamada Teresa Díaz, por cuyas razones se le empadrona por pechero.

Tomo VIII. 8 julio, 1824. Folios 11 a 12.
Empadronadores locales. Por el estado noble: Don Ramón Fernández Cuervo-Arango, 52 años, de El Pedregal. Por el estado llano: Pablo Díaz, 66 años, de El Pedregal.
[] **Padrón:** Francisco Fernández, sus hijos Lázaro, Julián y Domingo, ydalgos - Ramón Fernández, ydalgo - Manuel de Lázaro, su hijo Francisco, ydalgos - Domingo Cuervo, su hijo Celestino, ydalgo - José Cuervo Arango, sus hijos José, Román y Antonio, ydalgos - Juan Cuervo Arango, ydalgo - Dn Ramón

Cuervo Arango, actual empadronador por su estado noble, con sus hijos Manuel y José, ydalgos - Santiago y Pablo Colado, ydalgos - Andrés Alonso, sus hijos Ysidro, Ramón, Juan, Eugenio y Tomás, pecheros - Manuel Gancedo, pechero - Antonio Díaz, su sobrino Juan Fernández, pecheros - Ángel Couz, su sobrino José García, con José, Ángel y Miguel, hijos de éste, pecheros - José García, Ondinas, sus hijos Francisco, Juan y José, pecheros - Francisco Fernández, menor, hijo de Diego difunto, pechero - Antonio García de la Calle, sus ermanos José y Pedro, pecheros - José Bermejo, sus hijos Pablo y Esteban, pecheros - Antonio García Marinas, pechero - Felipe de Salas, sus hijos Bernardo y Vicente, pecheros - Benito Miranda hijo de otro, pechero - Santiago Fernández hijo de Diego, pechero - Juan Bermejo, pechero - Manuel Miranda, su hijo Rafael, pecheros - Francisco Díaz, de Viforco, su hijo Ramón, pecheros - Bernardo de la Peña hijo de Juan, pechero - Amador García, hijo de Domingo, pechero - Juan Antonio García, sus hijos Cayetano y Francisco, pecheros - Santiago García, su hijo Sebastián, pechero - José García Queypo, sus hijos Diego y José, pecheros - Juan García Camvín, forastero - Antonio Blanco, forastero - Juan García Galvanera, sus hijos José y Ramón, pecheros - Juan García Salas, su hijo José, pecheros - Francisco García de Salas, sus hijos José y Juan, pecheros - Francisco de la Torre, su hijo Juan, pecheros - Francisco Díaz, su hijo Francisco, con José, Manuel y Francisco. hijos del segundo Francisco, pecheros - Juan García Santos, sus hijos Ramón y Francisco, pecheros - Francisco García, hijo de Pedro, pechero - Manuel e Ygnocencio García, ermanos del anterior, pecheros - Fernando García, hijo de Pedro, ermano de los anteriores, pechero - Pedro de la Torre, sus hijos Francisco, Felipe, Juan y Manuel, pecheros - Pablo Díaz, actual empadronador, pechero - Pablo Pérez, sus hijos Francisco y Miguel, pecheros - Pedro Fernández, su hijo José, pecheros.

Tomo IX. 19 agosto, 1831. Folios 106 a 108.

Empadronadores locales. Por el estado noble: Don Juan Fernández Cuervo-Arango, de El Pedregal.

Por el estado llano: Juan de la Torre, de El Pedregal.

[] **Padrón:** Dn Francisco Fernández y sus hijos Lázaro, Julián, Domingo y Juan, ydalgos - Ramón Fernández y su hijo José, ydalgos - Manuel de Lázaro, su hijo Francisco, con Cándido hijo de éste, ydalgos - Domingo Cuervo y sus hijos Celestino, Ramón y Rodrigo, ydalgos - José Cuervo Arango y sus hijos José, Manuel, Antonio y Román, ydalgos - Dn Juan Cuervo Arango, actual empadronador noble, ydalgo - Dn Ramón Cuervo Arango y sus hijos Manuel y Gerónimo, ydalgos - Pablo Colado y sus hijo Domingo, ydalgos - Santiago Colado y sus hijos José, Francisco y Eleuterio, ydalgos - Juan Fernández y su hijo Manuel, forasteros - Andrés Alonso y sus hijos Ysidro, Juan, Tomás, Eugenio y Ramón, pecheros - Roque Menéndez, su yerno y su hijo Roque, forasteros - Manuel Gancedo y sus hijos Valentín y Manuel, pecheros - Antonio Díaz y su sobrino Juan Pontiga, pecheros - José García Couz y sus hijos José,

Ángel, Miguel y Ceferino, pecheros - José García, de Ondinas, y sus hijos Francisco, José y Juan, pecheros - Francisco Fernández, menor, pechero - Antonio García de la Calle y sus ermanos Pedro y José, con Maximino y Diego sus hijos, pecheros - José Bermejo, su ermano Juan y sus hijos Pablo, Estevan y Ambrosio, pecheros - Antonio García, pechero - Antonio García Marinas, pechero - Ramón Rubio, su yerno, forastero -Felipe Menéndez Salas y sus hijos Bernardo, Bicente y Manuel, pecheros - Manuel Miranda y su hijo Leonardo, pecheros - Francisco Díaz, del Viforco y su hijo Ramón, pecheros - Bernardo de la Peña, pechero - Amador García, pechero - Juan Antonio García y sus hijos Cayetano y Francisco, con Juan, hijo del Cayetano, pecheros - Santiago García y su hijo Sevastián, pecheros - José García Queipo y sus hijos Diego y José, pecheros - Juan García Galvana y sus hijos José y Ramón, pecheros - Juan García Salas y su hijo José, pecheros - Y lo mismo Antonio y Bernardo, también sus hijos - Juan y José García Salas, hijos de Francisco difunto, pecheros - Juan de la Torre y su hijo Francisco, pecheros - Francisco Díaz Bermejo y su hijo Francisco, con sus nietos Francisco y Manuel, pecheros - Juan García Santos y sus hijos Ramón, Bicente y José, con Ynocencio, su ermano, pecheros - Francisco García, hijo de Pedro y sus hijos José y Faustino, pecheros - Francisco y Felipe de la Torre y Manuel y Juan, sus ermanos, hijos de Pedro difunto, pecheros - Pablo Pérez, su hijo Francisco, con Pablo hijo de éste, pecheros - Pedro Fernández y sus hijos José y Cipriano, pecheros - Adición= Mateo García y su hijo Saturnino, pecheros - José Magadán y su hijo José, forasteros.

Abundando un poco sobre lo explicado al encabezamiento (Mill, J.: 2025) de este capítulo, los padrones de moneda forera se liquidaban a finales del septenio o bien al principio del siguiente (la recaudación tuvo sus fluctuaciones en la práctica),

diferenciando entre pecheros (jornaleros, labrados llanos y vaqueros, allí donde existían estos últimos: todos ellos conocidos como 'hombres buenos') e hidalgos (o bien hijosdalgo) en sus numerosas modalidades, exentos de ese impuesto directo. A modo de ejemplo, durante un tiempo el abono del gravamen consistió en el pago de un maravedí por año durante el periodo impositivo de siete años. Este sistema de recaudación (que compensaba a la Corona por renunciar a las acuñaciones) fue perdiendo fuerza con el paso del tiempo y se extinguió con las reformas borbónicas de la Hacienda en 1724, como ya se dijo *ut supra*, aunque los padrones continuaron haciéndose con fines estadísticos y de supervisión, a pesar de que su información era muy insuficiente, al reflejar solo en los primeros años a los cabezas de familia y, ya posteriormente a estos y a sus hijos varones. No obstante, siempre fueron un importante elemento para el control político de la población y como instrumento al servicio de los fines de la Administración. El último llevado a cabo en Tineo es el finalizado el 19 de agosto de 1831. Nótese como por el estado llano en unos septenios se utiliza la denominación 'hombres buenos labradores' y en otros la de 'pecheros'.

Senén González Ramírez desde muy joven se siente atraído por el estudio de la historia y folclore de su concejo natal. Los primeros estudios salidos de su pluma los plasma en las páginas del periódico local Heraldo de Tineo. Tales fueron una serie de artículos sobre excursiones de tipo monumental (a pie) por el concejo; o bien recogen impresiones sobre un viaje que realizó en 1982 a la isla de Cuba. A finales del año 1984 es contratado por la empresa radiofónica Antena Occidente, donde dirigió por espacio de dos años el programa por 'Los Caminos de Asturias'. Es miembro del Real Instituto de Estudios Asturianos y de la Academia Asturiana de Heráldica y Genealogía, además de presidente de la asociación cultural Conde de Campomanes de Tineo. Es autor de varios estudios sobre Tineo y su concejo, abordando principalmente temas de tipo histórico y genealógico. Así como asiduo colaborador en revistas especializadas y en los boletines del RIDEA y de la Academia Asturiana de Heráldica y Genealogía. Colaborador esporádico de La Nueva España, de la revista La Maniega de Cangas del Narcea, La Vereda de Las Cabezas de San Juan de Sevilla, etc. Es autor de las obras: 'El Ilmo. Ayto. de Tineo a la memoria de D. José Maldonado en el II aniversario de su muerte', relato autobiográfico narrado por D. José Maldonado (último presidente de la II República Española, en el exilio) a Senén González y a Rafael Lorenzo en su domicilio de Oviedo el 26 de octubre de 1984. (Opúsculo).

Editado por el Ayuntamiento (11 de febrero de 1987). 'Algunos Tinetenses en América, desde los albores del Descubrimiento hasta nuestros días', Salas, marzo 1991. 'Primer centenario de la muerte del General Antonio Peláez Campomanes', Salas, 1992. Y en colaboración con Laureano Víctor García Díez '248 Personajes para la Historia del Concejo de Tineo' (Salas, enero 1993), con prólogo de Julio Antonio Fernández Lamuño, cronista Oficial de Tineo. 'Tineo, casonas, palacios, heráldica y cotos señoriales del concejo (Salinas, Avilés, 1993), con prólogos de Germán Ramallo Asensio, Catedrático de Historia del Arte. 'Hidalgos de armas poner y pintar en el Concejo de Tineo'. 'Tineo, San Roque, remembranzas de un siglo de fiestas' (Salas, 30 de abril de 1999), coautor con Laureano Víctor García Díez y Rafael Lorenzo Antón, con prólogos de los autores, de D. Julio Antonio Fernández Lamuño y del cura párroco de San Pedro de Tineo, D. Cándido García Tomás. 'Tineo: el Señorío de Mirallo, un Marquesado en la Casa de Alba'. 'Pequeños anales de la feligresía de Santa Eulalia de Sorriba' (natalicia del Conde de Campomanes). 'El General Riego, su ascendencia paterna y materna y actuales parientes'. 'Tineo, capillas, ermitas, oratorios y santuarios', coautor con Julio Antonio Fernández Lamuño. 'Antecedentes y evolución histórica de la Casa Rodríguez-Villademoros establecida en Folgueras de Cornás, Tineo, en el siglo XVII'. Otros títulos lo son: 'Crónicas de la parroquia de San Pedro Apóstol de Tineo y 'Colegio de P.P. Dominicos de Navelgas. (Tineo-Asturias). Una fundación docente bajo los preceptos de la religión cristiana. (Evolución histórica)'. En 2001, Senén fue pregonero de las Fiestas de San Roque de Tineo. Y el 9 de septiembre de 2011 lo fue asimismo de la Fiesta Vaqueira de la Trashumancia que todos los años se celebra en la llamada Casa del Puerto. También lo fue en dos ocasiones de las de Ntra. Sra. del Viso (Tineo). Y en las del pueblo de Merillés. Nombrado Hijo Predilecto del

Concejo de Tineo, junto a Laureano Víctor García Díez; Benjamín Álvarez Menéndez y Manuel García Linares, en junio de 2017. Y ese mismo año fue galardonado con la distinción de una placa honorífica en las 'Jornadas del Pan y las Natas' que todos los años se celebra en el pueblo de Naraval.

Reseñas fotográficas

Página 83: Procesión del día de San Bartuelo llegando a la Iglesia.

85: De izquierda a derecha, Analía de Casa Sabino, Cristina de Casa Campanero, Ladín de Casa Ladio, Héctor de Casa el Coxo y Bernabé de la Casa Nueva. Con el maestro Don José Manuel Fernández Fernández, natural de Luarca.

87: En la sierra, cargando roza para *muchir* las vacas.

89: Pacita y Pepe de Casa El Churro en la boda de Lolita y Vitorino.

91: De izquierda a derecha, Antonín de Calvín y, delante de él, su hermana Cristina. Después, Daniel de Xenral, Héctor de Casa el Cojo (de azul) y Omar el de Rosita.

93: Entierro de Pepa Camilo.

94: Mayando trigo en la era de Casa El Churro.

96: Boda de Francisco (abuelo de Pepe Xenral) con Petra de Casa El Gancho (década de 1920).

98: Toni de Casa El Coxo con Telo de La Millariega.

100: Atando un carro de hierba.

104: Grupo escolar de niñas hacia1940.

106: Pepe El Churro y Antón González Avello acercando al carro un borrego de hierba para cargarlo.

108: Grupo de niños y niñas de Primera Comunión con D. Cándido García Tomás.

110: Moneda forera (real español) en tiempos del rey Felipe IV (1621 – 1665) que estuvo vigente entre 1632 y 1660.

111: Biografía, obras y trabajos de Senén González Ramírez, con nuestro agradecimiento por sus aportaciones a esta obra.

114: Asegura Alicia Ramírez que 'la niña de la Comunión es mi tía Charo, (Rosario Ramírez Pecharromán), que recibe la oblea de manos del sacerdote José Luis García Vigón. La señora que está con ella es mi abuela María Jesús Pecharromán. Al fondo se puede ver al maestro Antonio Cañedo. La niña y el padre que aparecen detrás creo que pertenecían a una familia que había venido a vivir a El Pedregal y después se fue'.

(Fotografías: Mari Paz García González, Anita Fernández García, José García Cuervo, Ana Pertierra, Alicia Ramírez y autor. Reseñas y revisión J. Mill y M. Paz García González)

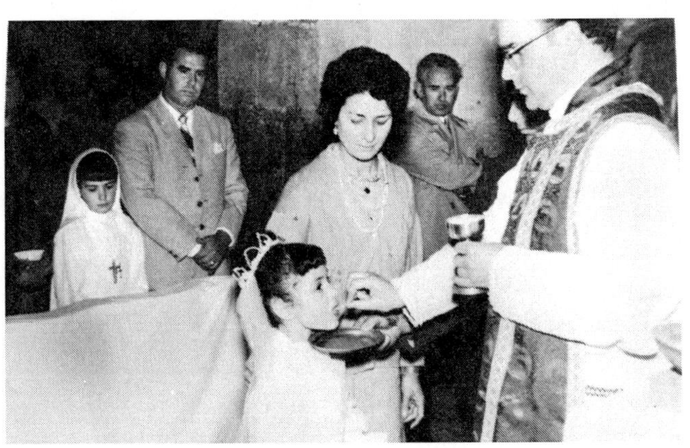

5

Humeiros, sonrisas y lágrimas

Las historias de vida como la que las lectoras y lectores van a ver a continuación son un método de investigación social que ahonda en las experiencias individuales de las personas, proporcionando una comprensión en profundidad de toda o de una parte de sus experiencias vividas, recuerdos o reflexiones durante un periodo de tiempo. El antropólogo estadounidense Franz Boas utilizó profusamente este método durante una gran parte de su investigación social, así como la Escuela de Chicago a principios del siglo XX. Ahora corre el mes de septiembre de 2024 y (con un mínimo guion en la mano) estoy ante Palmira García Cuervo, su marido Manuel Cortina Álvarez (Casa Xenral) y un vecino de ellos, Celestino Pertierra (Tino Cuña), todos de El Pedregal, intentando hacer de humilde aprendiz de Boas en cuanto a la metodología utilizada y con la incertidumbre del resultado flotando en el ambiente. Así que, desde la placidez de un domingo soleado y en los albores de un otoño que se presume templado, afronto ese reto con la esperanza de que algunas de sus historias de vida se conviertan en una muestra representativa del momento presente y de un tiempo que se vivió en El Pedregal y que no volverá... (Supongo que mis entrevistados también esperan de mi algo por el estilo). Y ello para que las generaciones futuras sepan que hubo una vez sobre la tierra hombres y mujeres de un pueblo pequeño del occidente asturiano que entregaron lo mejor de sí mismos, no solo para su comunidad (contribuyendo a su desarrollo), sino que para ayudar a sus seres queridos y llevar a cabo un proyecto de vida, lo que terminó convirtiéndolos en personas inimitables, cuyo recuerdo (o una parte del mismo)

no se puede perder en la nebulosa de los siglos. He ahí mi reto y si así no lo consiguiere que Dios me lo demande...

Ernesto Pertierra Fernández (Tino Cuña): 'Cuando plantamos los vecinos de El Pedregal y otros las berzas y los humeiros en la carretera CL-631 en la zona de Los Llanos (Curiscada) foi hacia 1980, como señal de protesta por el mal estado de la misma. ¿Qué por qué se nos ocurrió eso? Yo oyera por la radio que en Galicia plantaran berzas en los baches de una carretera que taba muy mala. Y aquí teníamos la carretera mal tamién, casi con socavones... Y no se les ocurrió otra cosa a los de Obras Públicas que echarle grava por encima, una especie de zahorra, de la cual la mitad era tierra. El caso es que llovéu y todo aquello que esparcieron encima del firme ablandou y se formaron cuevas por tola calzada. Y casi todos tuvimos de acuerdo por aquí en que había que fer algo que llamara l'atención, porque no nos fían caso ninguno... Entonces dio la casualidad de que Lucita, una vecina mía, tenía un güerto con berzas y que iba a cortalas. ¡No las cortes!, díxei you... ¡No las cortes, que las necesitamos nos! Así que las arrancamos y un día fuimos Pepe Sabino y yo a llevalas a Los Llanos, dejándolas escondidas pa ir pola noche a

plantalas. Había gente de El Pedregal, Santa Olaya, La Miriega y La Preda...

Palmira García Cuervo (Casa Xenral): ¿Cuántos erais, Manolo?

Manuel Cortina Álvarez, Manolo (Casa Xenral): ¡No lo sé...! Mucha gente...

Tino Cuña: Manolo, al correr delante los guardias, pegóu contra unas alambradas, ya que era pola noche, ya llegóu a casa todo averiau... Porque cuando tábamos terminando de plantar las berzas llegaron los guardias desde Tineo y prendieron las luces giratorias de los coches frente a nosotros y salimos cada uno por donde pudimos. Pusimos tamién unas vallas de Obras Públicas con un letrero que decía: 'Respeten la hortaliza'. Y tando allí pasou un cabrón del Pedregal, que taba contra la carretera tamién envenenau, pero foi pa Tineo y díjolo a la Guardia Civil...

Palmira: ¡Pa quedar bien con los guardias, claro...!

Tino: ¿Ya sabes quién fói? (Da un nombre). Ya l'alcalde de Tineo era Valentín, que era de los nuesos, ya entonces nos avisóu de que iban a venir los guardias...

[**Senén González Ramírez**, asegura en su publicación: 'Tineo, Jueces Nobles y Alcaldes: Siglos XV al XXI' que el entonces alcalde de Tineo Valentín Fernández Díez 'nace en la aldea de Villatresmil (Tineo) a las ocho horas del día 13 de junio de 1951. Hijo de Don Francisco Fernández García y de Doña Olimpia Díez Fernández...', *nota auctoris*]

Joseph Millariega: El suegro de Olimpia Díez Fernández era hermano de Aurora La Rubiona, mi bisabuela y madre de mi abuela María Fernández Fernández, casada con Manuel, mi abuelo, que era de Casa el Fontorio de Fastias, que murió de forma un tanto temprana.

Palmira: Cuando lo de las berzas Manolo vino pa casa con las marcas de las alambradas y yo le dije preocupada: 'Pero ¿qué te pasó?' Y me dijo: '¡Calla, que esta fue muy gorda!'. Después ya me contó todo...

Tino: Manolo tiróu pal pastizal, pero taba cerrau con alambres ya llevóu un poste por delante: ¡arrancóu un poste pa pasar! Según ipegóu el topetazo, Manolo tumbóulo ya pasoú por encima el poste ¡hala...! Yo aquel día tiréime pa un prau pendiente por allí abajo, un prau que hay según vas a la derecha... Yo tenía la pala rasa, el sombreiro ya una chaqueta de agua. Entonces metí el pie nuna presa ya caí, ya you bajaba encima de aquella chaqueta dagua a una velocidad del carajo, porque taba el prao mojao... Y yo pensaba: bueno..., cuando acabe nel fondo del prao ¡o pego contra una paré que había o caigo al regueiro!

Palmira: ¡Además por la noche, claro!

Tino. Fui echando los codos pa no ir al regueiro. ¡Pero después había que crúzalo y llevaba una cantidad de agua de la Virgen! ¿Cómo se llamaba el regueiro? No me acuerdo...

Manolo: Daba contra El Crucero...

Tino: Garréime al talud de frente, que casi me llevaba el agua... Y de esto que pasa uno chapuzando delante de mí: ¡yo nun sabía quién era! Y digo you: sea quien sea tengo que llamálo... ¡Oye, ven acá, sácame de aquí, que toi nel regueiru! Era Aladino Xacalén... Sacóume de allí y ya fuimos viniendo pa casa...

Palmira: Entonces, ¿no podías venir solo?

Tino: Fuimos viniendo cada uno por donde pudo y xuntámonos aquí, nel corral de C'a Xenral... Y de aquí fuimos pa Casa Xacalén, donde nos axuntamos todos otra vez. Y viendo que no faltaba ninguno, ¡hala, marchamos pa casa! Pero después echamos cuenta sobre la persecución por los guardias y dijimos: ¡pues de esta tenemos que vengánus!

Palmira: Y entonces fue cuando preparasteis lo de la bomba...

Tino: Fue cuando acordamos plantar los humeiros en la carretera. Lo otro vino después... Eran humeiros grandes, tendrían 4 o 5 metros...

Palmira: ¿Y cómo se tenían derechos?

Tino: Pa sujetalos llevamos unas tablas que tenía yo de revestir la fachada de la casa y las pusimos de soportes alrededor. Aunque luego con aquellas tablas pasé yo miedo, porque eran muy conocidas...

Palmira: ¿Y por dónde pasaban los coches?

Tino: Dejamos libre la mitad de la carretera... Cuando tábamos plantándolos y pasaba un coche, ¡apartábamonos y hala!

Palmira: ¿Y no se metían con vosotros? ¿No protestaban?

Tino: A nos no nos decían nada... Pasaban y ¡hala! Ya..., luego, foi cuando Luis de Allande preparóu lo que llamaban 'el artefacto'... Después de plantar los umeirus quedámonos por allí agazapáus pola vera, ya llega un coche ya paróu allí... Después diou la vuelta ya foi a avisar a los municipales a Tineo. Vinieron y al no ver a nadie dieron la vuelta pa Tineo otra vez... ¡Ya era igual que fueran avisados que no! ¡Luego no venía allí ni Dios! Bueno..., entós marchamos pa casa... Al día siguiente yo tenía que sacar orín con la cuba pa Los Portillos de Casa Calvín, ya cuando llego con el primer viaje vi allí la de Dios de gente: Obras Públicas, la Guardia Civil... ¡Había allí la Casa Santa! Yo tenía miedo que aquella gente viera las tablas mías, porque los humeiros cortáramoslos nel prau de Manolín de Fausto. Entós yo pensé: lo primero van a venir a pol dueñu del prau ¡yal dueñu del prau conoz las tablas!

Palmira: ¡Entós tuviste unos días sin dormir!

Tino: Empecé a retirar tablas enseguida. Lo primero, dejé el tractor atravesau...

Palmira: ¡Pa que nun pudieran pasar!

Tino: ¡Sí, atravesau nu camín pa que nun pudieran entrar! Y después acabau de quital tractor llegou la Guardia Civil a por

el dueñu del prau, un costerón que había ahí cerca de Casa de Fausto, que fuera donde se cortaran los dichosos humeiros... ¡Mira tú si acertéi o non a quitar las tablas de allí!

Palmira: Ya murió ese paisano... ¡Mucho trabajasteis!

Tino: Igual eran ocho o diez humeiros y los llevamos pa Los Llanos al hombro entre dos... Taba tamién Lías del Meleiro... ¡La de Dios había allí aquel día! Ya luego Luis de Allande en unos tubos con sacos de papel feixo un envoltorio, como que eran cartuchos de dinamita, ya metéulu na vera, entre los árboles. ¡Vinieron artificieros de Gijón a desactivar!

Palmira: ¡La bomba!

Tino: Sí... ¡La bomba! Y toda la mañana Radio Nacional diciendo que en Tineo hubiera un, un...

Palmira: ¡Un atentao!

Tino: ¡Que hubiera un sabotaje o nun séi quéi...! Ya luego a los guardias de Tineu corriéronis la galga nel Crucero: ¡mira que venir artificieros de Gijón a desactivar cartuchos llenos de tierra!

Palmira: Bueno, ellos qué sabían... ¡Pasaron miedo!

Tino: Nadie se atrevía a quitar el cordón y aquellos 'cartuchus' de los humeiros: ¡taban ataus a un humeiro! Ya entós dijo el chófer del camión de Obras Públicas: '¡Quitáivus de ahí: nun valís pa nada entre todos! Garrou el camión ya embistióulus de culo ya tiróulos todos. ¡Ya allí nun pasou nada, claro!

Palmira: Aquel día Manolo marchó por los praos y luego llegó al Crucero preguntando: pero... ¿qué pasa aquí? ¡Y fuera él uno de ellos!

Manolo: Así fue, así fue...

Tino: Ya el día de las berzas taba José Luis el de Luis de Allande con los guardias nel medio la carretera, ya llegóu Ladín de Casa Ladio ya preguntói: '¿Y tú pa dónde vas? ¡Si vas pa casa monta aquí!'. Ya sacóislo a los guardias de las manos...

Palmira: Al final todo terminó bien...

Tino: Sí, porque aquello que echaran encima del firme de la carretera era todo tierra, ya tuvienun que sacálu todo y limpiar. Cuando pasaron quitando aquella grava por delante de mi casa díjois el mi hermano Loño: '¡Oye, echáime paquí un montón!'. Porque queríalu pal camín. Y ¡oye! llenanun la plazoleta de delante de casa de aquel material sin que costara nada ¡Ellos qué más querían que acabar pronto! Después ya volvieron a asfaltar debidamente la carretera. Yoy nun séi de quién sería la idea de echar aquellu...

Palmira: ¡De un burro!

Tino: Sí..., ¡de un burro! De algún ingenieru de Obras Públicas, de algún espabilau... Ya voi contate otra cosa... Aquí nel Pedregal, en Casa Carmen tenían unas pescales (en realidad eran pavías) con unos piescos enormes y de aquella había en el pueblo un montón de chavales: había mozos en todas las casas del Pedregal. Aquellos piescos llamaban la atención y todas las noches había guerra allí. Las dueñas del árbol pol día subían piedras pa casa pa tiralas a los chavales cuando iban a robarles los piescos. Ya mi padre (taban Pepe ya Loño) tenía miedo que un día les dieran una pedrada que los jodieran y díjoles él que iba a dáis la solución pa que fueran a por los piescos sin

peligro. Había unos maniegos enormes, las goxas, que servían pa llevar la yerba pa la corte...

Palmira: En mi casa también las había...

Tino: Ya díjoles entonces que amediaran una de yerba ya que la volcaran sobre la cabeza, ya entonces que ya is podían tirar tolas piedras que quisieran, que nun los iban a tocar. ¡Y así lo fixenun...! Ya un día ocurrió que cuando arreglaron la carretera esta general ya echanun nella el riego los operarios fueron dejando montones de grava pola cuneta y un día taba Manulín de Pedrón (que siempre tenía trajes de pana) a los piescos y salienun ellas a tirai las piedras, ya Manulín al escapar tropezou nun montón de graba ya iba arrastrándose pola cuneta, ya diz Argentina: '¡Carmen, Carmen, que nos cortaron la pescal y la llevan a rastro!'. ¡Ya era Manulín de Pedrón quiba arrastru ponte la grava! (profusas risas).

Palmira: ¡Mucha memoria tienes, Tino! Oye: ¿y los versos que escribías dónde los tienes?

Tino: Tengo por casa un fajo dellos...

Palmira: Los del jabalí ya eso todo, ¿cómo eran?

Tino: Escribíalus cuando tenía las vacas... Voy contate un caso: a veces se me ocurría algo y no tenía papel donde escribir, ni bolígrafo, claro... Y escribía algunas palabras sobre el capó del tractor, porque taba lleno de polvo, ya cuando llegaba a casa lo pasaba pa un papel. Porque si no lo hacía así se me olvidaba... El mejor de todos foi uno que escribí a José María García, el periodista. Ya mandeilo a la COPE a Madrid, ya ¿sabes lo que pasóu con aquello?: que al día siguiente llamóume la secretaria de él... Yo en principio tomeilo a broma, pensando que era algún conocíu que me quería gastar una broma. Pero luego ya vi que era verdá... Me dijo: 'Es que me manda José María García que te de las gracias por el escrito que le mandaste'. ¡Bueno, ta bien...! Entonces, en Luarca jugábase al fútbol en el campo de La Veigona un trofeo que patrocinaba el periodista. Pues dixi un día a Emilio Borrón que el día del partido tenía que bajar a Luarca a saludalo. Pues llegamos al partíu y vilu nel palco rodeau de un montón de gente...

Palmira: ¡Y no te atreviste!

Tino: No..., ¡no me atreví a méteme allí! Cuando tuve operau de le hernia escribí outro a las enfermeras...

Palmira: De ese acuérdome yo...

Tino: Y de cuando andábamos furtivos por ahí al jabalí hay varios...

Palmira: Tienes que enseñárselos a Joseph. Uno que gustaba mucho era el del jabalí socialista. ¿Cómo era...?

Tino: Érase un jabalí de afiliación socialista y comía nuestro maíz sin dejar ninguna pista... (risas).

Palmira: ¡Eran muy graciosos todos!

Tino: Esa que diz Palmira leíla en una de aquellas cenas que celebrábamos en Casa Emburria del Crucero y empicaban las patas parriba de risa...

Palmira: Perdiose aquí un talento, junto con el de Manel de La Carrina...

Tino: Manel era outro como Juanín de Las Tabiernas. ¡Con Juanín jodéuse un cantante cojonudo! Y los que me dan unas sorpresas de tres pares de narices son los peregrinos del Camino de Santiago que pasan junto a mi casa. A mí gústame mucho hablar con ellos. Un día pasó un paisano y yo siempre les pregunto de dónde son y tamos un pedazo hablando. Y dizme él: 'Pues soy de Puerto Rico'. ¡Coño!, dije, en Puerto Rico tenía yo un hermano que poseía un restaurante con 65 empleados. Y díjome él: '¡Si tenía 65 trabajadores no era un restaurante cualquiera! ¡Dame el nombre! Se lo di y dijo: '¡Hombre, yo era cliente de ese negocio!'.

Palmira: Tienes que hablar del Santo y de la fuente...

Tino: Echan allí alguna moneda al Santiago que yo puse y pregúntanme pa quién ya el dinero que tirar allí...Y yo digois que es pal que hizo la fuente... La primera vez que abrí el Santo saquéi 50 euros. Ya tengo sacáu otras veces 15 y 20. Tengo que abrir cada poco, porque hay un *equipo* por ahí que es el terror...

Palmira: ¡Ah! ¿Lo roban?

Tino: Rompen el cristal ya llevan el dinero. ¡Ya mientras no me roben el Santo todavía salvo!

Palmira: ¡Que pa conseguilo costó trabajo!

Tino: El Santu venu de Santiago de Compostela. Anduve la mitá de Asturias buscando ese Santo. Pero en esta Comunidad no hay Santiago: me lo hacían en Oviedo de escayola...

Palmira: ¡Pero de escayola derrítese!

Tino: Cobrábanme 300 euros... ¡Oye, aunde voy yo con 300 euros! Y aquella semana yo sabía que iba Otero camino de Santiago, que es uno de los encargados aquí en Tineo del Camino, junto con Laureano. Iba con el equipo de fútbol del Tineo. Y digo yo: ¡coño!, como tengo gran amistad con él (pues hice rutas de montaña con ellos) voy a encargarle que me traiga un Santo. Pues enseguida me lo trajo y coloqueilo en la fuente y pusei un cristal por delante, pero ¡hay unos cabrones que me rompen el cristal y llevan el dinero!

Joseph Millariega: ¡Paciencia, amigo Tino! Lo importante es la buena obra que has llevado a cabo en favor de los peregrinos... Voy a hacerle ahora unas preguntas a Palmira... ¿Cómo os conocisteis Manolo y tú?

Palmira: Bueno, voy a empezar con algunos recuerdos... Nosotros aquí en Casa Xenral éramos dos hermanos. En mi caso, acabé los estudios de Primaria, lo que hoy es el Graduado Escolar y fui a aprender a coser a Tineo (arriba de la Calle Mayor) con Alicia Negrón y una hermana. En vez de seguir estudiando había optado por la costura, porque en aquellos años te permitía confeccionar prendas para la casa o, incluso, si eras buena modista, trabajar para el exterior. Y por supuesto que me valió mucho haber aprendido costura y corte (algo que ahora se ha perdido en los colegios), porque con el solo arreglo de las prendas de casa (aparte de las numerosas labores que hice para otros familiares) ahorré mucho dinero y contribuí con ello también a sacar adelante la economía familiar. En aquellos años se restauraban todas las prendas y se elaboraban otras con piezas de tela, por lo que saber hacerlo era muy importante...

Mi padre fue de El Pedregal (*sigue diciendo Palmira*) y mi madre vino de El Ferreral de Belmonte, cerca de Boinás, donde están las minas de oro. Cuando tenía 14 años ya me había

fijado en Manolo (después supe que lo habían traído de bebé para Máñores), pues él estaba trabajando en un almacén de vinos que se hallaba donde hoy se encuentra el Palacio de Merás, dado que era un chavalín delgado, moreno, rizoso y, desde luego, muy guapo... Cuando bajaba de coser lo veía a veces salir del trabajo y ya me gustaba. Pero pasaron 4 años y un día..., ¡mira tú las casualidades!, fuimos los dos a la fiesta del Rosario de La Pereda y me sacó a bailar. A mí me agradaba, pero él no sabía nada: así que fue de casualidad... Después de aquel día quedamos en vernos cuando se pudiera y venía algún domingo a los bailes que hacíamos en El Pedregal.

Manolo: ¡Venía andando al Pedregal desde Máñores!

Palmira: ¡Y cansado de trabajar que estaba el pobre! Porque por aquél entonces estaba aprendiendo la profesión y era peón de albañil.

Manolo: Después fui albañil y más tarde entré en la mina La Rasa, en trabajos de exterior, pero ya cuando estaba casado...

Palmira: Sí, Manolo terminó siendo albañil y un día trabajando en Tineo hacía muchísimo frío. Entonces prendió una fogata y cada cierto tiempo el pobre iba a calentar un poco las manos y los pies, que casi no podía faenar por las bajas temperaturas...

Manolo: Es que ya no se podía ni trabajar, pues estaba medio congelado. Era ya una cuestión de humanidad y que ni perjudicaba el trabajo, porque, todo lo contrario, si te calentabas un poco podías ir tirando y haciendo...

Palmira: Pero vino el jefe, un tal Vicente y pegó una patada a la hoguera y le dijo: '¡Aquí se viene a trabajar!'. Entonces Manolo, ante aquel atropello, se marchó para casa. Aquel mismo día le dieron trabajo en La Rasa... Hay que ser mala persona para hacer eso a un trabajador, porque Manolo siempre dijo que hacía un frío que no se podía hacer casi nada, porque hasta quedaban las manos engarabidas...

Manolo: ¡Y no es que no se trabajara!, ¿eh? ¡Cargaba un local al día! Era de los más rápidos...

Tino Cuña: Manolo era un fuera de serie trabajando. Estuvo de albañil cuando se hizo la casa de El Gaitero de la Pereda y otra más...

Palmira: En el local del sindicato se hacían guateques y era ahí donde Manolo venía a verme. Unas veces abajo y otras en el piso de arriba... En la parte de abajo había sacos de pienso (era cooperativa) y nos sentábamos en ellos. Venían muchos a cortejar... Fue el caso del marido de mi prima Margarita, Estelita, Mari Carmen Peláez, Mari Gloria de El Couto, Tere Coleto (la de Constante) y varias más... Venían también chicos de Tineo, La Espina, Grado y de algunas otras localidades y entre todos compraban una caja de refrescos en Casa El Cojo. Siempre hubo buena armonía entre todos y con las chicas, sin peleas ni sucesos desagradables de ese tipo. La hermana de mi prima Margarita (que estaba trabajando en Francia) nos envió un buen tocadiscos, que casi siempre era el que usábamos, aunque había otras chicas que también llevaban el suyo propio a esos bailes. Cada una compraba los discos que más le gustaban: Fórmula V, Danny Daniel, Los Bravos, The Beatles, Los Brincos, Camilo Sesto, Karina y muchos más...

Tino: También se cortejaba los domingos en Casa El Cojo...

Palmira: Bueno, eso fue antes...

Tino: En Casa El Cojo a mi pasoume un caso con Maribel la del Biforco. Maribel era una chavalina joven y muy inocente...

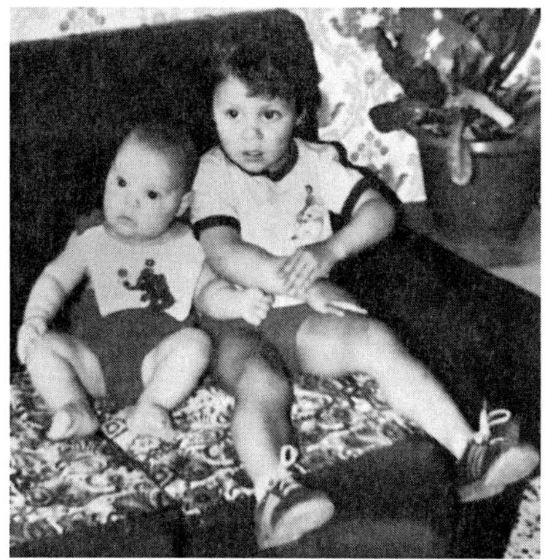

Palmira: ¡Y muy guapa!

Tino: Sí... Ella taba sentada en una caja de botellas (había pocas sillas) contra lo que después fue almacén, en una mala postura con toda la buena intención del mundo y había unos chavales (que yo creo que eran de La Espina) que maliciosamente se taban riendo de ella. Yo fui a decíselo y a recomendai que cambiara de sitio: ¡que tú sos una vecina ya ellus unos desconocius! y ¡oye! dioume las gracias pol consejo muy agradecida. ¡Era una gran persona!

Palmira: ¡Y aunque fueran conocidos! ¡Hay que saber comportase! Era otro tipo de sociedad distinta a la que hay ahora... Teníamos un simple tocadiscos, pero podías mantener una conversación. Tú ahora vas a las fiestas y no puedes hablar con nadie... En esta última de San Bartuelo en El Pedregal vinieron unos amigos a saludarnos y no sabíamos lo que nos decían. Es que la música se pone a una potencia exagerada: no sé cómo se permiten tantos decibelios y cómo a la juventud no se le estropean los oídos. Antes escuchabas la música y podías charlar amigablemente con conocidos y amigos...

Tino: ¡Piensan que por tocar más alto son mejores!

Palmira: ¡Así disimulan los fallos, anda! (se toma la cuestión con buen humor). Bueno..., en serio te digo ahora que eso tenía que estar más regulado. Eso no pasaba en el Rosario de La Pereda cuando nos conocimos Manolo y yo. ¡Fíjate si se podía hablar en aquellos bailes que hasta planificamos la boda y la luna de miel en Galicia!

Manolo: ¡Tenemos una buena anécdota de Galicia con dos gitanas...!

Palmira: No porque sean gitanas, ¿eh? Simplemente es que el caso nos pasó con dos mujeres de esa etnia: podría haber sido igual con otras cualquiera... Aquellas era unas timadoras y nos mandaban poner la cartera en la mano para leerla y echarnos la buena ventura, ¡pero no picamos! Después nos dijeron en un bar que habíamos hecho bien, pues si colocabas la cartera como pedían, una de ellas la quitaba para que la otra viera las rayas de la palma y se largaba corriendo con el dinero...

Manolo: Después de la luna de miel fuimos a residir a Tineo...

Palmira: Sí... Vivimos dos años en la buhardilla de Marisa Garrido, en la plaza, donde Las Novedades. Y cuando marchó el mi hermano de aquí de Casa Xenral fue cuando vinimos nosotros a hacernos cargo. Aunque Manolo ya estaba en la mina y no la dejó... Teníamos menos vacas (unas doce y varias xatinas) y mi padre todavía trabajaba mucho, la verdad...

Manolo: La cuadra *de allá* la hice yo casi toda...

Palmira: Sí, la primera cuadra la hizo él. En la segunda, en la nueva, ya le ayudó Fabián, que era ya grande y sabe de albañilería también. Tenemos otro hijo, Daniel, que es fontanero y vive en Tineo en la casa que fue de Manolo. Él fue el que hizo toda la instalación de fontanería en la cuadra nueva. Y Fabián y su exmujer tienen un hijo, Alejandro, que está con nosotros y tiene una empresa de servicios agrícolas (la actual pareje de Fabián desde hace ocho años es Raquel). Alejandro aprobó la EBAU para la Universidad, pero se decantó por la empresa agrícola. La hermana de Alejandro, Yaiza, estudia Psicología Penal. Daniel y su mujer Mónica también tiene dos hijos: Desy, de 18 años, que estudia Magisterio y Saúl que cumple ahora 17 y estudia un módulo de tornero de Formación Profesional. Antes de hacer las cuadras, además de trabajar en la mina, Manolo ayudaba con las tareas del campo y también, poco a poco, fue

reformando toda la casa, que estaba muy vieja. Aunque más tarde decidimos aumentarla el doble, para lo cual empleamos su sueldo de la mina, haciendo obras poco a poco... Fabián tenía 12 años y ya le ayudaba de peón. Tardamos unos cinco años en hacerla y al final Daniel también colaboró (para la cubierta de la casa y de las cuadras vinieron un equipo de albañiles). Manolo, además de trabajar tanto, sacaba tiempo para estar con los amigos y echar la partida, para las tertulias o para jugar al fútbol...

Manolo: Cuando empezamos aquí en El Pedregal teníamos unas 12 vacas de ordeño y tres o cuatro becerrinas...

Palmira: Pero daban más trabajo que ahora, porque las labores no estaban mecanizadas, aunque esta nueva tecnología implica estar siempre al quite... En la actualidad, Fabián tiene 45 vacas en ordeño, así como becerras y xatinas. Tuvieron más, pero el año pasado, por diciembre o así, las 50 de leche murieron todas debido al botulismo. Empezaron a temblar y a caerse patrás y fueron muriendo todas. ¡Fabián las miraba sin poder hacer nada! Recibimos una compensación económica de 'Agroseguro', pero mucho menor que el valor que tenían las vacas. Tuvimos que luchar bastante en esta vida, porque ya antes, en el año 1987, padecimos un brote de tuberculosis en la cuadra y fue necesario deshacernos de todas las reses, desinfectar y volver a empezar de nuevo...

Tino Cuña: Sí, cuando ocurre eso ya muy duro... Mira, demás, ¡con Consejería no puedes contar!

Palmira: Eran vacas que daban muchísima leche. ¡Taban perfectamente sanas! No sé cómo pudo pasar eso, porque ni había mamitis ni había nada... Dijeron que estaban afectadas de botulismo. Puede que comieran algo venenoso (algún bicho muerto) en algún rollo de hierba... ¡No lo sé!

[*El botulismo es* una infección bacteriana (Muiño, R. et al: 2011; Mill, J.: 2024) que afecta al ser humano y a varios animales. De hecho, tiene una gran importancia económica en la ganadería, ya que es una de las enfermedades bovinas con mayor tasa de mortalidad (puede llegar al 100%). El botulismo en bovinos es causado por la bacteria *Clostridium botulinum*, que es muy contagiosa. Una de las principales formas de contraer el botulismo en bovinos es a través de la intoxicación por el consumo de alimentos contaminados con dicha bacteria].

Tino: El ganau no siempre da los beneficios que uno espera, ya supón mucha dedicación y trabajo...

Palmira: Sí... Antes Manolo era un soporte bueno con la ganadería cuando le sobraba tiempo de su trabajo en La Rasa, pero tuvo una trombosis y, cinco años después, cuando ya se había recuperado, lo atropelló un coche en la carretera, un poco antes de Casa El Cojo, un día que iba a echar la partida...

Tino: Uno que bajaba loco... ¡Ya la carretera taba mojada!

Palmira: Parece que el conductor iba con prisa, porque había quedado con uno en La Espina y llegaba tarde. Así que aquí se le marchó el coche, volcó y cogió a Manolo por las piernas,

aunque eso no fue lo peor, sino el golpe que llevó en la nuca, debido a lo cual perdió totalmente el sentido del equilibrio. Estuvo un mes en coma en la UCI y después no quedó bien: hacía cosas extrañas...

Tino: ¡El coche foi a pañalo na cuneta completamente!

Palmira: Sí, fue terrorífico... Y lo pasamos mal: ¡él y todos! Pasados los dos primeros meses estuvimos otro mes más en Tineo para no dar tanto trabajo aquí en El Pedregal. Después buscamos un hospital en Mondragón que está especializado en daños cerebrales: el 'Aita Menni', de las Hermanas Hospitalarias. Allí estuvimos cinco meses y fue muy duro. Lo que es solo el hospital costaba 7.000 euros al mes, pero utilizamos para ello la indemnización del seguro. La verdad es que allí lo arreglaron mucho... Pero fue muy doloroso, como te dije, para él y para todos, porque se trató de un cambio muy brusco: me dejaban estar unas horas con él y lo sacaba a pasear en una silla por los jardines. Al principio estuve unos días en un hotel, pero me di cuenta de que allí la soledad era terrible. Así que un día fui a comprar unos alimentos para comer y vi un anuncio en el que se podía leer que se alquilaba una habitación. Llamé al teléfono del cartel y quedé con la dueña de dicha estancia en una calle del pueblo, diciéndonos cómo íbamos a ir vestidas. Pero cuando llegué al lugar yo me quedé un poco retirada hasta ver qué aspecto tenía la casera, pues al estar sola en un sitio extraño también sentía algo de temor. Y resultó ser una mujer marroquí que se portó muy bien conmigo. Era buena persona y tenía dos neninos: yo cuando estaba con ellos desconectaba, porque les ayudaba a hacer los deberes y sobre todo las cuentas. Hasta fui en ocasiones a recogerlos a la escuela cuando no tenía hora en el hospital y podía... La verdad es que aquella actividad me ayudaba mentalmente a llevar todo lo que teníamos encima. Los psicólogos del hospital me habían convocado en una ocasión para que me integrara en un grupo de terapia, ya que había más familiares de accidentados y se contaban las desgracias. Pero yo dije no... ¡A mí me bastaba la mía! ¡Yo no pude! En cierto momento me rodearon tres terapeutas y me pidieron que volviera a contar todo lo del accidente. Que así desahogaba, decían... Y, mira, empezó a subírseme la tensión y dije: ¡no quiero más! Y eso que la terapia estaba pagada... Los psicólogos me preguntaban, un poco extrañados: ¿entonces qué haces? Y yo decía que estaba con una chica con dos pequeños y que eso me ayudaba a aislarme un `poco de los problemas. Y eso que los nenos eran *malos*, muy traviesos, porque ella trabajaba en un bar, taban solos el día entero y eran todavía pequeñinos: uno tenía seis o siete años y el otro cuatro. Un día llegaron del colegio y el mayor me dijo que la maestra le había mandado hacer una poesía de una mosca. ¿De una mosca? ¿Qué poema puedo hacerle yo de una mosca? Pensé, pensé y pensé... Hasta que le dije que escribiera: 'Moscas asquerosas, insectos molestos, en todo el verano no paran quietos'. Claro, a la profesora le extrañó que esas palabras salieran de él y le preguntó que quién le había ayudado... A pesar de lo trastos que eran, ¡prefería eso a que

me estuvieran contando todo el santo día desgracias! Porque muchas personas también sabemos lo que nos viene bien y lo que nos sienta mal...

Manolo: Lo pasamos toda la familia muy mal...

Palmira: Mira... Yaiza, la pequeña de Fabián, estaba recién nacida: tenía cinco meses y para mí fue un palo tremendo, porque yo cuidábala cuando ellos estaban pa la ganadería. Además, Alejandro tenía 7 años y acompañaba a su abuelo Manolo a todos los sitios, así que lo pasó también mal y tuvo que ir al psicólogo... No sé si ellos quieren que hable de esto, pero lo cuento porque fue terrible para todos. Lo que sí te digo que la vida que llevé en Mondragón fue muy dolorosa, porque además era cuando todavía había atentados terroristas y manifestaciones y desde donde yo estaba al hospital había 4 km y a veces tuve dificultades. En ocasiones hacía el trayecto caminando, porque los taxis cobraban una barbaridad. Después tuve la suerte de que una amiga, que tenía allí el marido también, me llevaba al hospital y me devolvía a casa en su coche... Recuerdo con cierto dolor y malestar cómo antes de ir con la familia marroquí hablé con las monjas del convento que hay al lado del hospital (las llamadas 'hospitalarias'). Les pedí si me podían alquilar una habitación, pagando lo que fuese. Y la monja que me atendió miró pa otro lao y me dijo que 'nosotras no queremos a nadie extraño'. Insistí un poco y se lo pedí por favor, alegando que estaba en la clínica con un enfermo, pero ¡nada...! Por eso desde aquel día los curas y las monjas para mí se acabaron, porque, además, tuve casos parecidos con sacerdotes. ¿Pero qué podía estorbar yo en un convento enorme de 20 monjas? ¿Qué tendrían miedo a que les viera algo y luego lo contara? ¡Para mí acabaron y los curas igual! ¡Dejé de ir a misa y todo! Cuando aquí en El Pedregal piden para el arreglo de la iglesia, yo no doy nada. Para la Casa del Pueblo, sí, pero para la Iglesia no, que son gente rica. Basta ver los lujos del Papa cuando va por ahí de visita. Jesucristo iba por el mundo predicando y ayudando a los pobres, no así... Cuando tengo que retejar mi tejado, si quiero hacerlo tengo que pagarlo yo: pues ellos igual, que además pueden mejor, con todos los bienes que poseen.

Tino: Dicen que hay Dios... ¡Si lo hay a mí gustaríame hablar con él ya preguntai si ya esto lo que nus tiene guardau pal último momento!

Palmira: Sí, Tino, qué cosas más nos reserva... Porque yo recuerdo bien cuando mi madre murió mártir de cáncer la pobre. Tuvo muchos años mal, ahí tirada en una cama y fue terrible en los últimos tiempos, porque se le iban deshaciendo los huesos y salían por la orina. La sonda atrancaba y yo lo pasé fatal viéndola sufrir. Le había puesto Manolo un timbre para que avisara cuando tuviese dolores y a lo mejor sonaba y estabas ordeñando, pero había que subir corriendo a ponerle la inyección. Y cuando volvías a la cuadra a lo mejor las ordeñadoras estaban por el suelo y aunque no te miraban tanto la bacteriología como ahora, sí había que adoptar las medidas de higiene necesarias. Como ves, una vida de lucha... Y a los pocos años de morir mi madre padeció mi abuela una trombosis y quedó

mal: tres años sin moverse en la cama. Y como mi suegra prefería estar con nosotros, tuvimos que traerla desde Tineo. La atendí unos quince años, afectada de Alzheimer. Empezó despacín, poco a poco, pero cada vez iba haciendo cosas peores, hasta que llegó el momento en que estábamos todos a la mesa comiendo y preguntaba: '¿Quién es este señor? ¿Por qué le das de comer a este señor?' ¡Y era su hijo Manolo! Y después cuando iba al baño un desastre total, hasta que nos fuimos arreglando con pañales y con una correa que Manolo diseñó para manejarla desde atrás... Yo comprendo que todo esto tiene que ser muy duro para ponerlo en un libro, pero así sucedió... A la hora de fallecer mi suegra todavía estaba bastante bien mi padre, aunque pronto empezó a fallarle el corazón... Pero él quería seguir trabajando y nunca perdió su ilusión por organizar y planificar... Tino, que está aquí presente, lo conoció...

Tino: ¡Siempre fue muy trabajador, muy trabajador!

Palmira: Quería hacer y no podía... Hasta teníamos que reñirlo cariñosamente para que no hiciera algunos trabajos. ¡Ya tenía el hombre sus dificultades para enfrentarse a la realidad! A ver cómo te lo explico mejor: que, como ocurre a veces cuando se llega a una edad, se le metían falsamente cosas en la cabeza... Que esto iba a acabarse todo, que íbamos a ir a pique... Y lo andaba diciendo a los vecinos, aunque todo el mundo sabía que ese comportamiento ya venía determinado por el deterioro que la edad produce en las personas, que nada de aquello se ajustaba a la realidad. Pero yo estoy orgullosa de que todos ellos tuvieron a quien les atendió debidamente. Fue un sacrificio inmenso para mí y para todos en muchos casos, pero tengo la conciencia tranquila por haber hecho lo máximo que pude por todos ellos. Por eso, estando en el corral un día cuando ya estábamos más liberados, le dije yo a Manolo que, ya con más tiempo para nosotros (ya fallecieran mi suegra, mi abuela, mi madre...), teníamos que empezar a viajar un poco, a vivir un poco nosotros, idea que a él le gustó mucho: '¡En eso es en lo primero que hay que pensar...!', dijo muy convencido Manolo. Bueno, pues al otro día de estar comentando esto fue cuando lo atropelló el coche: ¡justo al otro día de hacer ese comentario sobrevino el accidente!

Tino: Oye, Palmira... ¿De dónde vino el apellido Pertierra de tu padre? Porque yo soy Pertierra también...

Palmira: De Casa El Gancho, que nos llevaron el escudo. Cuando mi abuelo se casó con la de Casa El Gancho, con mi abuela Petra Pertierra los padres de ella dijeron: '¡En esa casa no se ve el escudo, así que hay que ponerlo en la nuestra, porque al pasar por allí la carretera será más visible!'. Mi abuela paterna era Petra murió muy joven (mi padre tendría unos 14 años y mis tías eran pequeñas), por eso mi abuelo se volvió a casar con María, que tenía una hija de soltera, llamada Gelsomina, mi futura madre, ya que con el tiempo si iba a casar con mi padre. También parece que el nombre de la casa Xenral podría venir de un apellido, porque yo tengo documentos en los que aparece José Xenral, aunque también era habitual que se indicara el nombre de la casa, en ocasiones supliendo o

complementando a un apellido... Bueno, pues te conté una serie de cosas que no sé si serán adecuadas para un libro, pero hay que decir la verdad, contar todo como sucedió... ¡Y esa es la realidad!

Los versos de Tino Cuña

'Erase un jabalí de afiliación socialista: comía nuestro maíz sin dejar ninguna pista (**Ernesto Pertierra Fernández, Tino Cuña: década de 1990**). Pa llamarle socialista hay muchísimas razones, pues trinca todo lo que pilla y no da explicaciones. El jabalí por la noche anda comiendo el maíz y siempre libra como algún gocho que ta durmiendo feliz. Destroza los maizales, nadie sabe dónde está, es parte (son muchos más) de nuestros males. En eso es igual que Roldán, pues viene, come y se va. Pero un día se le acaba la suerte, igual que a Roldan... Merece pena de muerte: se prepara el terreno, se estudia con buen criterio y a cazar el jabato muy cerca del cementerio. En una noche estrellada no hay que ser un adivino cuando se oye una llamada preguntando por Galdino. Todo ocurrió por la noche

mientras la gente dormía: llegaron unos en coches para acabar con su vida. Alguien dio con su rastro, encontraron su guarida y le cortaron el paso cuando emprendía la huida. De pronto alguien lo acribilla y su vida ya va a acabar cuando el bicho se arrodilla, pero no para rezar. Le cortaron los cojones como escarmiento final, porque si no se los cortan al comerlo sabe mal. A veces tamién se encuentra una gocha pa parir, una de las sorpresas del que pasa sin dormir. Con luz y armas a punto el equipo nunca falla... Puestos en funcionamiento, el bicho siempre se calla, sin que pudiera imaginar que sin dar ni una queja su historia iba acabar el día de Nochevieja. A veces hay que correr, porque vienen los rurales y alguno aquí presente hasta mojó los pañales. Al pasar por El Crucero el coche le patinaba y el furtivo que iba dentro la carretera ensuciaba. Ellos vigilan los coches (los guardas, unos cabrones), pero yendo por las noches van tocanos los coyones. A María Luis Carcedo, que protege el jabalí, iba a entrai algo de miedo si la fozara por allí. Así termina la historia del jabalí socialista, que no consiguió la gloria, ¡pero ya uno más na lista!'.

'Decidido jubilarme y se hacen muy largos los meses: esperar más de dos años viéndolo muy negro a veces (**Ernesto Pertierra Fernández, Tino Cuña**: hacia el año 2002). Al fin ya llega la hora de abandonar las vaquinas, pero veo a la señora suspirar por las esquinas. Llegó la jubilación y aunque uno sea viejo siempre hay una razón pa conservar el pellejo. Después de tar jubilau, con alguna lambionada ya te quedas arreglau: de otra cosa, casi nada... Alguno aquí presente que consulte a la señora y que no estén tan sonrientes: ¡ya le llegará la hora! Me tramitaron los papeles mi gente del sindicato, personas muy especiales en el trabajo y en el trato. Me sacaron una paga (a mi ver, muy cojonuda) y todo aquel que no lo haga la cabeza no le ayuda. Solicitei con pesetas y ahora págannus con euros: fixétnunus la puñeta, pues nun se ven nu munederu. Mucha gente se jubila y a vivir sin trabajar: si el gobierno no espabila no habra nada que cobrar. La juventud deja el campo y yo apoyo la decisión: pa los viejos el descanso y a vivir de la pensión. Tocónos la lotería con esto de jubilanos a mí y la mí María: ¡ya nun vamos divorcianos! Todo aquel que se jubile, cumu you anticipau, ¡seguro que se olvida de marchar pal otru lau! Los que ahora tais na lista pa pronto ser jubilaus, ni nublásebus la vista: ¡a quien vais a dar los praus! Quisiera que deste día quedara un grato recuerdo, celebrado con alegría, de lo cual mucho me alegro. Bien celebrado el evento, de regreso ya en la casa, ahora a vivir del cuento si la paga nun fracasa. Cansados de trabajar y cerrado ya el establo, ¡sólo nos queda esperar a entregar los huesos al diablo!'.

Reseñas fotográficas

Páginas 116 y 117: Palmira y Manolo de Ca Xenral con Tino y Purita de Ca Cuña.

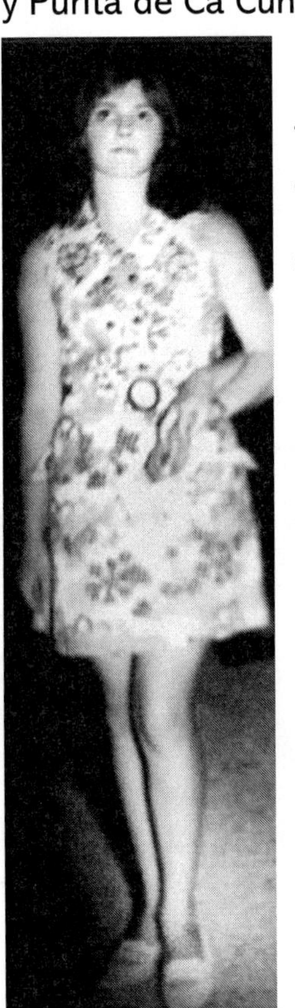

119: Boda de Palmira y Manolo en 1972.

121: Boda de Francisco García y Petra Pertierra en el año 1920. Abuelos paternos de José, Carmina, Margarita y Palmira.

123: Palmira y Manolo con Tino y Purita de Ca Cuña delante de la Iglesia de El Pedregal.

125: Boda de Palmira y Manolo en 1972.

127: Fabián (el más alto) y Daniel en el año 1990.

129: Fabián y Daniel el 21 de julio de 1980.

131: Manolo construyendo la casa, ayudado por su hijo Fabián (1989).

133: Manolo con sus hijos Fabián y Daniel cargando nabos en el remolque del tractor (1987) en medio de un paisaje nevado.

135: Gelsomina y Paco bailando por la noche en San Bartuelo.

137: Celebración familiar: Palmira y Manolo con sus hijos, nueras y nietos (as).

139: Tino Cuña, Mary Pili y Joseph Millariega.

140: Tino y Purita Cuña con su hija Ana, su yerno Tanín y sus nietos Jairo y Fátima. La niña del anorak rojo es Andrea, hija de Ana de Casa Rufo.

142: Palmira en una fiesta por la noche (año 1970).

(Fotografías: Ana Pertierra, Palmira Xenral y autor. Revisión de reseñas: Mari Paz García González).

6

La población de la parroquia en el año 1920

El padrón municipal es el registro administrativo (INE: 2024; García González, M. Paz; Millariega, Joseph: 2025) donde constan los vecinos del municipio. Toda persona que viva en España está obligada a inscribirse en dicho padrón del concejo en el que resida habitualmente y quien viva en varios municipios deberá hacerlo únicamente en el que habite durante más tiempo al año. La formación, mantenimiento, revisión y custodia del padrón municipal corresponde al Ayuntamiento y sus datos constituyen prueba de la residencia en el concejo y del domicilio habitual en el mismo. Para llevar a cabo la coordinación de todos los padrones municipales, evitando duplicidades entre los mismos, el INE dispone de una base padronal que se actualiza mensualmente con las variaciones que envían los Ayuntamientos. Esta coordinación también se lleva a cabo con el Padrón de Españoles Residentes en el Extranjero. Cualquier persona que cuente con un certificado electrónico podrá consultar telemáticamente la relación de municipios en los que ha estado o está empadronada, según la base del INE. La petición podrá ser realizada mediante el acceso a la consulta telemática del histórico de municipios en la base padronal del INE, disponible en su sede electrónica, acreditando la identidad con firma electrónica reconocida. No se facilitará información cuando los datos del certificado electrónico de identidad no coincidan exactamente con los de su última inscripción padronal. La consulta mostrará la relación de municipios en los cuales la persona interesada ha estado empadronada en la base padronal del INE, desde su formación (a 1 de mayo de 1996) hasta su

última actualización. Esta información se presenta en pantalla y podrá ser impresa. Pero la legislación establece que los datos de los padrones que obren en poder del Instituto Nacional de Estadística no podrán servir de base para la expedición de certificaciones o volantes de empadronamiento, ya que estas serán expedidas por el Secretario (a) del Ayuntamiento o funcionario(a) en quien delegue, y son las que tienen carácter de documento público y fehaciente para todos los efectos administrativos como prueba de la residencia en el municipio y del domicilio habitual en el mismo. Hasta el 1 de mayo de 1996, el padrón municipal de España se renovaba *ex novo* cada cinco años, desde entonces se transformó en padrón continuo, de gestión informatizada y con una revisión cuya fecha de referencia es el 1 de enero de cada año y cuyo propósito es acordar las cifras oficiales de población.

Con el paso del tiempo los padrones fueron incluyendo cada vez más información de los ciudadanos, aunque como se ve el de 1920 solo recogía el nombre y apellidos, la relación de parentesco, si sabía leer y escribir y profesión. La elaboración posiblemente fue realizada a callehita (casa a casa), con posterior transcripción de los datos al padrón. Todavía en el año 1970 el autor de este libro fue empadronador a callehita del Ayuntamiento de Salas.

Número de orden: 472. Número de personas de la unidad familiar: (2), en adelante *Unidad familiar.* (Archivo Municipal de Tineo y Senén González Ramírez: 2024. Transcripción de Joseph Millariega). Francisco Fernández García, 43 años, casado, cabeza, lee y escribe: sí, comerciante – María Rodríguez, soltera, sirvienta, lee y escribe: no, labores, tiempo residiendo 2 años.

473. Unidad familiar (1). Teresa Fernández García, 40 años, viuda, cabeza, lee y escribe: no, labores.

474. Unidad familiar (6). Primitivo Fernández García, 30 años, casado, cabeza, lee y escribe: sí, labrador – Constantina Fernández Fernández, 30 años, casada, esposa, lee y escribe: sí, labradora – María Fernández Fernández, 6 años, hija – José Fernández Fernández, 3 años, hijo – Consuelo Fernández Fernández, 1 año, hijo - María Constantina Fernández Fernández, 1 año, hija.

475. Unidad familiar (6). Rosa García García, 72 años, viuda, cabeza, lee y escribe: no, labradora – Antonio Díaz García, 38 años, soltero, hijo, lee y escribe: sí, labrador – Elena Díaz García, 37 años, soltera, hija, lee y escribe: no, labradora – Consuelo Díaz García, 36 años, soltera, hija, lee y escribe: no, labradora – Francisco Díaz García, 6 años, nieto, escuela – Benedicta Díez García, 2 años, nieta.

476. Unidad familiar (2). Juan Arnaldo Rodríguez, 35 años, casado, cabeza, lee y escribe: sí, labrador – María Parrondo Pérez, 40 años, casada, esposa, lee y escribe: sí, labradora

477. Unidad familiar (5). Teresa Menéndez Fernández, 50 años, viuda, cabeza, lee y escribe: sí, labradora – Belarmino Colado Menéndez, 20 años, soltero, hijo, lee y escribe: sí, ausente en La Habana – Manuel Colado Menéndez, 18 años, soltero, hijo, lee y escribe: sí, labrador – Benigno Colado Menéndez, 16 años, hijo, lee y escribe: sí, labrador - Antonio Colado Menéndez, 13 años, hijo, lee y escribe: sí, labrador.

478. Unidad familiar (7). Manuel García Puente, 59 años, casado, cabeza, lee y escribe: sí, labrador – María Parrondo Fernández, 61 años, casada, esposa, lee y escribe: sí, labores – Antonio García Parrondo, 28 años, soltero, hijo, lee y escribe: sí, ausente en La Habana – Perfecta García Parrondo, 25 años, soltera, hija, lee y escribe: sí, ausente en Madrid – Casimiro García Parrondo, 24 años, soltero, hijo, lee y escribe: sí, labrador – Trinidad García Parrondo, 20 años, soltera, hija, lee y escribe: sí, labradora – Cándida Parrondo Fernández, 75 años, soltera, cuñada, lee y escribe: sí, labradora.

479. Unidad familiar (4). Santiago Colado García, 40 años, casado, cabeza, lee y escribe: sí, ausente en La Habana – Virginia Fernández Fernández, 33 años, casada, esposa, lee y escribe: sí; labores – Selia Colado Fernández, 11 años, hija, lee y escribe: sí -Bernabé Fernández Fernández, 24 años, soltero, cuñado, lee y escribe: sí, labrador.

480. Unidad familiar (6). Manuel Martínez, 55 años, casado, cabeza, lee y escribe: no, labrador – Teresa Martínez Bermejo 52 años, casada, esposa, lee y escribe: no, labradora – Emilio Martínez Martínez, 21 años, soltero, hijo, lee y escribe: sí, ausente en La Habana – Santiago Martínez Martínez, 18 años, soltero, hijo, lee y escribe: sí, labrador – Celedonio Martínez Martínez, 16 años, hijo, lee y escribe: sí, labrador – Julia Martínez Martínez, 13 años, hijo, lee y escribe: sí.

481. Unidad familiar (14). José Fernández Fernández, 62 años, viudo, cabeza, lee y escribe: sí, labrador – Antonia Fernández Menéndez, 37 años, soltera, hija, lee y escribe: no, labradora – Manuel Fernández Menéndez, 35 años, lee y escribe: sí, ausente en Buenos Aires – Regina Fernández Menéndez, 33 años, soltera, hija, lee y escribe: sí, ausente en Buenos Aires – Filomena Fernández Menéndez, 31 años, soltera, hija, lee y escribe: sí, ausente en Buenos Aires – Basilisa Fernández Menéndez, 29 años, soltera, hija, lee y escribe: sí, ausente en Buenos Aires – Marcelo Fernández Menéndez, 27 años, soltero, hijo, lee y escribe: sí, ausente en Buenos Aires – Elvira Fernández Menéndez, 25 años, soltera, lee y escribe: sí, ausente en Buenos Aires – Emilio Fernández Menéndez, 21 años, soltero, hijo, lee y escribe: sí, labrador – Alfredo Seoane Fernández, 14 años, nieto, lee y escribe: sí – Marcelino Seoane Fernández, 11 años, nieto, lee y escribe: sí – Manuel Seoane Fernández, 9 años, lee y escribe: sí – José Seoane Fernández, 7 años, nieto, lee y escribe: sí – Ramón Seoane Fernández, 5 años, nieto, lee y escribe: sí.

482. Unidad familiar (5). Julián Naranjo Santacruz, 61 años, casado, cabeza, lee y escribe: sí, de Madrid, lleva residiendo 21 años – María García Cuervo, 43 años, casada, esposa, lee y escribe: no, labradora – Felipa Naranjo Sánchez, 31 años, soltera, hija lee y escribe: sí, lleva residiendo 21 años – Gabino Naranjo Sánchez, 22 años, soltero, hijo, lee y escribe: sí, lleva residiendo 21 años – José Naranjo Sánchez, 21 años, soltero, lee y escribe: sí, ausente en Madrid.

483. Unidad familiar (3). Cristina Prieto Rodríguez, 75 años, viuda, cabeza, lee y escribe: no, labradora – Teresa García Prieto, 33 años, casada, hija, lee y escribe: no, ausente en Buenos Aires – Baldomero Lorences Escalada, 32 años, casado, yerno, lee y escribe: no, ausente en Buenos Aires.

484. Unidad familiar (4). Antonio Peña García, 70 años, casado, cabeza, lee y escribe: no, labrador – Emilia Ramírez Rodríguez, 58 años, casada, esposa, lee y escribe: no, labradora – José Antonio Peña Ramírez, 20 años, soltero, hijo, lee y escribe: sí, labrador – Rosa Fernández, 80 años, soltera, huésped, lee y escribe: no, labradora.

485. Unidad familiar (4). José García Fernández, 62 años, casado, cabeza, lee y escribe: sí, labrador – Gabriela García Colado, 54 años, casada, esposa, lee y escribe: no, labradora – Francisco García García, 27 años, soltero, hijo, lee y escribe: sí, ausente en La Habana – José García García, 16 años, hijo, lee y escribe: sí.

486. Unidad familiar (3). María García Peña, 52 años, viuda, cabeza, lee y escribe: no, labradora – Antonio Llano García, 28 años, soltero, hijo, lee y escribe: sí, ausente en La Habana – José Llano García, 24 años, soltero, hijo, lee y escribe: sí, ausente en Buenos Aires.

487. Unidad familiar (3). María Fernández Díaz, 37 años, viuda, cabeza, lee y escribe: no, labradora – José Fernández Fernández, 11 años, hijo, lee y escribe: sí – Rosa Díaz, 80 años, viuda, madre, lee y escribe: no, labradora.

488. Unidad familiar (4). Servanda Peña Martínez, 47 años, viuda, cabeza, lee y escribe: no, labradora – Félix Peña Martínez, 31 años, soltero, hijo, lee y escribe: no, labrador – Carmen Fernández Peña, 6 años, hija, lee y escribe: no – Pilar Fernández Peña, 4 años, hijo.

489. Unidad familiar (7). José Díaz García, 44 años, viudo, cabeza, lee y escribe: sí, labrador – Consuelo Díaz Fernández, 23 años, casada, hija, lee y escribe: no, labradora – Francisco Díaz Fernández, 20 años, soltero, hijo, lee y escribe: sí, labrador – María Díaz Fernández, 18 años, soltera, hija, lee y escribe: sí, labradora – Antonio Díaz Fernández, 14 años, hijo, lee y escribe: sí – Evaristo Díaz Fernández, 12 años, hijo, lee y escribe: sí – Blas Díaz Fernández, 6 años, hijo, lee y escribe: no.

490. Unidad familiar (4). Ángel Menéndez, 45 años, casado, cabeza, lee y escribe: no, labrador – María Fernández Fernández, 50 años, casada, esposa, lee y escribe: no, labradora – Francisco Menéndez Fernández, 18 años, hijo, lee y escribe: sí, labrador – María Menéndez Fernández, 14 años, hija, lee y escribe: sí.

491. Unidad familiar (6). José Marinas Colado, 59 años, casado, cabeza, lee y escribe: sí, labrador – Amalia Rodríguez, 60 años, casada, esposa, lee y escribe: sí, labradora – Valentín Marinas Rodríguez, 34 años, soltero, hijo, lee y escribe: sí, labrador – Concepción Marinas Rodríguez, 22 años, soltera, hija, lee y escribe: sí, labradora – María Marinas Rodríguez, 20 años, soltera, hija, lee y escribe: sí, labradora – Obdulia Colado Fernández, 80 años, madre, lee y escribe: no, labradora.

492. Unidad familia (2). Antonio Pertierra García, 34 años, soltero, cabeza, lee y escribe: sí, labrador – Virginia Parrondo, 53 años, soltera, sirvienta, lee y escribe: no.

493. Unidad familiar (10). José Colado Díez, 46 años, casado, cabeza, lee y escribe: sí, labrador – Pilar Colado Colado, 44 años, casada, esposa, lee y escribe: sí, labradora – Eduardo Colado Colado, 31 años, soltero, hijo, lee y escribe: sí, labrador – Laura Colado Colado, 14 años, hija, lee y escribe: sí – María Colado Colado, 12 años, hija, lee y escribe: sí – Dolores Colado Colado, 10 años, hija, lee y escribe: sí – Teresa Colado Colado, 8 años, hijo, lee y escribe: sí - Francisco Colado Colado, 5 años, hijo, lee y escribe: sí – Olimpia Colado Colado, 1 año, hija – Rosa Díaz Fernández, 72 años, viuda, madre, lee y escribe: sí.

494. Unidad familiar (9). Diego Fernández García, 55 años, casado, cabeza, lee y escribe: sí, ausente en La Habana – Modesta Cuervo Díaz, 46 años, casada, esposa, lee y escribe: no – Antonio Fernández Cuervo, 27 años, soltero, hijo, lee y escribe: sí, ausente en La Habana – José Fernández Cuervo, 25 años, soltero, hijo, lee y escribe: sí, ausente en La Habana – Amelia Fernández Cuervo, 23 años, soltera, hija, lee y escribe: sí, ausente en La Habana – María Fernández Cuervo, 20 años, soltera, hija, lee y escribe: sí – Modesta Fernández Cuervo, 17 años, soltera, hija, lee y escribe: sí – Argentina Fernández Cuervo, 14 años, hija, lee y escribe: sí – Progreso Fernández Cuervo, 10 años, hijo, lee y escribe: sí.

495. Unidad familiar (6). Carlota Peláez Prieto, 39 años, viuda, cabeza, lee y escribe: no, labradora – María García Peláez, 13 años, hija, lee y escribe: no – Filomena García Peláez, 11 años, hija, lee y escribe: no – José García Peláez, 9 años, hijo, lee y escribe: no – Francisco García Peláez, 7 años, hijo, lee y escribe: no – Celestino García Peláez, 3 años, hijo.

496. Unidad familiar (1). Josefa Francos Pertierra, 67 años, viuda, cabeza, lee y escribe: no, labradora.

497. Unidad familiar (9). Ángel Díez García, 62 años, cabeza, casado, lee y escribe: sí, labrador – Constantina Marinas García, 63 años, casada, esposa, lee y escribe: sí, labradora – Amalia Díez Marinas, 33 años, soltera, hija, lee y escribe: sí, labradora – María Díez Marinas, 31 años, soltera, hija, lee y escribe: sí, ausente en La Habana – Carlota Díez Marinas, 28 años, soltera, hija, labradora – Manuel Díez Marinas, 24 años, soltero, hijo, lee y escribe: sí, ausente en La Habana – Pilar Díez Marinas, 21 años, soltera, hija, lee y escribe: sí, labradora – Eleuterio Díez Marinas, 19 años, soltero, hijo, lee y escribe: sí, ausente en La Habana – Argentina Díez Marinas, 6 años, hija, lee y escribe: no, escuela.

498. Unidad familiar (6). Francisco Peláez Fernández, 61 años, viudo, cabeza, lee y escribe: sí, labrador – Florentina García García, 70 años, viuda, huésped, lee y escribe: no, labradora – Francisco Peláez Prieto, 30 años, casado, hijo, lee y escribe: sí, labrador – Celestina Pertierra Cuervo, 30 años, casada, nuera, lee y escribe: sí, labradora – Francisco Peláez Pertierra, 2 años, nieto – José Peláez Pertierra, 1 año, nieto.

499. Unidad familiar (7). Francisco Peña Martínez, 43 años, casado, cabeza, lee y escribe: sí, labrador – Pilar Castaño, 44 años, casada, esposa, lee y escribe: no, labradora – María Peña

 Castaño, 18 años, hija, lee y escribe: no – Placeres Peña Castaño, 16 años, hija, lee y escribe: no – Dolores Peña Castaño, 13 años, hija, no – Gonzalo Peña Castaño, 1 año, nieto – Servanda Peña Castaño, 7 años, hija, lee y escribe: no, escuela.

500. Unidad familiar (10). José Bermejo García, 48 años, casado, cabeza, lee y escribe: sí, labrador – Josefa Pérez Francos, 46 años, casada, esposa, lee y escribe: sí, labradora – Ramona Bermejo García, 52 años, casada, hermana, lee y escribe: sí, labradora – María García Fernández, 75 años, viuda, madre, lee y escribe: no, labradora – Concepción Bermejo Pérez, 23 años, soltera, hija, lee y escribe: sí, labradora – Félix Bermejo Pérez, 13 años, hijo, lee y escribe: sí – Lucía Bermejo Pérez, 9 años, hija, lee y escribe: no – César Bermejo Pérez, 7 años, hijo, lee y escribe: no – María Bermejo Pérez, 5 años, hija – Emilio Bermejo Pérez, 2 años, hijo.

501. Unidad familiar (8). Román García Cuervo, 45 años, casado, cabeza, lee y escribe: sí, labrador – Encarnación Bermejo Fernández, 49 años, casada, esposa, lee y escribe: no, labradora – José García Bermejo, 8 años, hijo, lee y escribe: sí – Teresa García Cuervo, 43 años, soltera, hermana, lee y escribe: no, labradora – Petra García Cuervo, 41 años, soltera, hermana, lee y escribe: no, labradora – Sabina García Cuervo, 39 años, soltera, hermana, lee y escribe: no, labradora – Celestina García Cuervo, 37 años, soltera, hermana, lee y escribe: no, labradora – Ramona Cuervo Fernández, 80 años, viuda, madre, lee y escribe: no, labradora.

502. Unidad familiar (6). José Díaz Colado, 50 años, casado, cabeza, lee y escribe: sí, labrador – Encarnación García García, 43 años, casada, esposa, lee y escribe: no, labradora – Manuel Díaz García, 19 años, soltero, hijo, lee y escribe: sí, ausente en La Habana – Antonio Díaz García, 13 años, hijo, lee y escribe: sí, ausente en La Habana – Felisa Díaz García, 11 años, hijo, lee y escribe: sí – José Díaz García, 2 años, hijo.

503. Unidad familiar (10). José Rubio Gancedo, 50 años, casado, cabeza, lee y escribe: sí, labrador – Balbina Fernández Rodríguez, 49 años, casada, esposa, lee y escribe: no, labradora – Manuel Fernández Rodríguez, 40 años, soltero, cuñado, lee y escribe: no, labrador – Balbina Rubio Gancedo, 52 años, soltera, hermana, lee y escribe: no, labradora – Teresa Rubio Bermejo, 16 años, hija, lee y escribe: no – Carmen Rubio Bermejo, 14 años, hija, lee y escribe: no – Victorino Rubio Bermejo, 12 años, soltero, hijo, lee y escribe: no – Manuel Rubio Bermejo, 9 años, hijo, lee y escribe: no – María Rubio Fernández, 1 año, hija – José Rubio Fernández, 3 años, sobrino.

504. Unidad familiar (3). Esperanza Uría Menéndez, 69 años, viuda, cabeza, lee y escribe: no, labradora – Celestino Díaz Colado, 52 años, viudo, sirviente, lee y escribe: sí, labrador – Esperanza Prieto Menéndez, 10 años, sirvienta, lee y escribe: no.

505. Unidad familiar (8). José Bermejo Fernández, 45 años, casado, cabeza, lee y escribe: sí, labrador – Ramona Fernández Bermejo, 48, casada, esposa, lee y escribe: no, labradora – Amparo Bermejo Fernández, 17 años, soltera, hija, lee y escribe: no, labradora – Eleuterio Bermejo Fernández, 21 años, soltero, hijo, lee y escribe: sí, ausente en La Habana – Félix Bermejo Fernández, 17 años, soltero, hijo, lee y escribe: sí, ausente en Madrid – José Bermejo Fernández, 14 años, hijo, lee y escribe: sí – Eleuterio Fernández, 3 años, sobrino – Eleuterio Bermejo Velasco, 73 años, viudo, padre, lee y escribe: no, labrador.

506. Unidad familiar (5). Saturnino Gancedo Fernández, 35 años, casado, cabeza, lee y escribe: sí, labrador – Margarita García Alonso, 45 años, casada, esposa, lee y escribe: no, labradora – María Gancedo García, 9 años, hija, lee y escribe: no – Manuel Gancedo García, 9 años, hijo, lee y escribe: no – Luisa Gancedo García, 5 años, hija.

507. Unidad familiar (10). Donato Cañedo Fernández, 54 años, casado, cabeza, lee y escribe: sí, de Santo Adriano, M.I.P (Maestro de Instrucción Primaria), lleva residiendo 34 años – Celestina Cuervo Díaz, casada, esposa, lee y escribe: no, labores – Benjamín Cañedo Cuervo, 29 años, soltero, hijo, de Santo Adriano, labrador, lleva residiendo 27 años – Santos Cañedo Cuervo, 24 años, soltero, hijo, lee y escribe: sí, ausente en Madrid – Antonio Cañedo Cuervo, 20 años, soltero, hijo, lee y escribe: sí, ausente en Madrid – Manuel Cañedo Cuervo, 17 años, hijo, lee y escribe: sí, labrador – José Cañedo Cuervo, 16 años, hijo, lee y escribe: sí – Nicolás Cañedo Cuervo, 14 años, hijo, lee y escribe: sí – Marcelino Cañedo Cuervo, 12 años, lee y escribe: sí – Amparo Cañedo Cuervo, 10 años, hija, lee y escribe: sí.

508. Unidad familiar (5). Baldomero Fernández García, 54 años, viudo, cabeza, lee y escribe: sí, labrador – Manuel Fernández Colado, 23 años, soltero, hijo, lee y escribe: sí, militar, ausente en Zaragoza – Asunción Fernández Colado, 18 años, soltera, hija, lee y escribe: no – María Fernández Colado, 11 años, lee y escribe: no – Rosario Fernández Colado, 9 años, hija, lee y escribe: no.

509. Unidad familiar (3). Antonio de la Torre Fernández, 66 años, viudo, cabeza, lee y escribe: sí, labrador – Antonio de la Torre Menéndez, 24 años, soltero, hijo, lee y escribe: sí, labrador – Teresa Ruíz, 56 años, soltera, sirvienta, lee y escribe: no.

510. Unidad familiar (8). José García Alonso, 59 años, casado, cabeza, lee y escribe: sí, labrador – María Peláez Fernández, 55 años, casada, esposa, lee y escribe: sí, labradora – Manuel García Peláez, 27 años, casado, hijo, lee y escribe: sí – Magdalena Rodríguez Fernández, 27 años, casada, nuera, lee y escribe: sí – María García Peláez, 18 años, soltera, hija, lee y escribe: sí – Pilar García Peláez, 15 años, hija, lee y escribe: sí – Argentina García Peláez, 3 años, nieta – Herminia García Peláez, 1 años, nieta.

511. Unidad familiar (1). Cristina de la Torre Fernández, 54 años, soltera, cabeza, lee y escribe: no, labradora.

512. Unidad familiar (5). Sandalio Colado García, 55 años, casado, cabeza, lee y escribe: sí, labrador – Teresa Fernández Rodríguez, 54 años, casada, esposa, lee y escribe: sí, labradora – Eleuterio Colado Fernández, 33 años, soltero, hijo, lee y escribe: sí, labrador – Consuelo Colado Fernández, 20 años, soltera, hija, lee y escribe: sí – Luisa Colado Fernández, 13 años, hija, lee y escribe: sí.

513. Unidad familiar (4). José Ramírez Fernández, 22 años, casado, cabeza, lee y escribe: sí, ausente en Málaga – Pilar Garrido, 30 años, casada, esposa, lee y escribe: sí, labradora – Eleuterio Ramírez Garrido, 3 años, hijo – María del Rosario Ramírez Garrido, 1 año, hija.

514. Unidad familiar (9). José Fernández Bermejo, 51 años, casado, cabeza, lee y escribe: sí, labrador – María Fernández González, 46 años, casada, esposa, lee y escribe: sí, labradora – Teresa Fernández Fernández, 18 años, soltero, hijo, lee y escribe: sí, labradora – Soledad Fernández Fernández, 16 años, soltera, hija, lee y escribe: sí – Antonio Fernández

Fernández, 14 años, hijo, lee y escribe: sí – Amparo Fernández
Fernández, 9 años, hijo, lee y escribe: sí, escuela – Pilar Fernández Fernández, 9 años, hija, lee y escribe: no, escuela –
Consuelo Fernández Fernández, 7 años, hija, lee y escribe: no,
escuela – María Fernández Fernández, 4 años, hija, lee y escribe: no.

515. Unidad familiar (5). María Fernández Martínez, 43 años,
viuda, cabeza, lee y escribe: sí, labradora – Modesta Pertierra
Fernández, 21 años, soltera, hija, lee y escribe: sí, labradora –
Blas Pertierra Fernández, 19 años, soltero, hijo, lee y escribe;
sí, labrador – Petra Pertierra Fernández, 17 años, soltera, hija,
lee y escribe: sí, labradora – Placeres Pertierra Fernández, 13
años, hija, lee y escribe: sí.

516. Unidad familiar (5). Antonio Fernández García, 25 años,
casado, cabeza, lee y escribe: sí, labrador – María Fernández
Peláez, 23 años, casada, esposa, lee y escribe: sí, labradora –
José Abelardo Fernández Fernández, 2 años, hijo – Carmen
Fernández Fernández, 1 año, hijo – Jesús Riesgo, 22 años, sol-
tero, sirviente, lee y escribe: no.

517. Unidad familiar (5). José Rodríguez Menéndez, 33 años, casado, cabeza, lee y escribe: sí, labrador – Serafina Fernández Miranda, 39 años, casada, esposa, lee y escribe: sí, labradora – Antonio Rodríguez Fernández, 10 años, hijo, lee y escribe: no – Africano Rodríguez Fernández, 8 años, hijo, lee y escribe: no – Víctor Rodríguez Fernández, 5 años, hijo, lee y escribe: no.

518. Unidad familiar (4). Isabel Peláez Fernández, 51 años, viuda, cabeza, lee y escribe: no, labradora – Francisco Fernández Peláez, 19 años, soltero, hijo, lee y escribe: no, labrador – Pilar Fernández Peláez, 14 años, hijo, lee y escribe: no – Jesusa Fernández Peláez, 23 años, soltera, hija, lee y escribe: no, ausente en La Habana.

519. Unidad familiar (3). José Santiago García, 54 años, casado, cabeza, lee y escribe: sí, labrador – Josefa Fernández, 60 años, casada, esposa, lee y escribe: no, labradora – Marcelino Santiago Fernández, 24 años, soltero, hijo, lee y escribe: sí, labrador.

520. Unidad familiar (8). Pilar Menéndez Fernández, 30 años, casada, cabeza, lee y escribe: sí, labradora – Jesús Pérez Blanco, 34 años, casado, esposo, lee y escribe: sí, ausente en Buenos Aires – José Pérez Menéndez, 6 años, hijo, lee y escribe: sí, escuela – Jesús Pérez Menéndez, 4 años, hijo - Teresa Menéndez Fernández, 23 años, soltera, hermana, lee y escribe: sí, labores – Dolores Menéndez Fernández, 21 años, soltera, hermana, lee y escribe: sí, labores – Diego Menéndez Fernández, 28 años, soltero, hermano, lee y escribe: sí, ausente en La

Habana – Gabriela Fernández García, 65 años, viuda, madre, lee y escribe: sí, labradora.

521. Unidad familiar (5). Antonio Fernández Cayado 37 años, casado, cabeza, lee y escribe: no, labrador – Manuela Martínez Alba, 43 años, casada, esposa, lee y escribe: no, labradora – María Fernández Martínez, 11 años, hija, lee y escribe: no – Manuel Fernández Martínez, 9 años, hijo, lee y escribe: no – José Fernández Martínez, 7 años, hijo, lee y escribe: no.

522. Unidad familiar (10). Modrero. Teresa Alonso Fernández, 57 años, viuda, cabeza, lee y escribe: no, labrador – Román Lorences Alonso, 26 años, casado, hijo, lee y escribe: sí, labrador – Concepción Menéndez Fernández, 26 años, casada, nuera, lee: no, escribe: sí, labradora – Vicenta Lorences Alonso, 19 años, soltera, hija, lee y escribe: no – Luciana Lorences Alonso, 17 años, hija, lee y escribe: no – María Lorences Alonso, 15 años, lee y escribe: no - Alvarina Lorences Alonso, 13 años, hija, lee y escribe: no – Benedicta Lorences Alonso, 7 años, hija, lee y escribe: no – Eduardo Lorences Alonso, 32 años, hijo, soltero, lee y escribe: sí, ausente en La Habana –

Antonio Lorences Alonso, 24 años, soltero, hijo, lee y escribe: sí, ausente en La Habana.

523. Unidad familiar (2). Teresa Gancedo García, 43 años, viuda, cabeza, lee y escribe: no – Antonio Escaladas Gancedo, 11 años, nieto, lee y escribe: no, escuela.

Reseñas fotográficas:

Página 144: En primer término, se puede ver a Antonio de Ca David e intentando cruzar la carretera a Antón del Cuerno, quizás por San Bartuelo. (Anita Fernández García).

146: Grupo de Comunión con el maestro Don Antonio Cañedo.

148: Avelino Ramírez con el motocarro que había ido a buscar a Madrid.

150: Pachete y Amparo Cuña con su hijo Loño.

152: Se puede ver a Isidro, el padre de Manuela Fernández Álvarez (Mary Loly) y su tío Paco (de Casa David) tirando de San Antonio.

154: Trio de ciclistas. De izquierda a derecha, Manel de La Carrina, Ismael y Tino cuña, en la recta de La Pereda, cerca de La Cavén.

156: 'De izquierda a derecha: mi prima Pilarina Ramírez; le siguen mi abuelo Avelino Ramírez Garrido, Teresa Valle Vélez, mujer de mi tío Antón Ramírez Garrido; mi bisabuela, Pilar Garrido Fernández; mi tía Rosario Ramírez Garrido y mi bisabuelo José María Ramírez Fernández' (Alicia Ramírez).

157: Xenralín con sus padres Paco y Gelsumina.

158: Grupo de Primera Comunión con Don José Luis García Vigón.

(Fotografías: Alicia Ramírez, Ana Pertierra, Palmira Xenral y Manuela Fernández [Mary Loly]). Revisión de reseñas: Mari Paz García González.

<h1 style="text-align:center">7</h1>

Cuando ganar no resulta fácil

En una templada mañana de finales del septiembre asturiano del año 2024 soy recibido en Casa Xacalén por la familia al completo: Aladino Menéndez Gancedo, su esposa Alicia Fernández de la Fuente, su hijo Luis Miguel Menéndez Fernández y su esposa Francisca Dos Santos Arruda, que tienen, a su vez, una hija de 27 años, que está trabajando en Madrid en un centro geriátrico y estudiando Psicología, Wendy Flórez Dos Santos; y un hijo de 16 años, estudiante del bachiller de Ciencias, David Menéndez Dos Santos, el cual, pese a su corta edad, escribe con mucha claridad y fluidez la serenidad propia de las personas mayores, con un nirvana especial, como rodeado de un halo de inteligencia y filosofía oriental que me ha sorprendido. Fue inicialmente mi anfitrión y su forma sencilla y genuina de exponer la historia de sus padres abuelos, así como de sus actividades, pensamientos, anhelos y ambiciones juveniles con una ilusión que, salvo excepciones, no suele ser propia de la turba estudiantil. Al menos, no así... En Casa Xacalén, como en todas las ganaderías y familias que visité en El Pedregal, fui recibido con ese afecto especial con el que se acoge a quien se sabe que es 'uno de los suyos', pues no en vano nací en El Espín...

David Menéndez Dos Santos (29 de septiembre de 2024): no sé si seguir con el negocio familiar o estudiar biología y trabajar en alguna empresa. Se me pasa por la cabeza seguir la tradición familiar porque ahora entre vacas de recría, terneras y vacas de producción hay unas 280 en las instalaciones que tenemos cerca de La Dorada. Yo ahora estoy haciendo el bachiller de Ciencias, pero cuando puedo ayudo algo a mi padre,

bien alimentando a los animales o con otras tareas. También en ocasiones hay que hacer otros trabajos, porque las vacas son muy juguetonas y a veces rompen un portillo o una valla y hay que ir rápidamente para allá a repararlo (se debe asegurar todo bien para que no se salgan). Desde luego, me daría mucha pena que en el futuro se tuviera que vender el ganado, pues significó y significa mucho en la vida de mi abuelo y mi padre y es por lo que lucharon siempre. Mi abuelo comenzó con poca o ninguna ayuda y, claro, da lástima que todo ese esfuerzo de Aladino y Alicia se pierda... Recuerdo que mi abuelo me contaba que cuando fue a hacer el servicio militar en Villaverde, Madrid (Infantería Ligera) tuvo que estar antes varios días cortando leña y roza para que sus padres estuviesen bien surtidos durante un tiempo, cuando él faltase. Y que fue tanto el esfuerzo que tuvo que hacer por la sierra y el monte que para él lo del Ejército era como unas vacaciones. Que incluso hasta engordó allí... Los compañeros se asombraban de lo bien que llevaba la mili, pues mientras que otros lloriqueaban por tener que estar en el servicio militar él les aseguraba que estaba pensando en reengancharse, ante la sorpresa de los demás soldados. Y me acuerdo ahora también de otras anécdotas: cuando iba a cortejar a mí abuela Alicia (en bicicleta por una carretera llena de baches y por malos caminos) a Ansarás, de regreso, al pasar por La Curiscada, siempre sentía merodear a los lobos, algo que imponía cierto respeto. Y que para hacer la nueva casa usaba ceniza de cal, ya que el cemento era muy caro y por ello solo empleó un saco de ese conglomerante en la chimenea. En otra ocasión tuvo que ir a El Rodical en bicicleta, junto con otros vecinos (y llevar palancas) para levantar un camión que, cargado de cal, venía para ellos y que había volcado: así era la vida del pueblo en aquellos años...

Ahora, a mis 16 años (sigue diciendo David) y teniendo que estudiar, quizás puede que sea prematuro pensar en el futuro de la explotación agrícola, pero la verdad es que en ocasiones se me pasan por la cabeza. Sin embargo, estoy muy centrado en los estudios, aunque no descuido el deporte. Me gusta mucho el boxeo: ya ves que tengo aquí colgado un saco para practicar. También las artes marciales, pues estuve en Tineo cuatro años haciendo kárate. Tengo predilección también por el skate, así como por el fútbol... En este último caso, aunque no soy futbolista, me gusta ver los partidos y soy seguidor del Real Madrid. ¡Ya te habrás dado cuenta de ello por el poster que hay en la pared! Estas colchonetas que ves en el local (y que ahora utilizo como parte del gimnasio) no son tales, sino que antiguos cubículos de vacas bien limpios y saneados. Porque antes los utilizaba mi padre para el descanso del ganado, poniendo paja encima. Pero las ha sustituido por arena, pues, aparte de ser muy caras (cuando se deterioraban había que sustituirlas), la paja que llevaban encima requería un continuo saneamiento para que no se pudriese y transmitiese bacterias y enfermedades como la mamitis. El sistema de camas de arena resultó ser mucho más limpio y eficaz...

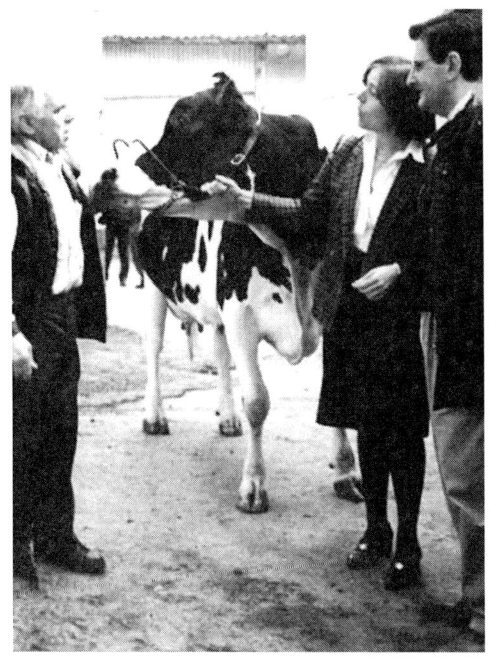

Aladino Menéndez Gancedo: En la casa vieja de arriba había cuatro vaquinas y, como ya te dijo David, este local que ahora está dedicado a gimnasio era una cuadra, en la ya tuvimos ocho reses. Muchas personas de otras ganaderías venían a verla, porque era una construcción atípica para la época: de cemento y con un forjado de hormigón, desde el que el estiércol de las vacas caía directamente a un estercolero. ¡Oye!, en aquellos años de 1970 dar de comer a ocho vacas no era fácil, porque no teníamos muchas fincas. Antiguamente en los pueblos la riqueza se calculaba por el terreno que tenías. Casi todo lo que comías venía de lo que producías: trigo, maíz, patatas, judías... ¡Lo que fuera: todo...! Si tenías mucho terreno tenías mucha cosecha: con poco andabas muy justín, muy apretao... Pero que no se me olvide una cosa que te quiero aclarar: que lo mejor que hice en mi vida fue que mis padres pasaran los últimos días de su vida en una casa con todos los servicios necesarios para vivir dignamente, que es lo que tenemos hoy día. Mi madre el día que dejóu la casa vieja, lloraba y decía que na vieja pasara los mejores días de su vida... ¡Claro, es normal, pues pasó su juventud allí! Como anécdota voy decite que, según mi madre, el día que yo nací instalaron una luz eléctrica de 25-W y que por esta razón mi nombre es Aladino, ya que llegué con la lámpara...

David: Después se construyó una nueva cuadra aquí al lado de la casa y esta de las ocho vacas quedó como una especie de almacén. Había un horno, con el que se calentaba toda la casa a través de una serie de conductos, lo que era muy de agradecer, sobre todo en la época de las grandes nevadas. Después, cuando llegaron las nuevas tecnologías, ya se puso una calefacción más moderna. Al final, como te dije antes, quedó para gimnasio... También puedes ver en esta estantería un repertorio de juguetes, pues yo los fui restaurando y coleccionando, al contrario de lo que hacen otros, que los destruyen y los tiran. Desde dinosaurios a mucho ganado vacuno, equino, bovino... Como ves, algunos de mis juguetes son de animales de estabulación, regalados por mis abuelos, quizás por su amor al ganado y por un deseo intrínseco de que yo en un futuro fuera ganadero.

Aladino: En aquellos años tuvimos unas 28 vacas de ordeño (aparte de otros animales de cuadra, claro). Las novillas estaban en una cabaña en una finca y las de parto y los ternerinos pequeños en la cuadra que ahora tien dedicada a gimnasio el neno. Fue la última distribución que tuvimos Alicia y yo antes de la nueva ganadería. El trabajo que realizou Alicia en la familia foi muy importante. ¡Gracias a ella salimos adelante! Hacía de peón mientras you trabajaba de albañil; conseguía ordeñar una novilla del primer parto cuando era arisca... Manejaba el tractor con facilidad... Cuando una cerda estaba en parto y el cochinillo quedaba atascado ella lo solucionaba... ¡Tengo para llenar unas cuantas cuartillas dedicadas a ella! Era y es una mujer todo terreno, a la que quiero agradecer su cariño y sacrificio...

Luis Miguel Menéndez Fernández: En el año 2000 hice una sociedad con un socio (que aportó la misma cantidad de dinero

que yo) y pusimos una explotación a dos kilómetros de El Pedregal. Empezamos con 50 vacas de ordeño, más 30 frisonas lecheras que compramos en Francia. Después fuimos aumentando hasta llegar a las 220 de leche de hoy en día. Contando las de recría y las secas, contamos con un total de 400 animales. Y aunque te parezcan muchos no sé si de cara al futuro serán suficientes para poder vivir. ¡No te extrañes! Las cosas son como son... Hay un 95% de costes y, como ves, queda un margen comercial muy pequeño. Además, hay que trabajar todos los días, repartir entre dos socios y pagar a tres empleados, con la correspondiente Seguridad Social y demás gastos que ello conlleva, sin que se sepa cómo evolucionará el campo y las exigencias de la Unión Europea. En mi caso los costes son tan altos porque yo lo compro todo, pues no produzco nada de los alimentos del ganado. De todas las maneras, aunque lo produjera, el coste está ahí, pues hay mucha gente que no lo valora y es un gasto igual que otro: sale de su espalda, hay que poner tractores, disponer de las fincas, comprar abonos y fertilizarlas... Lo cierto es que yo tengo pocas fincas y compro el alimento: la alfalfa, la harina de maíz, la mezcla... Luego lo combino y lo doy en raciones a los animales. No es un ejemplo de lo que publicita la Central Lechera Asturiana: ¡la vaca idílicamente pastando en una finca! Una cosa es la realidad del campo y otra los anuncios de la Central. Se intentan hacer ver que las vacas más productivas pastan en el campo y eso es cierto solo a medias, pero es lo que le gusta ver y escuchar a la gente. Lo cierto es que la calidad de la leche de las vacas que están estabuladas puede ser hasta mejor que la de otras que, hipotéticamente, estén continuamente en los prados, porque está más equilibrada. La Central paga un precio estándar por la

leche y son corrientes las subvenciones CEE para las ganaderías, algo que permite a los políticos manejar como ellos quieren a la sociedad, para manipular mejor a la gente: ¡si vas por donde yo te marco vas a recibir esto! Lo cierto es que hay un número excesivo de subvenciones para gente que trabaja poco: si recibes una ayuda te obligas menos: eso es fácil de entender... Arrancar de la nada cuesta más, resulta más complicado y exige un mayor sacrificio. La CEE ha dejado atrás la cultura del esfuerzo y eso no es bueno: mi padre no recibió ninguna ayuda y salió adelante... No digo que estas asignaciones económicas no sean buenas, convenientes o, incluso, necesarias, pero han de ser concedidas con rigor y para quien las necesite. Es posible que sean más convenientes para cualquier ganadero que está en dificultades y que no las chupe por establecerse en un municipio empresas como Amazon o Arcelor. A eso me refiero...

Aladino: ¡Dónde nacimos y dónde estamos! Mi inquietud fue siempre el ganao y siempre sentí predilección por exponer en los concursos aquellas reses que habíamos conseguido mejorar. No es tan fácil ganar, porque te tienes que codear con lo mejor de España. ¡Ellos iban con tres o cuatro obreros y yo siempre solo...! Era como la lucha de David contra Goliat: yo tenía que enfrentarme en soledad a todo y ellos comían el mundo. Mi primera participación fue en La Espina en 1985. Tengo muchos trofeos (aquí ves las estanterías llenas) y todos los conseguí a pulso, tirau por los barracones sobre la paja, pues no podías dejar a los animales solos por miedo a que les hicieran una fechoría. Nada más que le inyectaran algo a una vaca en un pezón ya no podías sacarla al certamen. ¡Pa dónde iba a ir con tres pezones! ¡Tenías que estar allí como un cabrón! ¡You tuve muchas noches, muchas, durmiendo encima del cemento pa conseguir lo que se consiguió! ¡Ya eso ya duro!, ¿eh? Séilo you solo, porque a Luis Miguel noi gustaba eso, no iba conmigo, nun quería saber nada... ¡Ya ahora mira la cantidad de vacas que tien! Los otros iban rodeaos de gente y a veces me ayudaban cuando me *vían* muy apurao, porque a la Feria de Muestras de Tineo llevéi una vez 19 animales y dormí allí con ellos... ¡Y domalos, preparalos, pasealos y pelalos! Porque para un concurso hay que pelar los animales con una máquina eléctrica desde la punta de las pezuñas hasta la punta del hocico. Y la ubre con otra maquinina más fina, pa que se le vean las venas... ¡Tuvía las tengo por ahí! Si llevas una o dos vacas es más fácil, ¡pero, imagínate el día que llevei 19! ¿Y por qué lleféi 19 animales? Porque taba inscrito pal concurso el señor Badiola y su ganadería, el mejor ganadero de Asturias. Entonces el señor alcalde del Ayuntamiento de Tineo reaccionóu y mandóu una nota pidiendo mi participación. ¿Cómo terminó el concurso? Voy contate: los animales jóvenes, tanto de primera como de segunda lactación, para Xacalen y uno adulto con la campeona para Badiola. (—*Por esas fechas murió el abuelo de esta casa...*, puntualiza Alicia). Yo conseguí del Ministerio la calificación de Ganadería Diplomada que, que nun ya fácil, ¿eh?

Y, claro, con esas cosas consigues amigos, pero también algún enemigo (—*La envidia*, dice Alicia). Hay pelusilla, ¿sabes? Sacas la cabeza parriba y los hay que se alegran, pero otros no... ¡Pero you nunca valí pa tar encogíu! You solo me encogí ahora de viejo, pero antes nun paraba... Por aquella participaba en todos los concursos el ganadero que mencioné de Gozón, Badiola, de la ganadería del mismo nombre, que era el que más veces ganaba. ¡Pues le hice yo sudar una vez en Avilés a últimos de agosto! Vino con todo su lote: claro, el premio a la mejor vaca para él, porque era un monstruo. De aquella él tenía doscientas y pico y yo ocho... (—*Yo creo que por esa fecha unas 16 más o menos...*, aclara Alicia). Badiola tenía una novilla de la que yo me enamoré y llegué a ofrecerle por ella millón y medio de pesetas. ¡Ya a él caiai el sudor a chorros! Pero tenía dos hijos y dijeron que no se vendía. You dábai cuatro o cinco veces más de lo que valía y Badiola sudaba que *caiáni* unas gotas tremendas. ¡Ya dábala! Pero los hijos ¡que no y que no! ¿Cuál era más tonto, él que non me la deu o you porque *ofrecíai* cinco veces más de lo que valía? Home, ¡you era pa tantealo tamién!, aunque de aquella you tenía agallas pa decir: ¡esto, esto y esto! Fui a Valdemoro (Madrid) a una subasta de novillas you solo, en plan probe, mal vestiu... Y allí llegaban los señores con la pajarita ya un Mercedes, pero ¡*dis* caña a todos! ¡Eso no se puede creer: hay que vivilo! Se *rían* de mí, pero a última hora se quitaban la gorra cuando *vían* que yo cogía la mejor novilla. Entonces decían: '¡Ostias, este ya ganadero!'. Saliendo de casa y enfrentándose a toda esa gente *pol* mundo aprendes mucho. Sacrificábaste mucho ya pasabas muy malos ratos, incluso sin comer a veces, porque ni se podía a veces por falta de tiempo. Pero aprendías mucho de la gente y de las vacas... ¿El peor día que tuve? ¡Nun busques el peor, busca el mejor! (—*A veces pasólo mal, pero él no lo tiene en cuenta, porque ¡le gustaba tanto! Pa él todo estaba bien, porque quería subir y tenía que ser así... Tiene infinitos trofeos y placas, que están por ahí, como el del mejor ganadero de España*, apunta Alicia). Eso fue en 1998 con la vaca 'Luna' en Silleda (Pontevedra). Cuando se hacía de noche salí con la vaca a darle un paseo y su postura y elegancia sorprendía: parecía que la vaca presentía lo que iba a pasar en el concurso. Un ganadero de Gijón vionos y dijo: '¡Ostias, como mañana se ponga así esa vaca, no tenemos nada que hacer!'. Ahora dan dinero, pero antes daban copas y galardones de ese tipo. Eso ya la historia de una persona, ya un instinto personal que se *naz* con él... ¡Qué recuerdos! Nos casamos y tuvimos 9 meses separaos, cada uno en su casa, porque no teníamos donde metenos. Y empezamos la vida y dije: ¡salgo porque salgo! Y ahora lo tamos *pagando*: dolor por aquí, dolor por allí... (—*¡Es que él quería tar sin dolores! ¡Cómo vas a pedir peras al olmo!*, sentencia Alicia).

Luis Miguel: En cuanto a la visita a esta casa de la Ministra de Agricultura, Pesca y Alimentación Loyola de Palacio del Valle Lersundi, es que iba de visita para Tineo a dar una charla y le preguntaron si quería visitar la casa de los ganaderos cuya vaca 'Luna' había sido campeona de España, pues iba a pasar al lado. Y se detuvo y permaneció aquí más de una hora, muy

amable, charlando con nosotros e interesándose por los problemas e inquietudes de los ganaderos de la zona. Como nos habían avisado antes, preparamos un pincheo para la Ministra, sus acompañantes y escoltas y los vecinos del pueblo que se quisieron o pudieron acercarse hasta aquí: jamón y chorizo caseros, tortilla y hasta una rosquilla para que degustara un dulce típico. Estuvo muy cortés con todo el mundo y fue muy agradable su visita...

Aladino: Yo expliquei a la Ministra, un poco por alto, como era la dinámica de los concursos... ¡Cuando sales, vas a lo que salga y no puedes volverte atrás! Y le dije que las vacas son muy listas: que yo el día anterior dabais (a las que iban a concursar) la alfalfa de la mano y acariciábalas y que a ellas *nunis* faltaba más que hablar. Y que salía a pasealas al oscurecer y tenían una postura, una alegría, una elegancia, una cosa... Y que la que se ponía así garbosa caminando, al día siguiente era difícil arrebatai algún premio... (Con estas palabras se lo expliqué a la Ministra y ella le agradó esta sinceridad en la forma de expresarme que yo tenía). Porque si se ponen retorcidas ya nun quieren prestase como debe ser (seguí diciéndole a Loyola de Palacio) nun tienes nada que hacer, por buenas que sean. Tienen ellas que poner de su parte toda su inteligencia, todo lo que saben, todo lo que aprendieron... ¡Yo adivinaba que una iba a ganar solo por la postura della ese día! Pues todo eso contéi a Loyola, ya ella escuchábame muy interesada y a veces con una sonrisa ante mi relato. Aparte, habléi con ella de otras cosas de la vida y del ganado: era muy atenta y educada...

Alicia: ¡Le quedó claro a la ministra que los animales son muy listos!

Luis Miguel: ¡Claro que lo son! Cuando tienes las vacas en el prado con el pastor y se quieren escapar buscan la forma de desarmarlo de alguna manera, golpeando con los rabos los hilos o bien fingiendo una pelea y empujando a una sobre ellos. ¡Eso hay que verlo para creerlo! Te voy a contar otro caso de cuando estaban sueltas y podía acceder libremente a unos comederos metiendo la cabeza en el pesebre. Por arriba había unos hierros con una pletina, que se activaba y entonces quedaban como atrapadas y tenían que seguir comiendo hasta que las liberabas. Pues, en ocasiones yo echaba dicha pletina sin estar ellas comiendo, para ver cómo actuaban... Pues (cuando les apetecía) llegaban, levantaban la clavija con una oreja y ¡a comer!

Hace algunos años Aladino Menéndez Gancedo escribió a mano en unas cuartillas (Mill, J.: 2024) una parte trascendental de su vida como ganadero, ya que no quería que algunos de los más entrañables recuerdos se olvidasen y perdiesen en la nebulosa de los tiempos:

<Desde pequeño tuve inquietudes por hacerme ganadero (redactó Aladino), lo que al final conseguí... Mientras me funcione la cabeza y me responda el pulso voy a dar un repaso a toda la actividad relacionada con los concursos de vacas lecheras. Todos los años en Avilés celebraban una exposición de distintas razas de vacuno, con predominio de la frisona. La

ganadería Priégola (Madrid) presentó un lote muy bueno y yo no podía creer que existiesen ese tipo de vacas. Nosotros no tenemos nada, decía yo... Tenían una ternerina y quise comprarla al encargado, pensando que era el dueño. Le decía que le daba algo más del precio de mercado. '¡Qué inocente (me dijo): esta no se vende y lo siento, porque te veo con ilusión!' Y en efecto, llegó la época de la esperanza, en secreto, porque mis padres no lo entendían, aunque yo estaba al tanto de los movimientos del ganado. Un cierto día fui a Valliniello (Avilés) a una ganadería que tenía una novilla que me interesaba. El dueño, Ángel (muy conocido y buena persona), me dijo que era hija de un famoso toro americano. Coincidí con este buen hombre en un campeonato en Gijón y me preguntó si estaba concursando, a lo que le respondí que 'estaba de relleno'... Y va y me dice: '¡Muchacho, yo estoy en la junta rectora de Caja Rural, así que si te hace falta dinero cuenta conmigo!'. También en Gijón fui a ver dos novillas muy buenas a una finca: ¡total, que no se venden...! Pero me dieron un catálogo con sementales americanos y canadienses y yo me dije que esa era la primera herramienta para progresar. En él venía la dirección de una organización de Madrid que tenía semen de toros famosos. Así que decidí escribirles una carta pidiendo unas dosis y a los pocos días me comunican que acuda a recoger el pedido en la estación de ALSA de Tineo. Venían en un contenedor con nitrógeno y después las pasé al recipiente del veterinario, el cual me preguntó qué hacíamos con ellas... Coincidiendo con todo esto me entero de que la Central Lechera había importado un lote de novillas frisonas que llevó a su finca de Ribadesella para después sortearlas entre los socios, tras asignarles un precio. Claro, yo deseaba hacerme, al menos, con una de ellas y por ello metí dos papeletas para el sorteo, una mía y otra a nombre del cuñado de mi mujer Alicia, que era Ricardo, de Ponte. Pues bien, ¡resultó favorecido con una de ellas Ricardo!, que, por supuesto, era para mí y ¡amigos para siempre! El pago se efectuaba descontando el precio del producto que se entregaba. Aunque después con el semen hubo un pequeño problema, pues el veterinario pretendió disponer de mis dosis a su antojo e inseminaba a mis novillas a regañadientes, en una época en la que dicho veterinario era el poderoso jefe Señor Don... ¡Pero yo no tragaba! Hasta que con el paso del tiempo llegó una ola de nuevos profesionales con otra mentalidad, cambiando totalmente las relaciones veterinario-ganadero...>.

<El Ayuntamiento de Tineo (sigue escribiendo Aladino) organizó el primer concurso ganadero en Tineo, parece que aconsejado por la Agencia de Desarrollo Agrario. Yo tenía mucha ilusión y anoté varias vacas... Y hay que ver... ¡qué sorpresas te depara la vida!, pues el 24 de abril del año 1989 falleció mi padre, el mismo día en que tenía lugar el certamen. El Consejero de Agricultura tuvo el detalle de expresarnos sus sentimientos y de estar con nosotros unos momentos. Ante tal situación se hizo cargo de mis reses Pepe el de Casa Sabino de La Millariega y mis vacas ganaron varios premios que había que recoger a última hora de la tarde. A pesar de la tristeza que tenía me acerqué a Tineo a hacerme cargo de dichos galardones y todo el mundo fue muy comprensivo con mi

situación, recibiendo muchas muestras de condolencia. Y al regresar a casa se dio la circunstancia de que mi madre, al ver los trofeos, me dijo que tenía que repartirlos con mis hermanos... ¡Que mentalidad! Mi contestación fue que los premios se consiguen con la valía de cada uno... ¡no se compran!>.

<Después vinieron otros concursos por Asturias (puedo seguir leyendo en las notas de Aladino) y por diversos puntos de España, hasta que en Silleda (Pontevedra) conseguí llegar a la meta el primero con el premio a la vaca Gran Campeona Nacional (1998), siendo el subcampeonato para la res de un veterinario catalán. Cuando llegué a casa Alicia y yo nos abrazamos y lloramos. ¡La alegría fue inmensa! Es difícil de explicar lo que se siente cuando consigues el objetivo que te marcaste, pues detrás de todo ello existe un sacrificio tremendo. Las grandes ganaderías tienen a un grupo de personas para presentar a los animales en pista: era la lucha de David contra Goliat, como siempre digo. Aunque todo hay que aclararlo: en momentos de mucho agobio siempre había alguna persona bondadosa que me echaba una mano para sacar los animales a la pista. En los campeonatos nacionales tienes que estar tres días y tres noches junto a las reses: te juegas mucho, porque todo el mundo quiere ganar. Pero cuando llegas a ese nivel descubres dos cosas: que hay quien te mira con buenos ojos y que hay quien te tiene cierta pelusilla... Después de aquellos éxitos a la subasta de novillas de Valdemoro viajé en autobús, porque no tenía coche. Sería el que menos recursos económicos tenía, porque allí llegaban los señores con pajarita y

Mercedes y yo iba en plan humilde. Claro, todas las miradas se dirigían a la que parecía la mejor novilla y había que levantar el brazo con una tarjeta. Y dice el jefe de la subasta: '¡Adjudicada para aquel señor!'. Me doy la vuelta para ver lo que pasaba y ¡veo que yo era el único que tenía la tarjeta en alto! A partir de ese momento empezaron a mirarme de otra manera: ¡ya era un ganadero para tener en cuenta! Me costó creer lo que había pasado, porque yo era un *don nadie* y ese día me di a conocer. Después en cierta ocasión el representante para España de 'Semes Canadá' (Alfonso Aedo, que tienen una enorme ganadería en Navarra) y su esposa nos visitaron y tomaron café en la cocina de Casa Xacalén. ¡Tira una buena semilla, que recogerás un buen producto!>.

<Con la vaca 'Luna' se consiguió en 1998 el premio de Gran Campeona Nacional (se lee en la narración de Aladino, en la que aporta algún detalle que complementa mi entrevista *ut supra*). Lo celebramos con una parrillada e invitamos con buena voluntad a los ganaderos de Asturias que participaban en concursos, entre ellos al Doctor José Manuel, que lo había sido de La Ponderosa y que ahora tenía una clínica de cirugía plástica en Oviedo. Aparte de la visita de entonces Ministra de Agricultura, señora Loyola de Palacio, en este escrito quiero dejar de manifiesto de dónde partimos y a dónde llegamos, para que la siguiente generación le de su valor. Dimos a conocer El Pedregal en toda Asturias y en parte de España. Hasta de Inglaterra llamó una hija de Everardo preguntando a su padre si era cierto que en El Pedregal había una vaca campeona nacional y de qué casa era... Esto es un pequeño resumen, aunque tendría para escribir un libro. Solo me queda recordar que nuestra vaca 'Luna', campeona nacional, fue juzgada con toda equidad por un juez canadiense, sin ninguna vinculación con España, estimando que era la merecedora del premio, en dura competición con otra catalana, que fue subcampeona. Y que la noticia cayó

en el pueblo de El Pedregal como una bomba, con distintos puntos de reacción, buenos y malos. Por eso estas cosas también sirven para llegar a conocer de verdad a la gente. Sin embargo, tengo que decir que en este pueblo hay más buenos que malos... Aunque nunca se me va a olvidar la reacción negativa de un vecino, el señor S... Para terminar, solo una nota curiosa, un comentario que escuché en Silleda durante el campeonato nacional, cuando un hombre le dijo a su nieto: '¡Fíjate lo que consiguió ese hombre y está a punto de jubilarse!', refiriéndose a mi...>.

Entrevista a Aladino Menéndez Gancedo en la revista 'Frisona Española': diciembre de 1998:
"Casa Xacalén, la ganadería asentada en El Pedregal, Tineo (Asturias), ha conseguido el premio a la vaca Gran Campeona en el Concurso Nacional de la Raza Frisona celebrado en Silleda (Pontevedra), con 'Sebastian Luna', una vaca excelente (Sebastian por el padre de la res), que para su propietario Aladino colma las aspiraciones de su pequeña ganadería, aunque no es la última meta que espera alcanzar.

¿Cuáles son los orígenes de la ganadería?

Nos remontamos al año 1955 cuando teníamos unas pocas vacas cruzadas. Con el frisón empezamos en el año 1966, cuando se hizo la nueva instalación, que fue la bomba. Porque construimos un forjado y metimos el estercolero debajo y las vacas arriba. La gente se echaba las manos a la cabeza. Esto lo hicimos para ocho vacas y ya nos parecía exagerado que pudiéramos alimentar a ocho vacas.

¿De dónde eran estas vacas?
La mayoría de Santander, del mercado de Torrelavega, ganado frisón del que no sabíamos ni procedencia ni nada...
¿Fueron incorporando más vacas del país a la granja, importando?
Yo toqué todos los palillos posibles... Se trajeron vacas de Dinamarca y de Canadá, pero terminabas en nada...
¿Por qué motivo?
Porque no había una continuidad en el semen que fuera apto para ellas. Te metían un semen de unos toros del centro de inseminación, procedentes de Inglaterra y Holanda. Pero de unos toros que, si las vacas eran buenas, las hijas eran peores. Hasta que no entramos en el año 1985 no empezamos a avanzar...
¿Ya estaban en control lechero en ese año?
Yo fui uno de los promotores en formar un núcleo de control lechero en esta zona. Seria en el año 1966, que fue cuando inauguramos las nuevas instalaciones y como consecuencia del saneamiento que tuvimos que hacer en la granja. Solo te hacían saneamiento de forma regular si estabas en control y me recomendaron desde la delegación del Ministerio la creación de un núcleo de control para realizar el saneamiento de forma periódica.
¿A partir de aquí es cuando empieza a crecer la ganadería?
 Fue cuando empezamos a funcionar de forma más o menos clara. El control lechero parece una tontería, pero te estimula mucho. Que te vengan a mirar lo que te da una vaca y si te da tanto... Si tienes un poco de amor propio, eso te pone loco y entonces tienes que ir a ganado que produzca y que esté bien cuidado. Como decía, de nuevo volvimos a Torrelavega a comprar reses, pero siguiendo ya las directrices de *ganadería*. Fuimos directamente a las explotaciones a comprar a los propietarios. Con esto y con las importaciones de Dinamarca y

Canadá empezamos a funcionar mejor. Pero teníamos el problema de las hijas... Yo había visto en la revista 'Frisona' (en los anuncios que hacían del semen) unos toros de *ABS*. Llamé y me mandaron diez dosis. Recuerdo que eran ocho de 'Dolan' y dos de 'Columbus'. Pero teníamos el problema de que los veterinarios en aquella época querían hacer lo que a ellos les apetecía, no lo que tú les mandaras... Te ponían las dosis a regañadientes. Por tanto, es en la década de los 80 cuando va tomando cuerpo la ganadería y notándose los resultados.

¿Para la elección de un toro determinado usaba los catálogos y revistas?

Los usaba y lo sigo haciendo, pero el problema no era consultarlos, sino que el poder conseguir el semen y que el veterinario quisiera inseminar a las vacas con estas dosis. Al expansionarse las casas de semen y tener más representantes se abrieron notablemente las posibilidades. Más adelante llegamos a comprar ocho embriones, de los que conseguí cuatro hembras.

¿En la actualidad sigue implantando embriones a sus vacas?

Seguimos... Pero el último año, incluso poniendo más número, no tuvimos mucha suerte... En una ocasión sacamos embriones de una vaca de la granja, pero solo resultó uno de ellos y salió macho, con lo cual no fue muy provechoso. La vaca 'Luna' ahora tiene una hija en la granja y tenemos que seguir su evolución. Si la descendencia es buena, la aprovecharemos al máximo, sacándole embriones.

¿Le resulta rentable utilizar embriones?

El sistema sigue siendo caro (a salvo los primeros trasplantes que hicimos), pero si quieres mejorar tienes que realizarlos, aunque tengas un buen ganado. Ahora en la ganadería tenemos una excelente: *9 VG* y el resto *BB*, pero siempre aspiras a más...

¿Mantiene alguna familia de vacas en concreto?

Compramos una novilla en la 'Expoventa' de Madrid en el año 1984, de donde descienden muchas de las vacas de la ganadería. Trajo muchas hembras, varias *VG*. Tenía otra de Tauste (Zaragoza) que salió muy buena: por lo menos tenemos tres líneas de vacas. Pero al final vas a las mejores vacas, eliminando y sustituyendo y no mantienes una línea concreta...

¿En la actualidad que procedencia tiene el semen y embriones que está utilizando?

El 50% es semen de toros canadienses, un 20% de toros en prueba y el resto entre americano e italiano. Estamos hablando de 'Mtoto, Metro, Stardust. Rudolph, Storm, Progres, Wyatt. Lindy, Ledership, Jed, Mandy, Bookie, Charles. Broker', etc...

¿La selección de toros en base a qué criterios se realiza?

A la hora de elegir un toro, elegimos aquellos que tienen posibilidad de corregir los defectos de la madre. No siempre se consigue y vamos buscando todo lo mejor, pero, por ejemplo, una vaca sin patas no es vaca y las ubres tienen que ser correctas: es fundamental...

¿Es usted quien elige los toros?

Hasta hace poco lo marcaba yo... Ahora está un poco en poder del hijo y de los veterinarios, aunque a veces intervengo yo...

¿A través de ASCOLAF tiene la opción de comprar dosis subvencionadas?

Solo cuando existe una oferta de dosis subvencionadas de toros elite...

¿Cuántas vacas tiene en la actualidad?

La granja es pequeña y no tiene posibilidades de crecer más, por falta de terreno.... Y está instalada para tener unas 20 vacas grandes y otras 30 de recría. Con 50 animales es como nos manejamos...

¿Sigue comprando novillas afuera?

No, porque yo las tengo ahora y muy buenas. Solo compro alguna vaca que me guste, como fue el caso de 'Luna' o así... Me da pena vender las novillas, aunque tengo que hacerlo. Sin embargo, siempre intento que las lleve gente que sea cuidadosa con ellas...

¿Qué extensión tiene la ganadería y qué cultivan?

Unas 14 hectáreas, donde cultivamos un 50% de pradera artificial, raigrás, etc. y el resto para para pastoreo de las novillas y vacas secas. Las de leche está estabuladas en cubículos.

¿Con qué servicios veterinarios cuentan?

La reproducción y la clínica lo lleva el equipo de servicio integral de Gumersindo de la Riera (Gumer), el veterinario, aunque mi hijo también insemina. Además de formar parte del grupo de control de mamitis y reproducción llevan un sistema de gestión de la explotación muy completo para temas contables y demás.

¿Pertenece a alguna cooperativa para compras de productos de alimentación, maquinaria, etc.?

Estoy metido en todas las cooperativas que hay. Más bien para el tema de alimentación, concentrados y piensos. La maquinaria es un tema particular de cada uno.

¿Cuál es la ración base que reciben las vacas?

Diariamente damos tres raciones a base de forrajes y silo. Además, por la mañana y tarde, con el ordeño, añadimos los concentrados, que van suplementados con algo de pulpa, según las necesidades. El silo lo metemos todo el año y el forraje también, menos dos o tres meses de invierno que se sustituye por alfalfa.

¿Reciben asesoramiento para formular la ración?

La ración la formulan en la cooperativa y nos dan una orientación. Últimamente, nos unimos las cooperativas que había en el concejo y se está creando una grande. Tratamos de producir el litro de leche lo más barato posible y por ello metemos mucha producción del campo. También las vacas están menos forzadas: digamos que están al 70% de su capacidad, por lo menos las mías.

¿Qué media de producción tiene actualmente?

A los 305 días estamos produciendo 8.570 kg de leche, con el 3.82% de grasa y el 3,20% de proteína. Pero, como decía antes, mis vacas están al 70% de su capacidad de producción.

¿En cuanto a bacteriología y recuento celular?

En eso estamos bien... Estamos por las 110.000 células, aproximadamente. Además, este verano cambiamos el tanque, que estaba un poco anticuado y ahora vamos estupendamente...

¿La leche la vende directamente o a través de la cooperativa?

Esto es una historia en la que nos tenemos que remontar a unos años atrás, donde, en cierto modo, nos quisimos comer el mundo. Creamos una empresa comercializadora, reflotando una fábrica que habíamos comprado a Arias. Se transformó y llegamos a comercializar queso y leche, recogiendo 70.000 litros diarios. Estamos hablando de hace 10 o 12 años. Pero eran unos años en los que había que pagar el interés al 18 y al 20%, con lo que estábamos desembolsando una millonada al año de intereses. ¡Y no salió adelante...! Ahora tenemos un acuerdo con la Central Lechera Asturiana por cinco años. Nos pagan igual que a sus socios, con las penalizaciones y primas correspondientes, por bacteriología, inhibidores, grasa, proteína, etc. Hablamos de un precio base de unas 50 pesetas aproximadamente.

¿Qué cuota tiene en estos momentos?

Es de 206.000 kilos...

¿Es suficiente o necesita más?

Si sigo como hasta ahora... Con el volumen de vacas que tengo, estoy bien, pues no puedo crecer por ningún sitio actualmente. Lo ideal sería instalar por afuera de la granja, pero la gente no quiere vender y el tema, sinceramente, a mí ya se me escapa de las manos... Seguiremos mejorando la genética: en este campo no hay metas y llegaremos hasta donde podamos. El problema es que no tenemos terreno. Si yo tuviera media hectárea de terreno aquí al lado de casa haría una explotación de película, con las posibilidades que hay hoy día, ¡pero no puedo! Tenemos las cosas como podemos tenerlas, no como deberíamos y quisiéramos...

Pero ha conseguido el premio a la vaca Gran Campeona. ¿Qué ha supuesto para Xacalén, para usted y para su familia?

Es una cosa que, bueno, cuando te pones a soñar, piensas que puedes llegar hasta ahí... Después, al razonarlo seriamente, lo ves imposible, por la competencia que hay... ¡Pero, ocurre...! Tienes que disponer de buenos ejemplares, saber presentarlos, tener un día muy bueno y la suerte de cara... Intervienen muchos factores. Para mí es una ilusión que casi te sirve de alimento para lo que te queda de vida...

¿Como ha influido el haber ganado en el Nacional, dada la pujanza que tiene la raza frisona en Tineo en los últimos años?

Yo me alegré mucho de que 'Luna' fuera Gran Campeona y también por Tineo. En este concejo era necesario que hubiera una vaca triunfadora, dado el interés que existe entre los ganaderos. Además, hay mucha gente joven que está peleando mucho y tienen que ver que las cosas no son inalcanzables y merece la pena luchar por ellas. Yo creo que este premio llegó en un momento muy bueno".

Reseñas fotográficas

Página 161: Aladino y Alicia un día de celebración.

163: Aladino explica a la ministra Loyola de Palacio la dinámica de los concursos de vacas lecheras.

165: David Menéndez, único nieto de Aladino y Alicia.

166: Antiguo solárium de la ganadería Xacalén.

168, 170, 176 y 183: Aladino conversando con la Ministra de Agricultura, Loyola de Palacio.

172: Aladino con una de sus vacas ganadoras.

174: Alicia con su vecina Purita Cuña.

178 y 180: Aladino recibiendo premios a sus vacas.

182: III Concurso Nacional de Primavera de la Raza Frisona (1998). Novilla de Casa Xacalén Gran Campeona de Tineo.

184: La vaca 'Sebastian Luna', Gran Campeona en el Concurso Nacional de la Raza Frisona celebrado en Silleda (Pontevedra, 1998).

(Reseñas: Mari Paz García González y Joseph Millariega).

8

Un pueblo agrícola y ganadero

El sindicato agrario COAG reunió en el año 2016 a buena parte de los propietarios de terrenos de las localidades de El Pedregal, La Millariega y La Pereda (Álvarez, D.: 2016) con el objetivo de impulsar la puesta en marcha de un proyecto de concentración parcelaria en la zona. La iniciativa de la organización agraria surgió en respuesta a las peticiones recibidas por parte de sus afiliados en las tres localidades, 'que nos solicitaban organizar una reunión (explicaba Mercedes Cruzado, secretaria general de COAG) para intentar sacar adelante una concentración que es muy necesaria para todos los vecinos de unos de los pueblos más importantes del concejo de Tineo'. En total se cuentan unos 150 propietarios de terrenos entre los tres pueblos, que ya en 1997 intentaron ponerse de acuerdo para iniciar una concentración que finalmente no se llevó a cabo. En el año de 2016 parece que había buena disposición de parte de los propietarios para retomar un proyecto favorable: al menos fue lo que detectó el sindicato a tenor de la cantidad de llamadas recibidas para iniciar el proceso. En la primera reunión estuvieron presentes, además de COAG, el alcalde de Tineo, José Ramón Feito y representantes de la Consejería de Desarrollo Rural, que fueron los encargados de trasladar a los vecinos asistentes la información básica sobre cómo llevar a cabo la concentración de parcelas. Alberto González, jefe de servicio de Infraestructuras Forestales y Agrarias, recalcó a los asistentes que el proceso requiere de la participación de los afectados y de su consenso para poder avanzar y añadió que de hacerse la solicitud en 2016 el proceso administrativo podría comenzar a finales de ese mismo año, pudiendo estar terminados los trabajos de concentración en tres

o cuatro años. 'Actualmente hay muchas solicitudes (aseguró Alberto González) y el nivel presupuestario se mantiene, pero esta zona es especialmente interesante por su valor agrario y la presencia de ganaderías, por lo que le daríamos relativa prioridad, dado que habría que tener en cuenta que ya existió una solicitud anterior'. Por su parte, Mercedes Cruzado repasó algunos de los beneficios que supone para los ganaderos y los propietarios de tierras en general contar con un agrupamiento de fincas. La secretaria general de COAG subrayó que 'sería una pena que no se hiciese una concentración que facilitara la gestión a las ganaderías, puesto que cada vez se necesita tener más animales y también se trabajaría mejor con la maquinaria. Incluso posibilitaría trámites burocráticos, como las solicitudes al PAC...'. Al final, no hubo acuerdo y el proyecto no fructificó...

En el año 2008 casi dos mil vecinos del municipio de Tineo (el 42% de la población del concejo (Fernández, D.: 2008) se dedicaban al sector agroganadero, superando a Cangas del Narcea. Aunque, según datos de Sadei, el concejo de Tineo también encabezaba el empleo en el sector agrario rural, dedicándose a esta actividad como trabajadores 670 personas, frente a las 498 que lo hacen en el de Cangas. La Cámara de Comercio de Oviedo confirma que Tineo es una de las grandes potencias ganaderas de España. En dicho año 2008 había censadas un total de 35.366 cabezas de ganado vacuno y 1.225 explotaciones bovinas: 646 de carne, 492 de leche y 87 de modelo mixto. Una buena parte (Mill, J.: 2024) de ese contingente pertenece a los fértiles pueblos de El Pedregal, La Millariega y La Pereda, situados en una fecunda ladera y teniendo a sus pies también una fecunda vega. La estrategia de desarrollo Leader 2014-2020 en una de sus tablas arroja para El Pedregal los siguientes datos: kilómetros cuadrados, 5,04; entidades de población, 4; hombres, 94; mujeres, 94.

El Pedregal es uno de los pueblos (RTPA: 2014) que más ha crecido en el municipio en los últimos años. La vuelta de algunos vecinos después de haber intentado labrarse un futuro fuera de Asturias y el asentamiento de nuevos habitantes venidos de otras regiones, hacen que este pueblo se aleje de las estadísticas que sitúan el suroccidente asturiano entre las comarcas con mayores tasas de despoblamiento. Laura Lorences probó suerte en Alemania junto con su pareja, tras unos meses decidieron volver y ahora regentan un negocio en la capital del municipio. Por su parte, José Ángel Cuesta conoció Tineo realizando el camino de Santiago. Este cocinero de Madrid, que ahora levanta su cabaña y trabaja en el campo, ha encontrado su sitio. Estos son algunos de los vecinos de un pueblo que seguro seguirá creciendo....

El Campo de Asturias (Noelia Martínez Varela: 9 de mayo de 2021) visita hoy 'Ganadería Xenral SC'. Estamos con uno de sus titulares, Fabián Cortina y con su hijo Alejandro.

Campo de Asturias: Fabián tiene una ganadería heredada y familiar. Decidió desde muy joven dedicarse al sector y continuar con el ganado. ¿Cómo ha sido la evolución?

Fabián: A mi desde pequeño siempre me gustó el campo, la ganadería y ayudar en casa. Con 18 años ya empecé con la actividad y en 1997 formalicé una sociedad con mi madre, que fue cuando también hicimos la nave ésta en la que estamos.

Campo: ¿Qué número de animales tenéis actualmente?

Fabián: En estos momentos en los que nos entrevistas hay 105 vacas, de las cuales ordeñamos 57. Hay 12 secas y el resto son animales que recriamos aquí en casa...

Campo: Sois socios de la Central Lechera Asturiana: ¿cuál es la producción media?

Fabián: Es de 38 litros por vaca y día, con un 4% de grasa, un 3,25% de proteína, 10.000 bacterias y 70.000 células somáticas.

Campo: Voy a preguntarte a ti, Alejandro, cuál es la ración...

Alejandro: Está formada por 25 kg de silo de maíz, 18 kg de silo de raigrás y 13 kg de una mezcla personalizada de Almacenes Francos. En cuanto a los silos de maíz y raigrás lo cultivamos todo nosotros, salvo el picado, que lo subcontratamos.

Campo: Fabián, bajo tu forma de ver las cosas, ¿cuál es el secreto de la rentabilidad de una granja?

Fabián: Tener una buena alimentación... Yo creo que están funcionando mejor las ganaderías que recolectan la mayor cantidad posible de forrajes propios. También tener el ganado en buenas condiciones, con buena cama y detalles de ese tipo...

Campo: En definitiva, que si las vacas están bien producen bien...

Fabián: Sí... La vaca tiene que estar cómoda y tener una buena alimentación.

Campo: Bueno, Alejandro... Hace un año te decidiste a emprender, creando una empresa de servicios agrícolas a los ganaderos. En una zona como Tineo y en época de campaña habrá bastante trabajo, ¿no?

Alejandro: Es cierto que en la campaña no se da abasto... Empecé con los tractores que había en casa y en este año que estamos incorporé yo un tractor grande, un Deutz Fart de 240 CV y una cuba de 16.000 litros.

Campo: ¿Cómo se toma la decisión de emprender?

Alejandro: A mí ya me gustaban mucho de pequeño los tractores. Siempre iba con mi padre a ensilar y a otras tareas. La ganadería me gustaba, pero siempre me llamó más la atención la maquinaria: así que, de momento, a ver qué tal me va...

Campo: Esperemos que muy bien...

Fabián: ya ves que Alejandro reconoce que sin nuestro apoyo hubiera sido imposible empezar de cero...

Fabián: Sí, la verdad es que la juventud tiene muy complicado el hecho de arrancar, pues, además, en lo relativo a las ayudas les ponen muchos requisitos, siendo a veces difícil poder cumplirlos todos...

Campo: Hay ayudas, pero también condiciones…

Fabián: En la ganadería hay *planes de mejora*. Es decir, se venden como tales planes, pero cuando vas a solicitar el primer requisito que te ponen es que aumentes… Entonces te encuentras con que no es un plan de mejora, sino que de aumento y en ocasiones no por aumentar vas a tener mayor rentabilidad. De lo que se trataría es de trabajar menos: es decir, en mejores condiciones, más cómodamente…

Campo: Alejandro, ya me dijiste que te gusta más la parte de servicios que las vacas…

Alejandro: ¡Claro, sino no emprendería! Pero el ganado me gusta también…

Campo: Gracias por atendernos y mucha suerte en esta campaña. Todas las personas que necesiten servicios y una ayuda ya saben que aquí tienen a Alejandro en Casa Xenral…

El Campo de Asturias se encuentra hoy con Paco Lorences (**Noelia Martínez Varela:** 12 de septiembre de 2021), de El Pedregal, que acude a la feria de Covadonga de La Espina por segunda vez y trae unas yeguas que llaman la atención.

Paco: Sí, son buenos ejemplares: causan sensación…

Campo de Asturias: ¿Hubo interés por ellas?

Paco: Sí, sí… Ya se interesaron varios, pero no las vendo…

Campo: ¿Cuántas tienes en total?

Paco: Tengo 12, entre grandes y pequeñas.

Campo: En principio, el mercado está en alza…

Paco: Es cierto… Y que se mantenga así mucho tiempo, porque de esta forma da gusto tener animales…

Campo: ¿Qué valoración haces de la feria de Covadonga?

Paco: Muy positiva, pues creo que va cogiendo auge, con muchos animales…

Campo: Bueno, pues nos vemos en la próxima feria aquí en La Espina, porque parece que nos encontramos de año en año: que el próximo estemos aquí todos...
Paco: Eso esperamos, gracias a vosotros...

El Campo de Asturias visita la ganadería de Casa Felipón (**Noelia Martínez Varel**a: 26 de enero de 2022) y estamos con Conchita de la Torre por la mañana, después del ordeño.
Campo de Asturias: ¿Cuántos animales tenéis, Conchita?
Conchita: Ahora mismo tenemos 63 en ordeño, 19 secas y 35 novillas y terneras.

Campo: ¿En qué consiste la alimentación? ¿Qué sistema de manejo tenéis? Porque vosotros seguís dando el alimento a los animales a diferentes horas...
Conchita: Les damos silo de hierba por la mañana cuando nos levantamos; luego comen pienso; después vuelven a comer más silo de raigrás sobre las diez, más o menos; a las tres, una ración de alfalfa; más tarde, hacia las seis, otra vez pienso antes de ordeñar; y en la cena silo de maíz...
Campo: Entregáis la leche a Nestlé: ¿qué media de producción tenéis?
Conchita: Según el último control, ahora están con una media de 33,8 [litros].
Campo: ¿Y el tema genético?
Conchita: Trabajamos con los veterinarios del Centro Técnico Veterinario de La Espina y siempre intentamos inseminar las mejores con buenos toros para ir aumentando la producción y que cada vez el ganado vaya siendo un poco mejor.

Campo: ¿Cómo valoras la situación del sector? Eres la titular, trabaja tu marido y también tenéis un empleado: ¿cómo afecta la subida de los costes de producción?

Conchita: La situación ahora mismo es pésima, porque dichos costes (gas oil, piensos, veterinarios y otros) suben mucho y la leche está como está estancada, no se mueve.

Campo: Recientemente habéis notado algo de mejora en el precio, no sé si por las movilizaciones o por la situación, que lo pedía a gritos…

Conchita: Lo pedía a gritos, sí… Pero en comparación con los costes también es una subida insignificante, porque tres céntimos ¡ya me dirás! Debería de ser más…

Campo: Tenéis un hijo de 20 años: ¿es el relevo generacional?

Conchita: ¡No sé lo que piensa hacer! En cuanto al relevo generacional, ni te digo que sí ni que no…

Campo: Estáis a la expectativa…

Conchita: Eso es…

Campo: Pero ¿a ti te gustaría que se produjera ese relevo generacional?

Conchita: Tiene sus pros y sus contras. Por una parte, a mí claro que me gustaría, por la memoria de mi padre… Pero, por otro lado, pensando en su futuro, casi le diría que enfocase su actividad profesional de otra manera…

Campo: Lleváis muchos años al frente de la ganadería, que era de tus padres: ¿cómo ha evolucionado en el tiempo la forma de trabajo y el tratamiento de los animales?

Conchita: La forma de trabajo, en lo básico, sigue siendo como fue siempre, aunque, claro, con las evoluciones impuestas por las nuevas tecnologías y modos de producción. Lo que sigue igual es el precio, que es lo que nos importa a todos: ese ni para arriba ni para abajo, ¡más bien para abajo!

Campo: Porque necesitáis un impulso para hacer frente a los costes de producción, ¿verdad?

Conchita: ¡Claro! Los precios tenían que mejorar muchísimo...

Campo: En El Pedregal, ¿se mantiene el número de ganaderías?

Conchita: No, no... Antes había muchas más de leche, ya que muchas pasaron a carne y otras desaparecieron. Ahora de leche quedamos pocos: nosotros, Casa Xenral, El Biforco, La Cruz... Debemos de quedar cinco o seis...

Campo: Aparte de la subida de los precios, ¿qué se necesitaría para mantener los pueblos vivos?

Conchita: Gente en los pueblos, que es lo que no hay, porque la mayoría de las personas son de afuera y viven solas. Si no viene nadie de afuera, está claro lo que ocurrirá: poco a poco se quedará vacío...

Campo: Porque la calidad de vida en el pueblo es algo que se nota, ¿no?

Conchita: ¡Claro! La calidad de vida, sí..., porque la vida es mucho más relajada, aunque a veces también es necesario el contacto con la gente: es decir, sociabilizar un poco...

Campo: Bueno, Conchita, pues te agradezco que nos hayas abierto las puertas de vuestra ganadería, con el deseo de que la situación mejore...

Conchita: ¡Hacía falta! Esperemos que sea así, ¡sino vamos a desaparecer todos!, aunque esperemos que no..., *termina despidiéndose Conchita de Noelia Martínez Varela, entre risas y haciendo gala de buen humor...*

El Campo de Asturias está hoy en El Pedregal (**Noelia Martínez Varela**: 10 de mayo de 2022), visitando a una mujer rural, Manuela Menéndez Álvarez, *Lola*, que nos cuenta su vida, trabajando bastante, empezando de cero y gracias a la ganadería, a la producción láctea, evolucionando hasta conseguir lo que hoy tiene. La ganadería continúa con su hija y con su yerno y *Lola* nos va a contar muchas anécdotas... ¿Dónde nació?

Lola: En Fastias...

Campo: ¿Y se casó aquí en El Pedregal?

Lola: No, casar caseime allí, pero vine a vivir paquí pal Pedregal…

Campo: A casa de sus suegros, con su marido…

Lola: ¡Exactamente!

Campo: En aquellos momentos en que se casó ¿qué número de animales tenía?

Lola: Bueno…, pues había cuatro [reses], un pullo, una pulla y un carro...

Campo: Eran la maquinaria de la época…

Lola: La maquinaria de aquella época, ¡exactamente…!

Campo: Y ahí se empezó a trabajar…

Lola: Y ahí empezóuse a trabajar pouco a pouco, ya cuando se retiró el padre de mi marido, en vez de seguir en la construcción, pues empezamos a tener alguna vaca más… Ya de ahí

compramos un terreno, ya hicimos una cuadra; después compramos otro terreno ya hicimos otra cuadra y así la cosa subió parriba…

Campo: Una gran evolución, pues llegaron a tener hasta 150 vacas...

Lola: ¡Hasta 150 vacas, sí, sí…!

Campo: ¿Cómo era el día a día de la labranza de aquella época? Porque se casó muy joven, con 17 años... ¿Y cómo pasó eso?

Lola: ¿Lo de casase? (se ríe).

Campo: Lo de casarse, sí, así tan joven... ¿Cómo conoció a su marido?

Lola: ¡Mira, escucha…! Conocilu porque vine al Pedregal a aprender a coser con una tía modista que tenía aquí (pues era lo que entonces se llevaba), ya él pasaba con el pullo y'al carro, ya iba derecho, de sombrero, tipo del Oeste, ya bueno…, pues ¡hala! Preguntaba a la mí prima cómo se llamaba ya no me quedaba el nombre [de Galdino], porque era un nombre raro pa mí, pues yo jamás lo oyera… Ya volvía a pasar pabajo ya yo volvía a preguntar por el nombre… Ya bueno, ¡hala!, empezamos así a venos allí en el bar de C'al Coxu y a conocenos… ¡Y lo de siempre p'olos bailes! Y así fue lo nuestro….

Campo: Así que, Lola, llega usted a El Pedregal y empieza con la ganadería. Pero el trabajo de antes no era como el de ahora…

Lola: ¡Nome no, que va! Entonces era segar a gadaña ya eso todo… Después ya se foi evolucionando: pasara a haber una máquina [de segar] ya teníamos algo más de vacas aquí n'a cuadra de junta casa; ya después fue comprándose algo más de maquinaria: un tractorín, un peine pa segar… Se fue evolucionando según se iban viviendo las cosas… ¡Pues eso, sí…!

Campo: Nos comentaba antes que la mujer es un pilar fundamental en las zonas rurales, porque, además de cuidar la ganadería y la huerta, atendía la casa, a los abuelos, a los hijos…

Lola: ¡Y a los nietos! La vida de la mujer del campo es así: yo creo que la mujer es indispensable, tanto en el caso mío como en el de cientos de mujeres que conozco.

Campo: Parece que no se está viviendo el mejor momento en la ganadería de leche ¿Cómo lo ve? ¡Porque crisis vivió usted varias…!

Lola: Sí, sí… ¡Pero lo de ahora parezme fuera de lo normal! ¡Que *té* el pienso a ese precio y que la leche *tea* como hay 20 años!, aunque ahora la subieron un puquinín… Es que, prácticamente, *nos* tenemos por ahí facturas guardadas en las que se puede ver que valía la leche igual *haz* años que ahora. Entonces, el que sepa un pouco de matemáticas y sumar y restar, ¡ya ves lo que queda!

Campo: Porque ahora una ganadería es una empresa y la gestión es fundamental…

Lola: Sí, sí, eso ya verdad… Que la gestión ya fundamental y saber hasta dónde puedes llegar: no querer pasarte… ¡Hay que tener una forma de ver las cosas ya *non* excederse!

Campo: ¡No avanzar más de lo que marca la prudencia!

Lola: Es que yo a veces pienso… ¡Igual meto algo la pata [con esto que digo], pero bueno…! Que a lo mejor ves q'el vecín tien y que tú quies tener… ¡Ya a lo mejor nun puede ser! Cada uno tien que tener lo que puede abarcar, ¿entiendes? No porque éste o aquel hagan no sé qué… [tú tienes que hacer los mismo].

Campo: Hay que valorar el terreno, el número de animales, el precio…

Lola: ¡Todo, todo, todo! El trabajo y la forma de administrar, porque eso es fundamental, ¿eh? El que tien una ganadería nun puede *ise* de fiesta *tolos* días ya dejar las vacas a medias. La ganadería hay que atendela y tienes que tar allí…, ya no te voy a decir 24 horas, porque eso sería mentira, ¿entiendes? Pero tar pendiente del ganao ya fundamental… Si tan malas [las vacas], ¿cómo ordeñas? Yo creo que eso ya fundamental: la forma de tener una ganadería ya *tar* muy pendiente de ella, ¿sabes? No pasar *dellas*… Nun decir ¡hoy porque voy a tal sitiu que coman menos! El ganau tien que ser lo primeru: pa mí siempre foi lo primeru, eso téngolu muy [claro]… Si yo tenía la cocina sin fregar o la cama sin hacer, la hacía cuando podía o por la noche… Ahora, ya las vacas… [eran lo primero]. Yo siempre tuve esa cosa, que las vacas antes casi que nosotros: ¡que nun tenía que ser así, pero ye!

Campo: ¿Y vacaciones?

Lola: No, no, de eso nada… ¡Vacaciones, nada!

Campo: Bueno, alguna excursión sí que hizo Lola…

Lola: ¡Sí, home, sí…! ¡Alguna excursión sí…! Ya después voy contate otra cosa que nun *vus* contéi… Que, por ejemplo, en una época, pues voy a decite…, pues justamente hace unos 20 años empezó aquí en La Dorada (¡nun séi si sabes!) a haber baile y ahí si fuimos mucho. Fueron los años mejores del matrimonio…

Campo: Que disfrutaron también…

Lola: ¡Mucho, mucho, mucho…! Allí hicimos amigos, tuvimos cenas, comidas… Fueron unos años que… ¡al morísenus la nena trruncósenos todo eso! Ya despúes, siendo mayor, vas quitándote de todo eso…, ¡sí…!

Campo: Es la vida, Lola, porque hay cosas que te vienen solas: buenas y, desgraciadamente, malas… ¡Y hay que hacerles frente y seguir adelante!

Lola: ¡No queda otra! ¡Hay que ser fuertes, muy fuertes, muy fuertes…! Pa superar estas cosas, muy fuertes… Pero el marido [Galdino García Fuertes] ya tenía 72 años cuando falleció y era diabético… Y digo yo: bueno…, el hombre murió sin padecer, porque ya verdá que murió sin padecer… Entonces, ya con lo que tú te quedas, ¡quédaste con eso! [Galdino era cazador y sus compañeros de la Peña El Crucero le dedicaron un monolito de piedra (en La Pena de la Liebre, encima de El

Pedregal, frente a Casa Pedrón) con la foto de todos ellos y la dedicatoria de 'Recuerdo de tus compañeros de caza. Hasta siempre, Galdino', *nota auctoris*]

Campo: Vamos a decir que su marido falleció de Covid [el único fallecido de coronavirus en El Pedregal], pero que también la familia perdió una nieta [Elsa Lorences García] muy jovencita y ¡esos son palos de la vida!

Lola: ¡Esos desármante...! ¡No hay crisis que se pueda comparar con eso! No hay dinero que... ¡Eso..., no hay nada peor que eso, vamos! [lágrimas].

Campo: Bueno, Lola, con la ganadería está su hija, su yerno y cuando lo necesitan algún empleado les echa una mano. ¿Cómo ve el futuro del campo?

Lola: Pues ya lu hablamos antes, que lo veu bastante fastidiau... Yo piensu que la gente tien que desmoralizase muchu, ya luegu que te llegue, como yo digo, el pan al agua, ¿eh? Que te llegue el mes y puedas ir pagando... El que hizo inversiones y tiró palante siempre ta invirtiendo y siempre ta pagando. Hoy los intereses tan muy baratos, pero ya igual... ¡Entós tas siempre, siempre [pagando]! Estu ya una cosa que... a ver: nun ya una cosa como un bar o un negocio que luego tú puedas traspasalu o vendelu, ¡pero es que esto...!

Campo: Una vez que se cierra una ganadería no vuelve a abrir...

Lola: ¡Exactamente! Yo pienso lo que trabajamos nosotros... ¡Lo que trabajamos, lo que trabajamos...! Ya lo que se hizo..., ya que llegue el momento y que tengas ahí esas naves y que se quede… ¡no lo sé, no lo sé!

Campo: Bueno, hay que tener confianza, porque nunca se sabe…

Lola: No lo sé, no lo sé… ¡Ta difícil! Home, a lo mejor las naves pueden valer pa otra persona… A ver mi hija Mirta y su marido Paco…

Campo: Bueno, Lola, muchas gracias por recibirnos en su casa y encantada de conocerla…

Lola: ¡Vale, pues igualmente! Yo a ti conózcote de vete *polas* ganaderías…

Campo: Y desearle lo mejor, que la vida sigue y ¡que mientras haya salud…!

Lola: Yo la salud téngola bastante bien…

Campo: Bueno, pues…

Lola: ¡Bueno, siempre hay algún achaque a veces…!

Campo: Bueno, a disfrutar lo que se pueda, que ya es hora… ¡Mucho trabajó!

Lola: ¡Sí, sí…, trabajé, sí…! Pero tengo que mencionar que nun soy yo sola, eso…, ¡que hay muchas mujeres como yo!

Campo: Efectivamente… ¡Y que las siga habiendo!

Lola: ¡Y que las siga habiendo, efectivamente!

Campo: Gracias, Lola…

Lola: Gracias a vosotras…

"Los dos que tenían carné de alimañeros (**Anita Fernández García**, Tina el Cojo: 2025) para matar lobos eran Vitorio Mariño y Antón de Borrón y estaban autorizados a usar estricnina. Se untaba un poco con el veneno el cebo de carne, que se ponía en ciertos sitios por los que ellos sabían que pasaban los lobos. Era muy efectiva y morían en poco tiempo. Lo primero que intentaban era ir a buscar agua (si la había cerca) y allí se quedaban… El problema era que, si luego venían cuervos, pegas,

milanos u bien otras aves a comer de aquella carne morían también y aquello era un estrao de pájaros. También cuando los lobos mataban a una oveja o a un potro le ponían el veneno en el cadáver, porque sabían que volvían a comer de esas piezas que habían matado y que no habían consumido del todo. Por eso, debido a que otras aves y animales podían comer esa carne con estricnina la prohibieron hace unos treinta años, según tengo entendido. Aunque yo te estoy hablando de lo que viví hace igual 60 años. Después sustituyeron la estricnina por el topicida, que también llevaba un tanto por ciento de estricnina, el cual era un veneno menos efectivo para el lobo como depredador, pero no causaba efectos mortíferos en las aves. También los cazaban con escopetas, pero, claro, era difícil dar con ellos porque son animales muy listos y escurridizos, pues se mueven continuamente. Esos lobos que mataban los alimañeros los echaban al hombro e iban con ellos pidiendo dinero (la voluntad) por los pueblos. En la mayoría de las ocasiones dejaban la cabeza, la piel, las patas y rabo, deshaciéndose del resto del cuerpo, porque así pesaban menos para transportarlos. Es que en aquellos años los lobos causaban grandes perjuicios económicos (bueno, parece que ahora también) porque la gente tenía rebañinos de ovejas (y en algunos casos dependían enteramente de ellos) como en La Miriega en Casa Telo o en Ca La Lolita que eran una gran ayuda para la economía familiar. De hecho, un hijo de María La Lolita fue a curiar el rebaño y como había postes de la luz que tenían cables eléctricos, pues se dio la circunstancias de que había caído un rayo y los hilos estaban en suelo, con tan mala suerte que el neno, de pocos años (hermano de Benino La Lolita, hijo de María), los pisó y murió electrocutado. Así que todo el mundo tenía su rebañín de ovejas (a veces entre varios vecinos) y algunas vacas en la casa, cuatro, cinco, ocho, hasta diez... La casa que tenía once o doce reses ya era pudiente... Complementaban lo que sacaban de las vacas con lo de las ovejas. Por mayo llegaba la hora de esquilarlas y con unas zapicas que hacía un hojalatero que venía de Salas (al que le llamaban El Chapleteiro) las lavaban en la Ponte Carcabada. Después las dejaban secar y en un descampao que se llamaba 'el campo de detrás de los piornos' (de lado de allá de Ondinas), a la otra parte de una finca que taba toda a xinestas y que tenía unos piornos muy gordos, por lo que la llamaban también 'el campo los piornos'. Les ataban las patas de adelante con las de detrás y a esquilar. Después metían en sacos la lana, la llevaban pa casa, la lavaban y después de haberla secado la espenaban con las manos lo mejor que podían, pues había que deshacerla un poco y luego con las escardas (unas tablas que tenían unas puntas) se ponían a escardar. Después para hilar se utilizaba la rueca, la parafusa y la fusa. Esta última era como un péndulo de madera provisto de un gancho al que se sujeta el cabo del hilo. Al girar sobre sí mismo va torciendo las fibras de la lana y formando el hilo".

La estricnina es un alcaloide (Millariega, Joseph; García González, M. Paz: 2025) derivado de las semillas del árbol *Strychnos nux-vomica,* aunque se encuentra también en otros dos arbustos principalmente. Es inodora e incolora, con sabor amargo.

En alguna época fue un ingrediente de diversos tónicos y laxantes de venta libre y se usaba en la clínica para el tratamiento del paro cardiaco, del envenenamiento por serpiente y como analéptico. Aunque la estricnina ya no se encuentra en los medicamentos, todavía está disponible como pesticida y rodenticida. En ocasiones también se encuentra como adulterante en drogas ilegales (caso de la cocaína y de la heroína).

Reseñas fotográficas

Página 186: Vacas pastando en el prado de Casa Ladio.
188: Noelia Martínez Varela, periodista especializada en agricultura, ganadería y medio rural. Con nuestro agradecimiento por la cesión de estas entrevistas para el libro.
189: Fabián y su hijo Alejandro delante del tractor última generación.
191: Conchita de la Torre Fernández entrevistada por Noelia Martínez Varela.
192: Conchita de la Torre Fernández con su madre Aurelia y el autor de este libro.
194: Lola Menéndez entrevistada por Noelia Martínez Varela.
195: De izquierda a derecha, Inés, Lola Menéndez y Mary Carmen de la Cera.
196: Lola Menéndez con su yerno Paco Lorences.
197: Lola Menéndez bordando una 'bufanda' para decorar el carbayón anexo a la escuela y a la iglesia, mientras Jacinto García la observa.
199: Primer plano de Lola Menéndez.
201: Anita Fernández García, Tina El Cojo, con la fusa y la parafusa.
(Reseñas fotográficas, Mari Paz García González).

9

La despedida del párroco don Alfredo

"El día 1 de septiembre de 2024 despedimos con pesar al párroco de Tineo y de 27 parroquias más (**Mari Paz García González**: 2024), que conforman la Unidad Pastoral de Tineo, Don Alfredo de Diego Braga, que llevaba con nosotros desde septiembre de 2018. Persona sencilla, amable, cordial, de fácil trato con sus feligreses y vecinos nos dejó para tomar posesión de un nuevo destino en Avilés, haciéndose cargo de las parroquias de Santa Bárbara de LLaranes, Santa Teresa de El Pozón y de la Capellanía de la cárcel de Villabona.

A las 12h 30'estaba anunciada la que sería la última misa de Fredy (como todos le conocíamos) en Tineo. La mañana amaneció soleada y la iglesia experimentó un aforo completo. Una vez finalizada la celebración se leyeron cartas de agradecimiento por parte de dos feligreses, haciendo hincapié en la labor pastoral que había realizado durante los 6 años de su estancia en Tineo. A continuación, había organizada una comida en el hotel 'Palacio de Merás' de Tineo, a la que acudieron 130 personas, entre las que se encontraban, además de feligreses y vecinos, la familia de Fredy y otros sacerdotes de la zona. Tras finalizar dicha comida se leyó una carta de la alcaldesa de Tineo, Montserrat Fernández, agradeciéndole su labor; y el historiador Senén González, miembro del RIDEA, leyó un escrito sobre la historia de la iglesia de Tineo y de los párrocos que por ella habían pasado.

Y llegó el momento de los obsequios, que fueron por parte del Ayuntamiento de Tineo un cuadro de la capilla de San Roque y por parte de los comensales un televisor. Fredy agradeció las muestras de cariño recibidas y mostró su pesar por el cambio

de destino, si bien sabía que su misión era estar a disposición del Arzobispado.

Después el sacerdote se despidió con una nota de humor, asegurando que 'yo solo hice lo que pude, como aquel amigo que le cuenta a otro que fue al hipódromo a ver una carrera de caballos y que cuando llegó a la pista de carreras un espectador se le subió encima. Y, claro, entonces el amigo, bastante intrigado, le preguntó: — *Y tú qué hiciste?* —*Yo hice lo que pude: llegué el tercero*, le respondió el otro (risas)'.

Al sábado siguiente un autobús (con salida de Tineo) nos llevó a Llaranes para acompañar a Fredy en su nuevo destino y compartir con él su primera misa en la Iglesia Santa Bárbara de LLaranes. Celebración que fue muy emotiva, con acompañamiento musical y coro".

'Estimado Don Alfredo: hoy celebra su último oficio religioso (**Jacinto García Fernández**: 2024) como párroco de la iglesia de San Pedro de Tineo, dispuesto a emprender otra etapa de su viaje sacerdotal que se desarrollará en tierras de Avilés. Por ello, en mi calidad de feligrés, deseo darle las gracias públicamente por ese tiempo de convivencia con nuestro concejo,

donde deja una huella imborrable: el producto de sus años de estrecho contacto con los feligreses de Tineo, en los que ha compartido alegrías y sinsabores, proyectos de futuro en común, nacimientos y despedidas; tareas que simultaneó con sus responsabilidades del Arciprestazgo de Oviedo y con las labores de los capellanes, catequistas, etc... Sé que a veces se multiplicaba y que lo hacía sin perder su especial talante, ese carisma que le ha hecho tan popular entre los nuestros. Nosotros ahora continuaremos el contacto: no se trata de un adiós, sino un hasta luego. Y cumpliremos con nuestra obligación de seguir rezando y cooperando con nuestro nuevo párroco... Querido padre Alfredo: cada vez que vuelva a la huerta echaré de menos sus discretos saludos desde la ventana. ¡Muchas gracias por todos estos años!'

"Hace unas semanas me dijeron (**Covadonga Toledano Martínez**, Tineo: 01-09-2024) que escribiera una carta de despedida a nuestro párroco Alfredo y, la verdad, por un momento pensé: ¡uf, con lo difíciles que son las despedidas! Pero

enseguida eché la vista atrás y, aunque estos años han pasado muy rápido, su estancia ha sido muy fructífera, además de que se nos ha hecho muy corta. Y esto es lo que suele ocurrir cuando suceden buenos acontecimientos o se cruzan en nuestras vidas personas que dejan huella en el espacio de tiempo que comparten con nosotros. En tu caso, Alfredo, quiero darte las *GRACIAS*, escrita cada letra con mayúsculas, por toda la huella que nos dejas, tanto de una manera visible como invisible.

Y empezando por lo evidente: a) La sustitución de la caldera y puesta en funcionamiento de la calefacción, lo que ha supuesto un cambio cualitativo importante para todos y para la propia iglesia, algo que venía siendo muy demandado desde hacía tiempo y con tu perseverancia lo conseguiste ¡gracias! b) Las obras en la zona del altar, consiguiendo que sea un espacio más práctico y utilizable. c) La pintura y limpieza de la iglesia. d) La apertura de las puertas del templo ya desde por la mañana. e) La adquisición de ornamentación con dinero propio. f) La nueva cara y mayor accesibilidad al Museo de Arte Sacro, facilitando incluso que contara con un guía, Adrián, que informa de la valía de las obras con las que contamos en Tineo

a visitantes y peregrinos, que quedan asombrados. g) La puesta de nuevo en marcha de Cáritas, con Gonzalo al frente (y todos los que colaboran), atendiendo y recibiendo desde la oficina al efecto a las personas que lo necesitan (se tuvo que ampliar el ropero dentro de las dependencias de la iglesia). Y así un sinfín de obras de las que me han llegado noticias, como la de casa parroquial de aquí de Tineo, la de Santullano, las de las iglesias de El Pedregal, La Pereda... Y las que se me quedarán en el tintero, por no hablar de los proyectos iniciados, que esperemos no queden inacabados. Me dijeron que ya te apodan: 'Don Alfredo El Restaurador', ¡gracias!

Y ya en el ámbito de lo no tan evidente (o incluso invisible) sigo dándote las gracias. Como no quería que esta carta fuera solo mía, he ido preguntando a feligreses y parroquianos para compartir contigo sus experiencias y todos me han hablado (y así te lo traslado) 'de tu cercanía en el trato, de la confianza que transmites, de tu buena disposición y carácter servicial en todo momento, de cómo te supiste integrar entre nosotros siendo uno más; de tu saber escuchar y de tu facilidad de empatía, poniéndote en el lugar del otro, sobre todo en momentos de sufrimiento y dolor'. Todas estas características puedo decir que las hemos vivido los que hemos tratado contigo... Desde los más pequeños en el sacramento del Bautismo, para los que siempre tienes unas palabras y gestos de cariño. Para

los niños de la Primera Comunión, con micrófono inalámbrico, bajándote del altar para dialogar con ellos y hacerles partícipes durante las misas de catequesis. Por no hablar ya de la recuperación de las catequesis para la Confirmación de adultos ¡gracias! Nos has hecho ver que se puede hacer apostolado en la iglesia y en los bares, en la capilla y en la calle, siempre cercano y de buena conversación, tanto de lo divino como de lo humano. Por haber hecho una gran labor de acercamiento a Dios, tanto a nivel colectivo como individual, de una manera muy tuya, sencilla, sutil y constante, haciendo natural lo sobrenatural, de nuevo ¡gracias! Y, en mi propio nombre, quiero transmitirte también un sincero agradecimiento por hacernos partícipes tras la misa de los jueves de la exposición del Santísimo ¡Qué lujo y qué bendición poder tener al Señor expuesto ante nosotros un rato a la semana! Mil gracias por ello, Alfredo, así como por la dedicación empleada, haciendo que fuera cada semana una experiencia única. Pido por favor, al párroco entrante que la mantenga...

Igualmente te agradezco que nos acercaras a Dios a través de las lecturas y los Salmos, así como que compartieras la vida y enseñanzas de los tres grandes místicos españoles: Santa

Teresa, San Juan de la Cruz y San Ignacio de Loyola, que compartieron una época en un momento muy complicado de la Iglesia... No en vano aún hoy su seguimiento de Cristo, su valentía, entrega sin límites y constante búsqueda de Dios (en definitiva sus ejemplares vidas) viene a representar el mejor guion para muchas películas de humanismo, acción, intriga y aventuras. ¡Gracias por relatarnos de manera habitual citas de los Santos! Solo me queda desearte que sigas transmitiendo este ejemplo de vida, donde Dios te requiera. Me quedo a modo de colofón con un recordatorio que nos transmitiste tiempo atrás: que aprendamos a amar y ser amados. Te deseo que Dios siga siendo el centro de tu vida, que el Espíritu Santo te ilumine en tu camino y que nuestra madre, la Virgen, con su manto te proteja y ampare allá por donde vayas. ¡Muchísimas gracias, Alfredo! Y al párroco entrante le damos la bienvenida: que sepa que puede contar con nosotros para lo que necesite...".

'Los aquí hoy presentes estamos tributando un merecido reconocimiento (**Senén González Ramírez**: 2024) a nuestro querido párroco y amigo, por su perseverante labor pastoral. No podemos olvidar sus homilías llenas de sentido moral en nuestro periplo vital, para nuestro buen gobierno y la atención que

debemos de brindar a los que nos rodean. Y de una manera mística mostrarnos el camino que algún día emprenderemos hacia las desconocidas regiones de la eternidad, (ya me estoy metiendo a predicador). Además de su impagable labor en favor de la *fábrica* de las muchas iglesias y capillas que hasta el pasado cuatro de este mes regentó. Su adaptación al paisaje y paisanaje de este gran concejo le ha sido positiva, siendo inmediatamente querido, respetado y, por ende, muy popular entre todos los vecinos de las 27 parroquias que hasta el pasado día cuatro de septiembre ha tenido a su cargo. Además de los muchos amigos y feligreses que lo acompañamos en su despedida de Tineo, está arropado por su familia a la que saludamos afectuosamente, compuesta por sus padres don Alfredo de Diego Rivera y doña María del Pilar Braga González; su hermana y tía materna, Silvia y Mari Paz.

Si hiciésemos una rápida sinopsis de los sacerdotes que ocuparon la silla parroquial de Tineo en todo el siglo XX y lo ya andado del presente, Alfredo ocupa el octavo puesto. La permanencia como responsables de las feligresías suelen ser por cortos periodos. Si nos circunscribimos a tiempos pasados se debe señalar como más longevo en la parroquia de San Pedro

de la villa de Tineo, a don Lázaro Rodríguez García, natural de Norón, de Casa Santiaguín, responsable de esta parroquia e hijuelas de Máñores y el Pedregal y de la aldea del Faedal, por espacio de 58 años (desde el año 1829 a 1887). Después, por orden cronológico, lo fueron: Don Andrés Blanco Bolaño (1890-1912); Don Manuel Prieto y Alonso (1912-1944); Don José Fernández Villamil (1944-1960); Don Jesús Álvarez Martínez (1961-1989; Don Cándido García Tomás (1989-2016); Don Celestino Riesgo Iglesias, ejerciendo como vicario de la unidad pastoral desde 2016 a 2017; Don Julián de los Hoyos González (2017-2018); Don Alfredo de Diego Braga (2018-2024) Será su continuador Don Leonel Fernández Herrera, párroco *in solidum* de la unidad pastoral de Tineo y que ejercerá como moderador.

Alfredo es un cura que no gasta sotana ni tampoco *clergyman*. Que apeó el tratamiento del *usted* por el *tú* y que desterró el *don* usado protocolarmente como una expresión de respeto, cortesía o distinción social. Dejando atrás anacronismos trasnochados y siendo un tienetense más en su labor pastoral por la mitad de este dilatado concejo. Pero, asimismo, participando en los actos lúdicos a los que sus feligreses cariñosamente lo invitan en sus fiestas patronales. Siendo normal el verlo mezclado entre ellos deleitándose con el bollo, la sidra y el disfrute de las conversaciones del día a día o escuchando de los ancianos (o de otros que no lo son no tanto) anécdotas de sacerdotes de otro tiempo. Involucrándose muchas veces en sus desgracias y miserias...

Cuando se hace cargo de estas parroquias se encuentra con un patrimonio muy deteriorado y, por ende, de una economía paupérrima. De ahí que, según las cortas posibilidades crematísticas que las arcas parroquiales le iban permitiendo, fue realizando las importantes obras que se van reflejando en el libro de fábrica de la iglesia, donde nos deja ver el movimiento anual de todas ellas. En ese libro antaño señalaba el nombre del campanero, de albañiles, del maestro cantero, del que aderezó la sillería o el órgano...Y ahora podemos ver en el mismo las importantes mejoras realizadas en el templo parroquial de esta villa (y que todos conocemos y sabemos) por un monto total de 14.570 euros. Destacan los 8.631 invertidos en la casa rectoral de Santullano, que ya empezaba a convertirse en una ruina. A través de la cuenta de funerales se acometieron obras de mantenimiento y en algunos casos la colaboración fue relevante con algunas parroquias o capillas en las que realizaron obras (Mañores, Sobrado, La Pereda). También resulta destacable la colocación de megafonía en algunas iglesias: Sorriba, Santullano, La Pereda, mejorándose la de Obona... Y destacar sobremanera la importante mejora en la iglesia de los Santos Justo y Pastor del Pedregal, que todo hay que decirlo, es la niña de los ojos de Gonzalo Infanzón. La mayoría de las parroquias de esta unidad pastoral no tiene ningún tipo de ingresos, ni siquiera las que tienen fincas. Por este concepto el último año se ingresaron solo 156 euros, entre las parroquias de Sangoñedo, La Pereda y Troncedo. Pero este cura tampoco no ha

estado solo en iniciativas y alentadoras ayudas, ya que sería del todo injusto no mencionar aquí al bueno de José Manuel (Castañera), por su diaria ayuda en todos los actos religiosos, actuando como un serio y responsable acólito. Y de Susi Suárez, que a una sola insinuación del cura acude presto al templo a facilitar sus conocimientos manuales en cualquier desperfecto que se origine en alguno de los templos satélites de esta parroquia de San Pedro de Tineo en los que se precise de su ayuda. Y destacar la ingente labor de humanidad que Caritas Parroquial está llevando a cabo en Tineo y resaltar también la notable colaboración del Ayuntamiento de la villa, con una aportación de 3.000 euros. Además de la colaboración con Manos Unidas, Misiones Diocesanas, etc. Y esta empresa tiene un vital protagonista en la persona de Gonzalo Fernández Infanzón, digno de encomio por su impagable labor, buen hacer y honradez a carta cabal. Empresa ésta que sería muy importante que nos involucráramos un poco más todos nosotros en ella, aunque es cierto que sí hay personas que se implican en esta magnánima labor. Finalmente, decirle a Alfredo

que en Tineo ha dejado una imborrable estela (no solo como párroco sino también con infinidad de amigos) muy difícil de superar...'.

Alfredo de Diego Braga asumió el pasado fin de semana el control (Jiménez, L.: 2024) de las nuevas parroquias avilesinas a su cargo de Santa Bárbara de Llaranes y de Santa Teresa de El Pozón (que funcionan en régimen de unidad pastoral). Sendas misas en ambos templos sirvieron de carta de presentación del cura, que en los últimos seis años ejerció el sacerdocio en el municipio de Tineo. De Diego Braga también se hará cargo desde ahora de la capellanía de la cárcel de Asturias. El nuevo cura de Llaranes y El Pozón se mostró ilusionado de su nuera misión pastoral, bien diferente a la que desempeñó en Tineo, un concejo eminentemente rural y con una considerable dispersión de parroquias. Tanto es así que, con 27 iglesias que atender, era el cura asturiano con más templos a su cargo. Peor aún era la carga de trabajo en Difuntos, pues debía hacerse cargo de los oficios en 31 cementerios. Su coche, compañero inseparable de fatigas en tierras de Tineo, agradecerá el desahogo de kilómetros que ahora dejará de hacer el sacerdote. Alfredo de Diego, que celebró el pasado mes de mayo sus bodas de plata de ordenación sacerdotal (y al que sus allegados conocen como Fredy), inició su carrera pastoral en la iglesia ovetense de Pumarín, donde fue diácono, para más tarde ordenarse como sacerdote y ejercer de cura coadjutor. Fue misionero durante cuatro años en la Amazonia ecuatoriana y a su regreso a Asturias tuvo a su cargo las parroquias de Turón, Laviana y Tineo. En todas ellas se caracterizó, según ha quedado constancia, por ser un altavoz contra las injusticias.

Los Santos Justo y Pastor (Millariega, Joseph; García González, M. Paz: 2025) murieron mártires el día 6 de agosto del año 306 durante la gran persecución del emperador Diocleciano cuando tenían menos de diez años (Justo 7 y Pastor 9, aunque en este aspecto las fuentes difieren) en el mismo lugar donde hoy se levanta la catedral de Alcalá de Henares. Ya en el 303 Diocleciano promulgó un primero edicto de persecución no violenta del cristianismo, mandando destruir iglesias y libros, así como humillar a los que no renegasen de la fe en Cristo. Aunque en un posterior edicto ya ordenó torturar a todo aquel que no apostatase. Esos mandatos en España fueron llevados a cabo con crueldad por el gobernador Daciano. En este marco histórico fueron martirizados los niños madrileños Justo y Pastor en Alcalá de Henares. Según la [difusa] tradición tiraron sus tablillas de escritura y se declararon cristianos. Primero fueron azotados, pero al ver que no desistían en su empeño se ordenó su

ejecución, que fue llevada a cabo en 'Computum', hoy Alcalá de Henares. El lugar del martirio es conocido como Campo Laudable y la piedra en la que fueron degollados se guarda en la catedral de Alcalá. Fueron enterrados en el lugar de su muerte y allí permanecieron hasta que, en el año 760 los trasladó (por temor a las posibles acciones contra la tumba por parte de los musulmanes) el monje eremita francés San Úrbez (o San Urbicio) hasta un apartado lugar del valle de Nocito (Huesca), permaneciendo enterrados en la ermita de Santa María hasta su traslado al monasterio de San Pedro el Viejo. Allí continuarían seguras durante toda la Edad Media, hasta que, gracias a la intervención de Felipe II y del Papa Pío V, los alcalaínos consiguieron que regresaran parte de las reliquias de sus santos patronos. El solemne recibimiento tuvo lugar el 7 de marzo de 1568 (aunque parte de las mismas viajaron también a Narbona y Lisboa). Al recibirlas, representantes del Ayuntamiento, de la catedral, de la Universidad, así como todas las hermandades y cofradías organizaron una enorme procesión que, según los cronistas de la época, fue la más grande que jamás se ha realizado en Alcalá de Henares. La veracidad de dicho martirio la podemos encontrar en la referencia que hace de él el poeta Prudencio en su oda 'Peristephanon'. Además, se cuenta con los calendarios litúrgicos mozárabes, los cuales ya especificaban la fiesta de estos dos santos. También existe el testimonio de San Paulino, que enterró a un hijo suyo de ocho días junto a los sepulcros de los dos santos, hacia el año 392.

La consagración del nuevo altar.

"La iniciativa de sustituir el altar por uno de mármol (García González, Mari Paz: 2025) fue del párroco anterior, D. Alfredo de Diego; y la idea inicial era que estuviera listo para San Bartuelo de 2024, pero el retraso en recibir los materiales en el taller hizo posponer la inauguración hasta el 31 de marzo de 2025, siendo párroco ya D. Leonel Fernández y con la presencia del Sr. Arzobispo de Oviedo, D. Jesús Sanz Montes. Para este día llegaron desde Roma reliquias de los Santos Justo y pastor, gracias a las gestiones realizadas por el Sr. Arzobispo. Se trata de fragmentos óseos de ambos santos. La ceremonia se llevó a cabo siguiendo el protocolo estipulado con todo rigor y con la participación de los feligreses perfectamente organizados por Gonzalo Fernández Infanzón. La iglesia estaba en penumbra y el altar desnudo. El Sr. Arzobispo entró en el templo precedido por la cruz y los ciriales portados por Tina, Mirta y José Luis, dando comienzo a continuación la Santa Misa. El joven David Menéndez hizo de sacristán ocasional, Mari Paz se encargó de las lecturas y el Sr. Arzobispo realizó la homilía asociando los sacramentos a distintos pasajes de nuestra vida cristiana. Y luego llegó el gran momento: las reliquias de los Santos Justo y Pastor fueron depositadas en el hueco que hay en el centro del ara. Acto seguido se aplicó un ungüento sobre el altar y Virginia y Conchita se acercaron con agua y una toalla para que el oficiante se lavase las manos. Después se bendijo la mesa sacra y se esparció incienso alrededor de ella. Gloria y Mari Paz colocan la primera sabanilla, en tanto que Pili y Albina la segunda. Por su parte, Esperanza, Lolita y Manolo ubicaron las velas y la cruz sobre el altar y, finalmente, José situó un centro con flores delante del mismo. La misa continuó con la Consagración y con la Comunión, siguiendo el ritual que es de costumbre. Al final el Sr. Arzobispo se despidió de todos nosotros, haciéndose fotos con las personas que así se lo pidieron".

Reseñas fotográficas

Página 205: D. Alfredo de Diego recibiendo un recuerdo al final de la misa.

206: Consagración del nuevo altar. D. Leonel, David, el Sr. Arzobispo y un Diácono.

207: Otro momento de la consagración.

208: Los feligreses asistentes a la misa con el Sr. Arzobispo.

209: Grupo de mujeres de la Asociación 'El Carbayón' con el Sr. Arzobispo.

210: Aurelia, Mirta, Tere, Pili y Esperanza entre el retablo y el nuevo altar.

211: M. Paz y Gloria colocando la primera sábana.

212: Vecinos de El Pedregal con el Sr. Arzobispo.

214: David Menéndez con el Sr. Arzobispo.

215: Mirta, Tere, Pili, M. Carmen, Esperanza y Virginia entre el retablo y el nuevo altar.

216: Los Santos Niños Justo y Pastor en la Catedral Magistral de Alcalá de Henares.

217: Cofres que guardaron las reliquias de los Santos Justo y Pastor mientras estuvieron en Huesca.

218: Pili y Albina colocando la segunda sábana.

220: El martirio de los Santos Niños Justo y Pastor según un grabado de Isidoro Carnicero fechado en 1759.

(Fotografías: Carmen de la Cera y archivo. Reseñas: Mari Paz García González y Joseph Millariega).

10

Pionera en un mundo de hombres

De viaje hacia Tineo por la carretera de la Espina y a la altura del Pedregal divisamos en el alto una casona solitaria. [*Pionera en un mundo dominado por hombres* (González Casal, C: 2004). *Carmen de la Cera. Ganadería Casa Pedrón*)]. A los pies de dicha casa, salpicadas por el monte, el resto de las viviendas que configura este pequeño pueblo. Desde allí se divisan los valles y praderas de muchos kilómetros a la redonda, en un recreo sin igual para la vista de cualquier enamorado de la Naturaleza. Es Casa Pedrón, el patrimonio de los suegros de Carmen de la Cera, que desde hace unos años se encarga de explotar con la ayuda de Pepe, su marido. Ella nunca se había dedicado a estas lides y ni tan siquiera había pasado por su pensamiento semejante cosa, pero la vida le ha llevado por estos derroteros y como es de las que no se arredra y le planta cara a lo que venga, acabó siendo una experta ganadera; pero no de las que se quedan en casa cuidando del ganado en espera de tiempos mejores... Carmen es de las que protesta y da la cara y no se calla hasta que consigue lo que se propone, sin importarle que los hombres sean mayoría al noventa y nueve por ciento.

Doce cabezas y un porvenir por delante. Carmen se casó con 19 años y a los 43 ya tiene un buen camino recorrido. Su suegro (que por entonces se dedicaba a la construcción junto con su marido) tenía una cuadra con unas doce vacas y, como se acercaba la jubilación, decidió poner la explotación a nombre de su flamante nuera que, de la noche a la mañana, se convirtió en ganadera. Era joven y capaz de comerse el mundo... Además, su primer hijo, Francisco José, ya venía de camino y había que hacerle frente a la vida con lo que había recibido. Por otro

lado, en ese momento la leche se pagaba bien y había que aprovechar la coyuntura. Por eso el primer paso fue profesionalizar el tema y su aportación fundamental consistió en hacer de Casa Pedrón una empresa en toda regla. La cuadra pequeña, totalmente artesanal, se convirtió en una nave enorme y funcional, ya con capacidad para 45 cabezas de ganado, bien acondicionada y equipada para que las vacas comieran y además bebieran a gusto. Al lado, una sala especifica de ordeño, dotada de los aparatos más modernos para esta actividad. Pronto la inversión se quedó pequeña y la capacidad para 45 reses fue insuficiente, pues hoy en día cuenta con 67 cabezas perfectamente seleccionadas y, si empezaron con una cuota lechera de 25.000 litros, ya han alcanzado los 400.000 anuales. Además de la explotación ganadera en Casa Pedrón hay todo tipo de animales. Los cerdos no pueden faltar en un concejo en el que la matanza es una fiesta; además, los embutidos que hace Carmen tienen un no sé qué muy especial... También en la ganadería hay una oveja, caballos, gallinas, gatos y dos

perros, pero de lo que no cabe duda es de que el animal por excelencia es la vaca. De las 67 cabezas que forman el total de la explotación, Carmen conoce a cada una por su nombre y, si se descuida, distinguir en de cada una las manías más significativas. Lo de los nombres va por modas; hace unos años la moda estaba en los seriales de televisión, ahora la última son los nombres de los más famosos de Operación Triunfo.

Un trabajo muy sujeto. El despertador de Carmen es madrugador; a las 6:45 ya toca diana y después de tomarse un café (que para ella es sagrado) sube a la cuadra para dedicarle al ganado las primeras horas de su día. Como en un bello ritual empieza con la tarea de ordeñar, que se alarga durante más de una hora. Luego (y casi siempre ayudada por Pepe) las saca a pastar y las limpia. A media mañana, generalmente sobre las 12, regresa a su casa para iniciar orto tipo de faenas no menos importantes: preparar la comida (para la que tiene una mano estupenda), hacer la limpieza, etc. Y si tiene pendiente algún asunto burocrático, de altas o bajas de animales, se acerca hasta Tineo para iniciar las gestiones pertinentes en la Consejería de Agricultura, pues todo el papeleo depende de ella. A media tarde (sobre las 5:30 o las 6) vuelve con la misma rutina, porque los animales no perdonan: la hora es la hora y el instinto es el instinto. Y cuando las vacas ya están satisfechas viene la tarea de limpiar a fondo las paredes y los suelos de la

estabulación, para garantizar una asepsia de la zona. Por eso la persona que se dedique a este negocio tiene que tener una buena dosis de paciencia, para saber sacrificarse v renunciar (sin dramatismos) al descanso normal al que cualquier persona está habituada. Para Carmen y Pepe no existen vacaciones, ni sábados, ni domingos, porque las vacas no saben de calendarios, ni de veraneos y les da lo mismo que sea martes o la fiesta del Patrón. De todas formas y desde hace años, la cooperativa ganadera de la zona facilita gente para hacer sustituciones, de manera que los ganaderos puedan tomarse un respiro. A Carmen este sistema no le va del todo y acude a él solo en casos extremos, porque prefiere hacer frente al asunto sin atenuantes. Sobre las vacas tiene un libro con toda la información básica sobre cada una y controla con rigor y pulcritud todo lo

referente a las enfermedades, pues es básico su seguimiento para la posterior entrega de leche. Como reconoce que las mujeres son capaces de hacer un poco de todo (dice con mucha sorna que igual van vestidas de corto que de largo) ella controla perfectamente la salud de cada una y si la dolencia es leve y no es preciso llamar al veterinario, actúa con la destreza del mejor practicante o boticaria Después de tantos años su pericia en la materia es grande y se ha visto al frente de los sucesos más inverosímiles. No se le olvida el día que tuvo a tres vacas de parto y ella, que estaba sola (porque Pepe había acudido a una feria y no se encontraba nadie más en la explotación) tuvo que atenderlas a su tiempo; menos mal que ninguna parió a la vez, sino que cada una tuvo su turno, pero acabó rendida, porque no daba abasto, pues nada más terminar con una tenía que seguir con la otra y así hasta que la tercera tuvo su ternero. El final fue feliz, pero del estrés no la libró nadie: menos mal que Carmen es tranquila y no tiene miedo a nada...

Desde la Junta Rectora de UGATI. Cuando Carmen se metió en este lio tenía muy claro que lo hacía con todas sus consecuencias; y como, por su forma de ser, es apasionada y aquello que hace lo hace hasta el fondo, no estaba dispuesta a ser una de esas mujeres que apoyan el negocio, pero desde casa, tónica habitual por otro lado de [un buen tanto por ciento] de las mujeres asturianas que trabajan en una explotación ganadera. Además, como no sabe ser hipócrita y lo que ve tiene que

decirlo por encima de Carlos V (lleva en la sangre buena parte de ese instinto batallador y reivindicativo que es propio de la asturianía más genuina), sabe hacer compatible su sujeta dedicación a la ganadería con la Junta Rectora de la Unión Ganadera de Tineo (UGATI), de la que es secretaria y que reúne a las distintas cooperativas ganaderas del concejo. Que una mujer ocupe un cargo de este estilo es un hecho bastante inaudito, porque en este sector, cualquier órgano de dirección siempre ha estado en manos de hombres; de hecho, es la única mujer que se presenta a las reuniones, a las comidas y demás actos de la Junta. En este sentido no tiene ningún problema con Pepe, su marido, que le apoya desde todos los puntos de vista y hasta sale ganando, porque como él es más tímido prefiere estar en la retaguardia y que Carmen de la cara.

Buenos y malos momentos. Aunque no suele tomarse las cosas a la tremenda, en su vida, como en la de todo el mundo, hay (y ha habido) momentos buenos y malos. Hace poco pasaron un bache grande con un problema de brucelosis que ya está totalmente erradicado, pero para Carmen (muy profesional en la materia) fue un duro golpe. Otro de los momentos difíciles es siempre que se muere una res, porque las vacas son caras (las más baratas oscilan sobre las 300.000 de las antiguas pesetas) y cada vez que fallece una la pérdida es sonora. Es verdad que existen los seguros, que cubren la enfermedad y la incineración en caso de muerte, pero nunca se recupera todo el dinero de la inversión. Sin embargo, aunque el trabajo sea sujeto, a Carmen le gusta y procura quedarse con lo bueno. Por eso prefiere recordar los buenos momentos, cuando la

producción lechera es abundante y la retribución económica
también. De hecho, Carmen y Pepe, a base de muchos logros
de este estilo, han conseguido una rentabilidad del negocio
que, si bien no los lleva a ser millonarios, les ha proporcionado
una magnífica casa llena de comodidades. Otros ratos agrada-
bles son los que dedican al descanso, necesario para seguir
sobreviviendo. Se conforman con las cosas normales, pero para
ellos suficientes y gratificantes, como la de reunirse otras seis
u ocho parejas, amigos de toda la vida, para hacer una parri-
llada o una paella, disfrutando todos juntos de la mutua compañía. Y, sobre todo, Carmen, como lectora empedernida que
es, procura saborear los ratos de relax que le dan los libros;
con ellos se le pasa el tiempo y puede dormirse bien entrada
la madrugada; le encantan las novelas históricas, las de viajes
y siempre procura una edición de bolsillo para que no le salga
caro lo que ella considera un auténtico vicio. Cuando nos conocimos estaba leyendo 'Los hermanos Karamazov' de

Dostoieswki; seguramente que a estas alturas y, a tenor de cómo devora, se habrá leído un buen montón. Al igual que la hormiga, de suyo trabajadora, Carmen mantiene un trabajo continuo, pero que en apariencia no se ve... Sin embargo, como esta mujer es de natural optimista y alegre, con mucho sentido del humor (sobre todo cuando está de buenas, porque a estar de malas no hay quien la gane) vive esta sujeción como si tal cosa; es lo que toca y no hay más que hablar... (Del libo 'Mujeres con historia'. Carmen González Casal: 2004).

Reseñas fotográficas

Página 222: Carmen de la Cera y Pepe Valdés, en uno de sus viajes.
223: Carmen de la Cera con las imágenes de San Bartuelo y la Virgen de la O momentos antes de iniciarse la procesión.
224: Carmen y Pepe con sus cuatro nietos, Ángel, Valentina, Diogo y Diana.
225 y 226: Carmen de la Cera y Pepe Valdés, de Casa Pedrón.
227: Carmen celebrando su 64 cumpleaños acompañada de sus nietos (as).
(Pies de foto: cortesía de Mari Paz García González).

11

Los ancestros del Neolítico y pueblos posteriores

Tenemos que imaginarnos que todos nuestros ancestros enterrados en esta zona de la Sierra de Tineo que se describe a continuación (en las inmediaciones de la Pena La Liebre) vivieron en las laderas en la que hoy se asientan los pueblos de El Pedregal y La Millariega. Y que esos mismos (u otros clanes) habrían ocupado también lo que hoy es El Crucero, Santa Eulalia, La Pereda y La Espina... Y que pastorearon por los altos y por la gran vega que se extiende en la falda y zonas conexas de El Pedregal. Enterraban a sus muertos en las partes más elevadas del poblado y la necrópolis servía también para marcar y delimitar esa parte de su territorio. Se trató de inhumaciones colectivas de cadáveres (o de sus cenizas en ocasiones), de las que nada queda, debido a la acidez de esta tierra norteña que consume todo lo que cae en sus fauces, por lo que cualquier fosilización y deseo de obtener ADN es una entelequia. Las dataciones que sitúan estos enterramientos (en general) hacia el $\pm$ 3.500 a.C. se deben a las cerámicas, abalorios o puntas de flecha del ajuar mortuorio que se libraron de los expolios. Llegados a un número de inhumaciones (no sabemos con cuantos enterramientos cerraban la cámara con la laja cobertera) conformaban con tierra y piedra lo que vemos exteriormente: el montículo. Debajo quedaba el pequeño mausoleo de ortostatos laterales, colocándose por último el de cierre, que es el que siempre primero se usurpaba para utilizarlo con diversos fines constructivos o agropecuarios (en algunos casos, simplemente como souvenir) y, en otros casos, para que el camino hacia la cámara mortuoria quedara expedito a los ayalgueros, que profanaron todos los túmulos hasta la segunda mitad del siglo XX.

Como espero que este trabajo se pueda leer (si no desaparecen los libros) cientos de años después de su publicación, creo que es obligado incidir un poco en la Prehistoria de los antepasados enterrados en las inmediaciones de La Pena de la Liebre, porque ahí se encuentra sepultada una parte de nuestra auténtica filogenia. Teniendo en cuenta que no aparecieron en lo que hoy es la parroquia de El Pedregal y sus zonas concordantes así por las buenas, es importante saber de dónde vinieron, aunque se comprende que la lectura de esta revisión prehistórica no resulte de fácil digestión a veces para el lector o lectora. Pero no voy a entonar por ello ningún *miserere* o *mea culpa*, porque algunas cosas en esta vida son como son y no se pueden explicar de otra manera. Además, siguiendo el rigor con el que hemos tratado todos los temas en este volumen, debo decir que casi me siento obligado a dejar testimonio escrito de lo que sigue por un sentimiento intrínseco e historiográfico que me conduce a recopilar y exponer estas nociones del megalitismo si quiero ser honrado y consecuente conmigo mismo y con lo que estoy haciendo.

Las bandas de cazadores y recolectores siguieron operando en la primera mitad del Holoceno (última época geológica del Cuaternario, desde hace 11.700 años hasta la actualidad), pero ya entrando en el 5.000 a.C. surgió en Asturias una

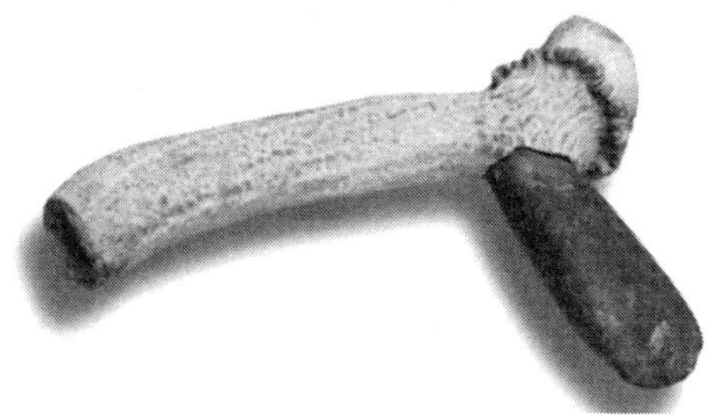

incipiente neolitización del territorio (Arial Cabal; González Morales: 1992; Mill, J.: 2024). El ciervo continuó siendo la principal presa de estos Homo sapiens, pero a medida que avanzó el Holoceno los herbívoros de bosque, como el corzo, el jabalí (el futuro cerdo domesticado, como se verá), la cabra y la oveja cobraron, entre otras especies, cada vez más importancia, al contrario que los grandes herbívoros de espacios abiertos como el uro y el caballo que aparecen de manera menos profusa. También se perfeccionó la domesticación del perro a partir del lobo (si bien haya evidencias de ello incluso desde periodos más tempranos al ±15.000 a.C.), especialmente haciéndose con las hembras de teta de las madrigueras. La presencia de lobos y de numerosos pequeños carnívoros forestales (gato montés, garduña, zorro, tejón, nutria o comadreja) muestra también la evidencia de la progresión del bosque, siendo robles, avellanos y abedules las especies dominantes en estas comunidades forestales, acompañados por tilos, sauces, alisos, olmos, fresnos, serbales, saúcos y pinos, ésta última especie (Pinus pinaster) con una distribución que no está todavía bien documentada en Asturias en los periodos estudiados, aunque sí está acreditada su presencia (Ramil Rego, P. *et al* (2007). Otro aspecto esencial fue la domesticación de las plantas silvestres y la aparición de cultivos estables como el trigo, la cebada, la escanda, el mijo y tal vez otros que ya habían entrado por el Mediterráneo como los guisantes, las lentejas, el yero, los garbanzos o el lino... Por supuesto que ya se había introducido la cerámica, cuya implantación (González Morales: 1982) se atribuye al contacto con grupos de pastores llegados a la región desde el norte y a la influencia

mediterránea, aunque es un tema poco estudiado. Muchas de sus vasijas, jarras y cuencos también se elaboraban con madera.

Durante el Neolítico se inicia el megalitismo, que se desarrolla durante el Calcolítico y las primeras etapas de la Edad del Bronce. Durante el final del Neolítico y el Calcolítico (o del Cobre) los asentamientos pasan de ser temporales a estables, lo que sugiere una mayor explotación del territorio. La domesticación se generaliza durante esta fase y cobrará cada vez más importancia. En el Cantábrico las primeras evidencias de domesticación se refieren al perro, a la oveja, a la cabra, al cerdo y a la vaca (Arial Cabal: 1992). Para conservar la carne se usaba el sistema (Aróstegui Sánchez, J.; García Sebastián, M.: 2004) del acecinado, secado al sol o salado, colocándola colgada en el centro de una figura de tres estacas con el suelo en el mismo vértice. Hay que decir que eran hábiles tramperos, siguiendo el rito del culto a la araña, extendido por todas las culturas neolíticas de Europa occidental y otras, probablemente vinculado a la habilidad de este pequeño animal para colocar sus trampas, las telas de araña. Estos Homo neolíticos estaban habituados a seguir las huellas de los animales y es notoria la especialización que habían alcanzado, hasta el punto de que en las pinturas rupestres están representadas perfectamente las pezuñas incipientemente, tal y como se marcaban en el suelo. Las profusas hendiduras que dibujaron indicarían una persecución a gran velocidad... Se acorralaba a manadas enteras de jabalíes para cazarlos y para intentar discriminar a las hembras con objeto de

domesticarlas (iban a ser las futuras cerdas y se buscaba que sus crías ya crecieran estabuladas).

De esta época son también las primeras cucharas, que no se usaban para comer sino para mezclar los alimentos en cocción. Conocían la elaboración del queso a partir de leche cruda, porque la intolerancia a la lactosa fue una afección muy común en casi toda Europa durante el Neolítico y hasta la Edad del Bronce tardía, cuando se generalizó la mutación genética que permitía a los adultos producir lactasa, la enzima que descompone la lactosa en el organismo.

Las comunidades neolíticas apostaron fundamentalmente por una economía de base agrícola y ganadera que requirió la disposición de amplias superficies de pasto y, en consecuencia, la progresiva deforestación de su entorno. Semejante empresa fue posible gracias al desarrollo de nuevas herramientas y útiles domésticos y de caza, siendo los artefactos estrella las hachas de piedra pulimentada, las puntas de flecha de hoja de laurel, los arpones de hueso y el pico asturiense, cuyo uso está documentado desde el Epipaleolítico al Neolítico medio y final (2.510 ± 660 a.C.)

La necrópolis tumular de la Sierra de Tineo (La presente descripción ha tomado como punto de partida la ficha 73 de la Carta Arqueológica de Tineo, depositada en el Servicio de Patrimonio Cultural de Asturias, consultada en septiembre de 2024) se extiende a lo largo de la zona de cumbres de dicha sierra entre el collado de Brañugues (o Brañugas) y Las Orales (Las Aurales) [*Ad litteram* de la carta arqueológica]. En distintas publicaciones se recogen referencias parciales a la misma (González, 1973, 29 y 1975,37; Jordá *et al*, 1972-73, 135) no realizándose un estudio arqueológico global de la sierra hasta 1989, cuando el equipo de Estudio de Arqueología y Restauración elabora el Inventario Arqueológico de Tineo y cataloga la necrópolis tumular de la Sierra de Tineo, recogiendo en el mismo [en un principio] 8 estructuras tumulares.

La prospección arqueológica realizada por el equipo de MSArqueo en 1999 para la elaboración del informe preliminar de impacto sobre el patrimonio histórico originado por la instalación de un parque eólico en esta sierra permitió el reconocimiento del estado de los túmulos catalogados en 1989 y la identificación de [otras] 5 estructuras tumulares hasta el momento no incluidas en la ficha de la catalogación de la necrópolis, más otro pequeño abombamiento del terreno de dudosa naturaleza arqueológica que, tras la reciente revisión, se ha descartado como evidencia de estudio. En el discurso descriptivo subsiguiente y en el plano los túmulos 1 a 8, ambos inclusive, se corresponden con los catalogados en 1989, mientras que los números 9 a 13 son los reconocidos en 1999. De todas formas, ninguna de las 13 tumbas colectivas ha sido excavada por la arqueología privada o del Servicio de Patrimonio de Asturias, que sería lo que permitiría llevar a cabo una datación con Carbono 14 de algún resto cerámico o de otro tipo que se encuentre en su interior. Lo que sabemos sobre ellas nos viene dado por las numerosas estratigrafías llevadas a cabo en la provincia, así como en las necrópolis de Penausén (La Bouga) y la Campa de San Juan, cerca de Las Gallinas, todo en el concejo de Salas. Así como del estudio de una joya del megalitismo en el municipio de Tineo: el dolmen de Merillés.

Túmulo 1

Es una estructura de planta circular y masa tumular compuesta de tierra y piedra, situada en un escalón de descenso desde el Pico Navariego al collado de Brañugues [La terminología es *ad litteram*, respetando las descripciones de la carta arqueológica, aunque sin duda se refiere a La Brañina]. En la ficha de catalogación se hace referencia a la existencia de una posible pequeña cámara lítica aflorando en el hoyo de saqueo central. En la actualidad, el reciente desbroce de la finca en que se localiza la estructura y la acumulación sobre la misma de gran cantidad rastrojo no permite visualizar dicha cámara. Las dimensiones recogidas en la ficha no se corresponden con las actuales, por lo que tal vez la estructura haya sido removida, ampliándose la zona de roturación reconocida en 1989. De todos modos, se recogen las antiguas dimensiones, expresión del importante volumen del túmulo en su momento. *Dimensiones*: diámetro máximo en base, 25,90 m.; altura máxima conservada, 2,32 m. (hoy no supera el metro de altura); diámetro máximo del hoyo de saqueo, 5,34 m.; profundidad máxima del hoyo de saqueo, 1,93 m. (En el informe que se hace de este túmulo en 1989 se habla de que 'en el centro del mismo se conserva una posible laja cobertera u ortostato, algo inclinada hacia el NE y recubierta por un poco de tierra y vegetación; por debajo de la cobertera creemos que se halla una pequeña cámara...' Estos ortostatos de cobertura vienen a ser un tesoro (como se dijo antes), pues son los primeros que se expolian, al no tener que desenterrarlos. De ser así, en el túmulo 1 tendríamos un dolmen completo, pero mucho me temo que dicha laja de cierre (y algunas más) de la cámara mortuoria ya no sigan en su lugar; no se pudo comprobar debido a que los brezos y matorrales, como es lógico, se han apoderado en la actualidad de estos enterramientos, *nota auctoris*).

Túmulo 2

Estructura de buenas dimensiones localizada en el collado de Brañugues, al W del túmulo 1. De planta circular y masa tumular básicamente térrea; presenta pozo de saqueo central amplio y profundo. *Dimensiones*: diámetro máximo de la base, 18,54 m.; altura máxima conservada, 1,85 m.; diámetro máximo del hoyo de saqueo, 4,48 m.; profundidad del hoyo de saqueo, 0,92 m.

Túmulo 3

Estructura de planta ligeramente ovoide, masa tumular básicamente térrea y de bastante buenas dimensiones. Su base se ha visto afectada por la excavación de una zanja que recorre prácticamente la totalidad de su perímetro. Presenta pozo de saqueo amplio y profundo. *Dimensiones:* diámetro máximo en la base, 22,70 m.; altura máxima conservada, 2,39 m.; diámetro del hoyo de saqueo, 4,75 m.

Túmulo 4

Localizado en un pequeño rellano de la ladera, aproximadamente a 50 metros al N del anterior. Estructura bastante arrasada de pizarra, ligeramente ovalada, con hoyo de saqueo central amplio y poco profundo. *Dimensiones:* diámetro máximo de la base, 15,50 m.; altura máxima conservada, 1,05 m; diámetro máximo del hoyo de saqueo, 4,29 m.; profundidad del hoyo de saqueo, 0,09 m.

Túmulo 5

Localizado en una suave ladera al NE del collado de La Cama los Bueis, entre el cortafuegos y un camino que desciende hacia la carretera Ti-1. Planta circular y probable cista interior. Saqueo constituido por hoyo central y zanja radial. *Dimensiones:* diámetro máximo en la base, 12,00 m.; altura máxima conservada, 1,18 m.; diámetro máximo del hoyo de saqueo, 1,19 m.; profundidad del hoyo de saqueo, 1,10 m.

Túmulo 6

Localizado aproximadamente a 50 m. al NE del anterior. Planta circular y masa tumular configurada por tierra y abundantes bloques pétreos. Presenta hoyo de saqueo central, amplio y poco profundo. *Dimensiones:* diámetro máximo de la base, 12,84 m.; altura máxima conservada, 1,41 m.; diámetro máximo del hoyo de saqueo, 3,85 m.

Túmulo 7

Localizado aproximadamente a 425 m. al W de la carretera Ti-1 a su paso por el alto de Piedrafita. Planta circular y masa tumular compuesta de tierra y abundantes bloques pétreos. Presenta hoyo de saqueo central, amplio y profundo, en el que aflora un posible ortostato de la cámara interna. *Dimensiones:* diámetro máximo de la base, 7,65 m.; altura máxima conservada, 0,41 m.; diámetro máximo del hoyo de saqueo, 2,70 m.; profundidad del hoyo de saqueo, 0,53 m.

Túmulo 8

Localizado en el extremo nororiental de la sierra, en el sector de La Millariega, en medio del cortafuegos, cuya apertura lo ha afectado parcialmente. Planta circular y masa tumular compuesta por tierra y abundante cascajo. Presenta hoyo de saqueo central, amplio y profundo. El camino que recorre el eje de cumbres pasa sobre el flanco E del túmulo. *Dimensiones:* diámetro de la base, 27,59 m.; altura máxima conservada, 1,88 m.; diámetro máximo del hoyo de saqueo, 6,20 m.; profundidad del hoyo de saqueo, 105 m.

Túmulo 9

Estructura localizada en un pequeño rellano de la ladera del pico Navariego, aproximadamente a 150 m. al E del túmulo 1. Presenta planta circular, masa de apariencia térrea y hoyo de saqueo central amplio y profundo. *Dimensiones:* diámetro máximo de la base, 12 m.; altura máxima conservada, 0,90 m.; diámetro máximo del hoyo de saqueo, 3,60 m.; profundidad del hoyo de saqueo, 0,80 m.

Túmulo 10

Estructura localizada en el collado de La Cruz. De planta ligeramente ovalada, presenta un alto grado de degradación, dado el amplio hoyo de saqueo y la zanja radial que lo acompaña. *Dimensiones:* diámetro máximo en la base, 15,60 m.; altura máxima conservada, 0,90 m.; diámetro máximo del hoyo de saqueo, 4,30 m.; profundidad del hoyo de saqueo, 060 m.

Túmulo 11

Estructura localizada aproximadamente a 300 m. al NE del anterior. Planta circular y amplio hoyo de saqueo central. *Dimensiones:* diámetro máximo en la base, 12,60 m.; altura máxima conservada, 0,90 m.; diámetro máximo del hoyo de saqueo, 4,20 m.; profundidad del hoyo de saqueo, 1,20 m.

Túmulo 12

Estructura localizada en el rellano que se extiende al E de Las Penas de L'Adra, aproximadamente a 100 m. al NE del anterior. Planta circular y amplio hoyo de saqueo central. *Dimensiones:* diámetro máximo en la base, 8,30 m.; altura máxima conservada, 0,80 m.; diámetro máximo del hoyo de saqueo, 2,40 m.; profundidad del hoyo de saqueo, 0,30 m.

Túmulo 13

Estructura localizada en el rellano que se extiende al E de las Penas de L'adra, aproximadamente a 100 m. al NE del anterior. Planta circular y amplio hoyo de saqueo central. *Dimensiones*: diámetro máximo en la base, 14,60 m.; altura máxima conservada, 1,20 m.; diámetro máximo del hoyo de saqueo, 3,90 m.; profundidad del hoyo de saqueo, 0,60 m.

Por otra parte (Mill, J.: 2024), el filólogo e historiador de la Universidad de Oviedo José Manuel González y Fernández Vallés, que hizo un recuento de lo túmulos sepulcrales megalíticos de Asturias (1973), cita al arqueólogo Pedro Alejandrino García y su pequeña publicación sobre 'Los túmulos de El Pedregal' (1960), donde refiere los siguientes enclaves funerarios: en el Alto del Pan de la Vara, sierra de Idarga, que parte términos de Tineo y Salas, un túmulo, localizado el 25 de octubre de 1970; en el extremo SO de la sierra de Idarga y término de La Cruz, cuatro túmulos, localizados el dos de febrero de 1969; en la sierra de Ondinas, cuatro túmulos, localizados el 2 de febrero de 1969; entre El Pedregal y El Crucero, 100 metros a la izquierda de la carretera de La Espina a Tineo, 5 túmulos; en el collado de Chamas Chongas, sierra de La Curiscada, 17 túmulos, localizados el 20 de diciembre de 1970. Sin embargo, estas necrópolis, en su tenor literal, no están como tales recogidas en la Carta Arqueológica Local de Tineo (algunas pueden pertenecer a la de Salas), Resolución de 23 de diciembre de 2013, de la Consejería de Educación, Cultura y Deporte, por la que se incluyen en el Inventario del Patrimonio Cultural de Asturias diferentes bienes arqueológicos del concejo de Tineo.

El fenómeno megalítico tuvo en Asturias una de sus expresiones más acentuadas. Los montículos tumulares se rastrearon

ya desde épocas medievales, como se reconoce en la Carta Puebla de Castropol (1299 y 1313), que ya los cita. Entre la segunda mitad del siglo XVIII y la primera del XIX, José María Queipo de Llano (Conde de Toreno) y Pedro Canel Acevedo apuntaron referencias de estas necrópolis, citadas también por Acevedo y Huelves en 1889, aunque unos años antes Fermín Canella (1884) ya había propuesto la elaboración de un inventario, dado el intenso y lamentable expolio llevado a cabo por los ayalgueros. Después vino una época de pérdida total de interés por el megalitismo, mientras se producía un saqueo sistemático de las tumbas, llevándose el escaso ajuar con que eran enterrados, casi siempre de forma colectiva, los cuerpos (o las cenizas en ciertos periodos, como ya quedó apuntado) para el viaje de estos sapiens, neandertales o cromañones al más allá (los sapiens hibridaron con los neandertales y los cromañones surgieron hacia el ± 30.000 a.C. producto de una mutación). Las cámaras funerarias pueden ser de varias formas, pero aquí en Asturias predominan las llamadas de tipo simple, con varias lajas verticales formando un cuadrado o un círculo y otra losa que les da cobertura, que ha sido robada sistemáticamente (y en otros casos varios de los ortostatos del recinto mortuorio). Algunos cadáveres o sus cenizas (quizás los individuos más notorios) eran sepultados con un discreto ajuar funerario: abalorios, puntas de flecha, lascas, raederas (herramientas), otros elementos de sílex y en algunos casos alguna pieza de oro, porque ya desde antes del ± 3000 a.C. trabajaban este metal precioso que, de cuando en cuando, encontraban en los placeres fluviales. En este sentido, de gran importancia es el anillo de tiras hallado a la entrada del complejo funerario del Dolmen Mata'l Casare, en La Cobertoria - Llagüezos, entre los concejos de Lena y Quirós, en un paraje algo apartado del recinto mortuorio, lo que hace suponer que fue perdido por saqueadores cuando abandonaban el lugar: se trata de una pieza importantísima de finales del III milenio a.C., que ya apunta a una metalurgia refinada. (De ahí que los arqueólogos al elaborar las cartas hacia 1980 tuvieran que hacer mención en primer lugar al 'pozo de saqueo'). Es decir, que no eran tan toscos o bárbaros como pensamos y seguramente tendríamos que aprender muchas cosas de ellos y de su relación con el entorno y la Naturaleza, sobre todo teniendo en cuenta que hacían auténticos milagros para subsistir con los escasos medios de los que disponían. No escogían para sus asentamientos humedales, simas o depresiones, sino que las penillanuras, campamentos de meras chozas o cabañas de las que no queda nada, hasta que ya casi en el Bronce final fueron llegando los castros de piedra (s. VIII a.C.), que coexistieron con las chozas como hábitat durante un periodo de transición (aunque no se deben confundir los castros con el Neolítico, como también se apuntó *ut supra*). Y ubicaban sus necrópolis en las mesetas colindantes, lo que nos indica que la muerte tenía para ellos un sentido metafísico que trascendía más allá de la vida, en el etéreo mundo de sus dioses totémicos. La muerte por encima de la vida en megalitos que perpetuarían el recuerdo de sus vidas y marcarían el territorio de la tribu. Cuando se inició esta revolución agrícola los enclaves poblacionales se volvieron más permanentes, aunque siguieron

coexistiendo con algunas cuevas y las ya escasas bandas de cazadores-recolectores que todavía no se habían sedentarizado. Primero depositaron a sus muertos (en algunos casos no se puede hablar de entierros en sentido estricto) en dichas cuevas y en el subsuelo de sus propias chozas, pero entre el 4500 ± 2500 a.C. pasaron a enterrar a sus cadáveres o las cenizas en las necrópolis tumulares como que la que tenemos en los aledaños de La Pena La Liebre (después vendrían los campos de urnas y las estelas votivas).

No tenían una escritura como tal y mostraban también incapacidad cognitiva para procesar lenguajes formalmente elaborados. Veamos: se cree que la escritura surgió en Egipto hacia el 3250 a.C., teniendo su continuidad en Mesopotamia unos 200 años después. Pero la Península Ibérica fue muy por detrás, pues aún esta escritura era silábica entre los siglos IV y I a.C. y es probable que las tribus prerromanas que ocupaban La Asturia (la actual Asturias, León y norte de Zamora) solo vieran las letras de ese alfabeto silábico hasta los denarios de comienzos de dicha dominación romana (la invasión se produjo entre el 29 y el 19 a.C.). Además, al tiempo que los egipcios dominaban la escritura jeroglífica, los individuos neolíticos que tenemos enterrados en nuestra necrópolis megalítica de La Brañina eran ágrafos: no cultivaban todavía ningún tipo de escritura, ni ideográfica, silábica o de otra clase. Desde luego que tenían un protolenguaje, tal así que sólo les sería posible enhebrar un pequeño grupo de palabras (hasta cierto punto impredecibles) de cada vez, sin estructuras complejas y con acompañamiento gestual. Lo que diferencia al lenguaje del protolenguaje es la sintaxis; es decir, unos principios formales que permiten incardinar las palabras en frases y oraciones que, a su vez, se combinan gramaticalmente con otras que permiten la emisión y comprensión de mensajes más largos y complejos. Hacían garabatos, rayas, incluso dibujos y pinturas, pero no sabían relacionarlo en una sucesión ordenada de ideas y conceptos.

No sabemos si estas necrópolis megalíticas constituían un territorio sagrado, como el de los siux de Standing Rock (Dakota del Norte), pero muchos estudiosos del megalitismo están de acuerdo en la cuestión de que esos conjuntos tumulares también tenían una función de amojonamiento: los montículos delimitaban el territorio y casi nadie duda de que tenían una función también ritual. Fue una de las primeras señales de escenificación de una propiedad privada: los muertos velaban por una tierra que pertenecía a una o más tribus y todos sabían a qué atenerse.

Por suerte, ese olvido secular de los túmulos de nuestros antepasados recibió un importante impulso por parte del Marqués de la Vega del Sella (1919) y su interés por este tipo de cultura, promoviendo el primer estudio arqueológico de un megalito, el del dolmen de Santa Cruz (Onís), que data del ± 3000 a.C. Muchos años más tarde (antes de 1978), el profesor de la Universidad de Oviedo José Manuel González llevó a la práctica una exhaustiva y dificultosa catalogación (con gran esfuerzo personal y económico, a veces acompañado entre los

matorrales por su familia) describiendo 611 necrópolis en toda Asturias, lo que no quiere decir que alguna todavía permanezca oculta debido a la proliferación de los bosques y matorrales en esta tierra abrupta. Lo que sí debemos tener claro en todo momento (para centrar el estado de la cuestión, como se dijo ya *ut supra*) es que el Neolítico en Asturias fue bastante tardío, Algunos arqueólogos lo sitúan entre el 6.000 ± 3.000 a.C. Pero otros concretan más: 4300 ± 2500 a.C., tras dataciones de algunos útiles por radiocarbono.

Y no quisiera terminar este capítulo sin exponer al lector(a) cómo fue nuestra singladura posterior como Homo sapiens en la parroquia de El Pedregal y (dejando atrás estos antepasados megalíticos, para nosotros *tempranos*) a qué ancestros debemos, al menos una parte, de nuestra carga genética. En esta línea argumental qué duda cabe que tenemos que traer a colación a los celtas. Todos en Asturias somos celtas, ¡no? ¡Siempre se repitió esa consigna patria hasta la saciedad! Pues igual nos llevamos una sorpresa... El pueblo celta fue entrando en Asturias muy disperso y mezclado ya desde el 1.200 a.C., aunque el mayor flujo se produjo entre los siglos IX al II a.C, especialmente entre el 600 ± 500 a.C. De ahí que no podamos llamar a los túmulos funerarios 'tumbas celtas', porque, en sentido estricto, son bastante anteriores como acabamos de comprobar...

Para ver, si cabe con mayor claridad, la diferencia entre los túmulos neolíticos y los enterramientos celtas (con campos de urnas y estelas votivas), podemos decir que cuando estos pueblos fueron entrando en el norte de la Península se encontraron con un importante conglomerado de tribus autóctonas en nuestra región, con las que se mezclaron, con costumbres parecidas a las de los celtas de la Galia, pero con menos influencia de los sacerdotes (druidas) sobre los guerreros. Eran hábiles con la metalurgia del bronce y del hierro, de la que se servían para sus herramientas agrícolas y para los útiles de guerra. Practicaban una agricultura más orientada al consumo propio que al comercio No conocían el alfabeto (aunque sí lenguas: bretón, galés, gaélico, irlandés, manés y otras) excepto los celtíberos, que habían adoptado el abecedario fenicio, al igual que los íberos. En general, tampoco usaban moneda, prefiriendo el trueque. ¿Y de dónde procedían? Pues de los actuales territorios de Irlanda, Gales, Escocia y gran parte de Inglaterra, donde se asentaron los Britanos. Además de Francia, Bélgica, Holanda, parte de Alemania, Suiza y el norte de Italia, donde se encontraba el gran asentamiento de los pueblos galos.

Escribió Estrabón (63 a.C. - 23 d.C.) que, antes de la llegada de los romanos (Santos Yanguas, N.; Marqués, M.S.: 2007), Asturias era una de las regiones más atrasadas de la península Ibérica, con una población alimentada a lo largo de varios siglos por grupos indoeuropeos (celtas, germanos, latinos, eslavos, griegos, hititas, kurdos, armenios, persas o indios vedas (Tubau, D.: 2019). El elemento predominante de la cultura no era celta (Santos Yanguas, N: 2007), porque en la zona de Asturias ya había un sustrato étnico de otros pueblos anteriores. A partir del siglo V antes de nuestra Era llegan aquí grupos que proceden de la Europa central, pero no todos celtas: sólo una pequeña parte de esas poblaciones lo eran. Después de atravesar media Europa aparecieron en el norte de la Península muy mezclados y, además, cuando llegaron no se encontraron con un terreno baldío, sino que ocupado. Por supuesto, su raíz era celta y fueron el revulsivo de la cultura castreña. Ellos ya conocían el hierro y contribuyeron a la evolución de las poblaciones existentes. Los celtas fueron uno más de los pueblos indoeuropeos que llegaron al territorio astur, poblado ya de numerosas tribus autóctonas. Esta zona occidental nuestra fue territorio de los astures transmontanos, en concreto de los pésicos; y más tarde de los romanos (desde el 19 a.C.: fin de la invasión) y de los suevos. ¿De los suevos? ¡Pues sí...! Veamos por qué... En el año 409 los suevos, vándalos y alanos (los bárbaros del norte que estudiábamos en la escuela, en mi caso en la de Antonio Cañedo), desposeídos de sus tierras del norte por los hunos, lograron atravesar los Pirineos y se distribuyeron por la Península. Los suevos en la Gallaecia, ocupando lo que hoy es Galicia, Asturias, León, Palencia, Zamora y Lusitania, hasta debajo de Coimbra. Así que Roma no tuvo más remedio que hacer un pacto con los visigodos para que los expulsaran, pero solo lo consiguieron con vándalos y alanos. Como consecuencia de todo ello la Hispania quedó muy fragmentada y hacia el 476 ya se podía hablar de la inexistencia del Imperio Romano de Occidente. Así que los suevos continuaron en la Gallaecia hasta que Leovigildo los sometió en el año 585, incorporándolos al reino visigodo de Toledo, tras unos 175 años entre nosotros. Y aprovecharon bien el tiempo, pues arrancaron de las entrañas de la tierra gran parte del oro que los romanos habían dejado sin extraer en Navelgas (Tineo) y Ablaneda-Carlés (Salas). Así que, a la vista de todo esto, cabe que, al menos, pongamos algún reparo a los fervientes defensores del pueblo astur como el frasco de la esencia celta. Si nos pudiéramos ir atrás en el tiempo con un hipotético trabajo de laboratorio y fósiles abundantes podríamos obtener el genoma del auténtico crisol de pueblos de los que venimos y nos asombraríamos de la composición de las secuencias de ADN de los 23 pares de cromosomas. ¡Lo siento por los defensores del celtismo puro!

Reseñas fotográficas

Página 230: El autor de este libro junto a uno de los dólmenes de la necrópolis del Alto del Pan de la Vara, frente a Modreiros. Solo conservan ya dos ortostatos. Como todos los demás, el enterramiento ha sido profanado y expoliado. Sin una investigación arqueológica no se puede conocer con exactitud su datación, aunque todos estos megalitos no estudiados todavía se sitúan orientativamente alrededor del ± 3.500 a.C.

231: Hacha de piedra pulida con mango de hueso, uno de los símbolos más representativos del Neolítico. Fabricadas al pulir rocas duras como la diorita o el granito, ofrecían una durabilidad y eficacia mucho mayor que las herramientas del Paleolítico superior.

232: Dolmen completo de Merillés (Tineo), una joya neolítica, ya que no ha sido expoliado y conserva los ortostatos y la laja cobertera. La investigación fue llevada a cabo a partir de 1962 por Francisco Jordá Cerdá (datación: 4.000 ± 3.000 a.C.).

233: Conjunto de artefactos propios del Neolítico: puntas de flecha, hachas de mano, raederas, raspadores, percutores, buriles... El Neolítico en Asturias fue bastante tardío, lo que significa que se solapó en la práctica con la actividad de los cazadores-recolectores del Paleolítico superior. Algunos arqueólogos lo sitúan entre el 6.000 ± 3.000 a.C. Pero otros concretan más: (4300 ± 2500 a.C.). Las comunidades neolíticas apostaron fundamentalmente por una economía de base ganadera que requirió la disposición de amplias superficies de pasto y, en consecuencia, la progresiva deforestación de su entorno (De Blas Cortina, M.A.: 1983; Arias Cabal, P.: 1991; Sánchez Hidalgo, E.: 1999); Villa Valdés: 2009).

234: Joseph Millariega en el dolmen (incompleto, sin la laja cobertera, que en su día fue dinamitada) de La Cobertoria, en La Campa de San Juan, cerca Las Gallinas (Salas) y no muy lejos de la sierra de Los Gallos (frente a Bodenaya) cuando estaba en fase de investigación. Se trata de uno de los enterramientos más importantes de Asturias que fue utilizado como necrópolis en periodos sucesivos y cuyos estratos quedaron bien definidos por los arqueólogos Rodríguez del Cueto, Busto Zapico y Lastra Alonso antes del año 2023, que determinaron que su fase principal de actividad tuvo lugar entre el 3. 800 ± 3.700 a.C.

235: Tino Cuña en uno de los túmulos de la necrópolis tumular de la Sierra de Tineo (en la parte alta de El Pedregal), asociado tradicionalmente a tesoros ocultos y conocido popularmente como La Cueva la Yalga. Las gacetas escritas y las leyendas que circulaban de boca en boca también asociaron este enterramiento con una piedra (que pudiera ser unos de sus ortostaros del megalito) bajo la cual habría un tesoro. Así recuerda Anita Fernández (Tina El Cojo) haberlo oído contar a algunas personas viejas del pueblo, versión que corrobora Luis Domínguez, el cual asegura que subieron personas del pueblo con barras, picos, palas y otras herramientas y que al darle la vuelta pudieron observar dos inscripciones en la parte hasta entonces oculta de la misma. No recuerda la primera de ellas, pero sí la segunda: 'Bendito de Dios y alabado que ya estoy del otro lado'. El asunto no tiene mucho recorrido, ya que las citas a piedras con frases de ese tipo y asociadas a tesoros de los moros son numerosas en diversas partes de Asturias, al creer que éstos, en su huida precipitada en época de la Reconquista se habrían visto obligados a enterrar sus riquezas en cuevas y bajo grandes pedruscos que fueran fácilmente reconocibles a la hora de su regreso (que nunca se produjo). Estos doce túmulos funerarios fueron concienzudamente expoliados por los ayalgueros en el siglo XIX, apreciándose en muchos de ellos grandes fosos de saqueo. Carmen de la Cera asegura que el conocido como Cueva la Yalga se dice que sirvió de parapeto ante el avance de las tropas franquistas durante la guerra civil y que también se depositaron en su hueco animales muertos, razón por la cual aparecieron con el paso de los años en el mismo algunos huesos.

237: Dolmen de El Baradal, sin la laja cobertera, al lado del cual aparece el abuelo materno de Mari Paz García González, Manuel González La foto fue tomada por el cronista oficial de Tineo, el recordado Julio Fernández Lamuño. Fue descubierto en 1951 a las afueras de El Baradal, en un pequeño valle situado a un nivel más bajo que las casas del pueblo. Desgraciadamente, fue destruido en su mayor parte poco después de su localización, aunque gracias a la intervención de Luis Tenreiro, que ejercía como maestro nacional en Tineo, se logró evitar su total expolio. Las primeras labores de excavación y cribado de las tierras removidas durante el saqueo fueron realizadas por Francisco Jordá Cerdá, hallándose solamente una pequeña hacha de cuarcita oscura del periodo achelense, una piedra de afilar, una piedra de molino de mano y un ídolo de arenisca de forma parecida a un pentágono con aristas redondeadas, decorado en ambas caras con pintura roja violácea. Algunas personas que intervinieron en su devastación reconocieron haber encontrado unas estrechas y largas lajas de piedra, similares a cuchillos, que no fue posible recuperar (Jordá Cerdá: 1962 y 19884; Enciclopedia Asturiana: 1970; Enciclopedia Temática de Asturias: 1984).

239: Otra toma de Tino Cuña en el túmulo conocido como La Cueva la Yalga.

241: El molino de mano del Neolítico representó un gran avance en la preparación de alimentos. Consistían en dos piedras planas, una sobre la otra, utilizadas para moler granos y semillas.

243: El autor de este libro ante los restos expoliados de un dolmen en la necrópolis megalítica de Penausén (La Bouga, Salas).

245: Bifaz de cuarcita oscura encontrado en el dolmen de El Baradal, perteneciente al periodo achelense, que en Asturias abarca una franja de años que va de los 500.000 a los 300.000. Se exhibe en el Museo Arqueológico de Asturias (Foto de Xulio Pombar). Mari Paz García González (cuyas contribuciones a este libro fueron muy importantes como se puede ver a lo largo del mismo) realizó una visita a dicho Museo

Arqueológico para comprobar su datación, constatando que el mismo pertenece al Paleolítico inferior y que a través del C14 se le ha atribuido una cronología de entre el 300.000 y el 90.000 BP (antes de Cristo). Si no fuera por los miles de años transcurridos cabría pensar que el hacha bifaz era un legado de los antepasados, porque al ser sus bienes tan escasos algunos de ellos se solían legar de generación en generación, sobre todo ciertos artefactos de caza, de trabajo o bien abalorios. Pero todo apunta a que la herramienta fue encontrada por los hombres del Neolítico que poblaron la zona de El Baradal hace unos 3.500 años. Y como para estas culturas tenía gran importancia el rito y el mito, con mucha probabilidad abrigarían la creencia de que aquel pedernal contenía el alma de sus antepasados. Lo vimos mucho antes con los neandertales en la cueva de El Sidrón (Villaviciosa) donde en alguno de los 13 individuos hay señales de canibalismo. No se puede descartar una hambruna y que en ese caso excepcional consumieran los cadáveres, pero todo apunta a cuestiones rituales: devoraban a sus enemigos para arrebatarles el espíritu y también, por el mismo motivo, a aquellos individuos de su tribu que habían sido grandes guerreros y sobresalientes cazadores. La prueba de que los Homo sapiens de la zona de El Baradal y Ordial valoraban tanto el hallazgo del bifaz achelense es que lo depositaron junto con el ajuar funerario de sus cadáveres o de las cenizas de estos (la inhumación se alternó con periodos de incineración). Para ellos fue un elemento totémico, pues ya tenían una industria lítica con una tecnología mucho más avanzada, como la aziliense, con numerosas y prolijas subdivisiones regionales, caso del pico asturiense. El Modo 2 achelense es el segundo en perfección, tras el olduvayense, cuya datación es muy anterior en el tiempo (1,8 crones ± 800.000 años)

246: El dolmen de El Baradal desde una nueva perspectiva (Cortesía de Asturgeografic).

247: El que fuera alcalde de Tineo, Ramiro Mon (en el centro) visitando el dolmen de El Baradal. La fotografía fue cedida a Mari Paz García González por Julio Fernández Lamuño, siempre preocupado por preservar la historia y tradiciones del concejo.

253: 'Aquí se me puede ver entrando al Museo Arqueológico de Asturias (García González, M. Paz: 2025) para comprobar la datación del hacha bifaz de El Baradal (el pueblo de mi madre) y fotografiarla. La utilizaron en el Paleolítico para cortar, rasgar, raspar y rematar presas en las cacerías. Se confeccionaban con sílex o cuarcitas a base incisiones precisas con otra piedra más dura. Después se perfeccionaba y se le sacaba filo con ligeros golpes secos con asta de ciervo. No siempre encontraban el material para su confección cerca de su asentamiento, lo que no era un problema, pues al ser cazadores-recolectores estaban acostumbrados a hacer grandes desplazamientos'.

(Reseñas, fotografías y pies de foto: Joseph Millariega y Mari Paz García González).

12

Cuando el trabajo desde niño forja el carácter

La historia de este libro se retrotrae al mes de octubre de 2022, que fue cuando vi en las redes sociales una reproducción del programa de la RTPA 'Pueblos' y, a la vista de las experiencias contadas y de que era mi tierra de nacimiento, inserté un comentario en el sentido de que sería bueno escribir un libro de la parroquia. Todavía entonces fluctuaba en mí una especie de pasión por recobrar la historia olvidada de algunos núcleos rurales... Una euforia que, en parte me ha abandonado, debo reconocerlo, fruto algunos desengaños con otros Homo sapiens coetáneos y también por la falta absoluta de apoyo de las instituciones, tanto públicas como privadas. Y no me refiero a los ayuntamientos, que trabajan siempre económicamente bajo mínimos y hacen milagros, sino que a órganos del Principado y del Gobierno central, que, indolentes ante las tibias y discretas peticiones de investigadores particulares como yo, siembran los euros a paladas para propaganda, chiringuitos y personajes 'de la cuerda', cuando no lo afanan directamente... Hecho este pequeño inciso (quizás extemporáneo, pero sincero) y apuntada la conveniencia de un volumen que recogiese en la medida de lo posible una parte de la historia, recuerdos y vivencias de mi parroquia de nacimiento (interés acentuado por razones afectivas, como es obvio) me respondió rauda Ana Isabel de La Carrina, animándome en la confección de dicho texto y poniéndome, un tiempo después, en contacto con Jacinto García, el marido de Karina Peláez, la hija de Francisco Peláez Bermejo (mi antiguo compañero de escuela, ahora con 72 años) y Aurora Rodríguez Menéndez (61 años), de Casa Sico, donde posteriormente iba a ser recibido con todo la

fraternidad y el afecto propios de esa familia y de la buena gente de este pueblo, dando comienzo a las investigaciones y al diseño de sus líneas generales. Tuve la suerte de conocer a la abuela Leonides, que se encontraba todavía con aparente buena salud (en lo más alto de la pirámide de población) y que fallecería no mucho tiempo después, a los 90 años. Y también a Carlota, la pequeña hija de Karina y Jacinto, que me auscultaba con interés, supongo que desde la extrañeza e inocencia de una niña de tan solo 7 años (en la base de la mencionada pirámide poblacional), en el polo opuesto que su bisabuela Leonides, una vida que se fue y otra que, en sus albores, lo tiene todo por descubrir y a la que deseo lo mejor. Después Jacinto (emprendedor, noble, sincero y sencillo) me llevó a visitar a una serie de familias de El Pedregal, de las que recibí las primeras impresiones favorables sobre el proyecto y apalabré ya algunas entrevistas. Por tanto, así fue como empezó todo...

Francisco: De la escuela me acuerdo de ti (del autor de este libro), de tu hermano Roberto, de Antón, de Miguel de Nico, Pepe Sabino... También de Pepe Xenral, Paco y Pepe Pedrón, de todos... Cañedo, el maestro, nos daba con la vara y con la regla (algunos llevaban las varas de casa). Yo taba junto a

Antón de C'a Nico, que era de hacer trastadas en la escuela, pero después a él no le pegaba y no sé por qué... Cañedo venía muchas veces desde La Pereda al Pedregal en la caja de La Mantequera, junto a los bidones de leche, aunque después ya compró coche. Soplaba algo y por la tarde se dormía sentado encima de la mesa. Había ocasiones en que cuando iba llegando la hora de marchar lo despertábamos nosotros. Pero era muy buen maestro: para él era sagrado escribir bien y dominar las cuentas.

Aurora: ¿Castigaba a los nenos? ¿Algún castigo así gordo...?

Francisco: El mayor castigo que yo vi fue a Marcelino, de La Miriega ¿Te acuerdas?, *me pregunta a mí, J. Mill.* Le digo que no... Pero Joseph, ¿no recuerdas a Marcelino y a Juan aquí en la escuela? ¿No...? Pues también venía andando desde Bodenaya Ceferino, al que Marcelino (y posiblemente Juan) lo apedrearon al pasar por La Miriega. Y al otro día el chaval se lo contó al maestro...

Aurora: ¿Venía uno de Bodenaya?

Francisco: Sí, porque quedara atrasao de la escuela. El caso es que, como te digo, le lanzaron piedras en La Miriega y al día siguiente se quejó a Cañedo, que les pegó una buena camada de ostias a cada uno... ¡Pero muchas! Yo creo que eran Marcelino y Juan...

Aurora: ¡Uy, uy, uy...!

Francisco: Yo aquello... era pasarse ya ¿eh? Porque lo de ellos estuvo mal, pero tampoco había por qué pegarles aquella mayada. Y los padres de ellos nunca dijeron nada: a la escuela no vino nadie a reclamar...

Aurora: ¿Y había castigos de dejar a los nenos sin comer?

Francisco: No, no, de eso no...

Aurora: Es que a veces ese tipo de castigo se practicó en algunos colegios. ¡Anda, menos mal!

Francisco: ¿Qué sí cantábamos el 'Cara al Sol' en la escuela? ¿Qué es no te acuerdas tampoco Joseph? ¿Ah, no? Pues, sí, sí...: <Cara al sol con la camisa nueva que tú bordaste en rojo ayer...>. Nos mandaba Cañedo cantarlo bastantes veces dentro de la clase...

Aurora: Creo que en mi escuela también se cantó alguna vez...

Francisco: El tiempo que estábamos de recreo en la escuela yo tenía que sacar el cucho y meter roza pa la cuadra. Si es que había cucho que sacar, claro... Yo casi nunca jugaba como vosotros en el recreo: al estar la casa enfrente de la escuela me llamaban para hacer cualquier trabajo... A veces me quedaba enredando, pero enseguida salía mí buelo Paco (Francisco Peláez Prieto) por una puertona que había aquí debajo y decía

'¡Eh, ven acá...!' Claro, la casa está enfrente del edificio de la escuela y tenía que ir... Y me decía: 'Tienes que hacer esto, esto y esto...' Principalmente, sacar cucho y meter roza... ¿Qué si me ensuciaba con el cucho? Bueno..., algo siempre te manchas, pero yo tenía que entrar en la escuela igual. Y cuando había que hacer la sementera del maíz, del trigo o de lo que fuera, me quitaba de la escuela pa ir delante de las vacas o de los bueis. 'Hoy nun puedes ir a la escuela, hoy tienes que ir a cuyer las vacas', me decía. Ya fuera al Payarín, a La Canar o a cualquier otra finca. A mí me quitaban de ir a clase, aunque a los nenos de esta casa de enfrente, los de Campanero, jamás tengo entendido que los sacaran de la escuela ni un día para trabajar en el campo ¡fíjate tú...! Y en cuanto a las vacas, tenía que ir a buscarlas (a las 12 que cabían en la cuadra) al prao al salir de la escuela... Y después había que trabajar en la cuadra, ordeñar y todo eso... Entregábamos la leche para una cooperativa que hicieran varios del pueblo, cuyo fundador fuera Raúl de Felipón. Mi padre era socio y bajábamos dicha leche a bidonaos a la carretera. La recogía, sobre todo, Reny Picot... También iba con mi padre al molín de la Casa del Pueblo (que estaba dentro del edificio de dicha Casa, al lado de la iglesia) pa hacer harina pa las vacas. Y a última hora del día a veces bajaba a jugar un poco con los otros nenos al patio del carbayón de la iglesia y si no subía a la hora que me marcaban cerraban la puerta con un cerrojo y quedaba fuera de casa. Entonces, yo estaba siempre pendiente y preocupado, sin disfrutar como los demás... ¡Hasta me parecía oír

el sonido de dicho cerrojo a veces! ¡No sé cómo me arreglaba para hacer los deberes del colegio!

Aurora: ¿De quién era el solar de la escuela?

Francisco: De Paco Sico, que en aquellos años intentó negociar con el Estado (ofreciendo incluso una cantidad) para que la llevaran a otro sitio y dejaran libre el prao... ¡Pero no hubo nada que hacer! Se cerraron en banda en que tenía que ser ahí y se lo expropiaron.

Aurora: Pues nosotros siempre sufrimos las consecuencias, pero nunca nos quejamos...

Karina: Cuenta cómo fue la Primera Comunión...

Francisco: La hice a la vez que varios del pueblo; con Antón de Nico del Couto, Palmirina Xenral, Esther y Tere Constante, que recuerde ahora... Llevaba una ropa casi del uso diario: una

prenda de cada color... Además, el crucifijo y el libro eran prestados por Ramonín de la Namorada.

Karina: No te olvides de contar que fuiste un actor precoz...

Francisco: Ah, sí, sí... Hacía teatro con los compañeros del colegio, dirigidos por el cura Don José Luis García Vigón. La primera obra la representamos en Villatresmil. También actuamos en El Pedregal y en Brañalonga. Íbamos en autocar y el sacerdote no nos daba nada de lo que recaudaba.

Francisco: A las ferias también me tocaba ir con mi padre y mi buelo, porque antes se vendía muy poco por las cuadras. Venían algo los tratantes, pero de ralo en ralo: no era como ahora que tan por ahí todos los días... Una vez fuimos a la feria de San José (Tineo) con tres parejas de bueis y ¡no vendimos ninguno! Era una época en la que los bueis pegaran un bajón de precio y los tratantes no compraban porque debían perder dinero. ¡Yo qué sé! Los carreteros también iban ya perdiendo empuje. Aunque poco tiempo después empezaron a subir y vendimos las tres parejas...

Aurora: Para esto de la ganadería y del campo hay que controlar bastante: hay que tener buenos conocimientos, pues nunca fue fácil...

Francisco: ¿Qué cómo era un día de nuestra vida cuando estaban mis padres y mi abuelo? ¡Trabajando como unos burros todo el día!

Aurora: A los 9 años Francisco segaba maizón...

Francisco: Maizón y maíz... Porque se sembraba maíz para enrestrar. ¿Sabes lo que es enrestrar? ¡Ah, que te tocó de neno en C'al Tilio de La Miriega? ¡Claro, en la sala de la casa, que taba toda a un andar! Yo conocí a Pepe Tilia... Una vez se le metieron los burros y caballos de Xuaco Carlotona el de Buspaulín en el prao de la Casa de Arriba, en Las Aurales y entonces Pepe requirió a Xuaco pa que lo indemnizara. Pero Xuaco no quiso pagarle nada y terminaron en el Juzgado de Tineo. Pero antes Pepe Tilia había llamado a la Guardia Civil, personándose una pareja en La Miriega, que requirió a los dos para ver cómo era el asunto y quien tenía razón. Uno de los guardias estaba leyendo un artículo de un Código y parece que Pepe no estaba muy de acuerdo con lo que decía, por lo que le arrebató el libro de las manos diciendo: '¡Traiga pacá! ¡Código ya este! ¡El que val ya este!', mostrándole un Código Penal de su propiedad, por el que era famoso en la zona, ya que lo invocaba a menudo (yo llegué a verlo un día). Mientras tanto Xuaco Carlotona

protestaba a los guardias con palabras entrecortadas, atinando solo a decir: '¡Es que, es que, es que...!'. Y Pepe le replicaba diciéndole: '¿Es que qué? ¡Es que nada, borrego!' (risas). Pepe Tilia tenía un pollín y cuando entraba en discusión con alguien, que no se podía arreglar de buena manera, montaba en el burro y tiraba camín arriba por Degollada y La Brañina pal Juzgado de Tineo. Parece que en este litigio Pepe sacó algo de dinero por los destrozos causados en el prao por los animales de Xuaco. Yo iba mucho con mi buelo a echar las vacas a un semental que tenían en C'al Cagarato y nos acercábamos a verlo. Algunas veces lo encontrábamos sentao en una banqueta en la sala grande de la casa.

Aurora: ¿Y después de la escuela?

Francisco: Al terminar la Primaria seguí aquí en casa con el ganado hasta que fui a hacer la mili a El Ferrol durante 16 meses. Me tocó en Marinería, pero no estuve en ningún barco, sino que en la montaña de Mougá, porque había hablao con una chica de El Crucero que taba casada con un comandante de Intendencia y fue él quien me buscó el destino en tierra.

Aurora: ¿Pero no estuviste dos años antes en Madrid?

Francisco: ¡Ah, es verdad! Estuve trabajando de camarero en un mesón de la calle Manuel Fernández y González, cerca de

Las Cortes. Vivía en una pensión y me arreglaba bien: me sobraba dinero...

Aurora: Como no tenía a quien mantener se defendía bien... ¿No te mandaban nada de casa?

Francisco: No, no, nada...

Aurora: ¿Tenías coche ya...?

Francisco: Sí, el coche lo llevé pa Madrid, un 'Seat 1430' que ya lo comprara antes de ir pa la mili.

Aurora: ¿Tenías ya 18 años?

Francisco: Sí, cuando lo compré ya tenía el carné. Había poco que lo sacara...

Aurora: ¿Y había muchos coches en El Pedregal o solo el tuyo?

Francisco: Bueno, sí, había... Pero, claro, como el mío creo que no...

Aurora: ¿Y con quién salías por ahí en el coche?

Francisco: Bueno... Salía mucho con Pepe Romanín, con el que más... También con Pepe Xenral, que tenía un 'Morris 1100'...

Aurora: ¿Y de por la Miriega no iba nadie contigo?

Francisco: Bueno, iba Antón de C'a Nico y... ¡depende! También íbamos al cine en una moto que tenía Pepe Xenral, una que la comprara a Francisco el de El Canarón

Aurora: ¿Los dos en esa moto?

Francisco: Sí, los dos, claro... Había dos salas, el Marvi y El Mirador. ¡Hasta poca luz tenía la moto para andar de noche! Pero él veía igual, aunque fuera sin luz... También íbamos y veníamos a Tineo en bicicleta y sin luz.

Aurora: ¿Tú cuántas bicicletas tuviste?

Francisco: Tuviera dos...

Aurora: ¡Eras un privilegiao!

Francisco: ¿Privilegiao por las bicicletas? No, no... ¡De aquella ya había muchas! En Tineo las dejábamos en una casa donde El Cordobés picaba leña.

Aurora: ¿En la carretera de Cangas?

Francisco: Da a la carretera de Cangas, pero entrábamos por detrás. Había un enrejao viejo y vivían allí unas mujeres a las que pedimos permiso para dejar allí las bicicletas... 'Sí, muninos, ponéilas ahí, que naide vus anda n'ellas', nos dijeron. Y la verdad es que nunca nadie las tocó...

Karina: Después de los dos años en Madrid regresaste a El Pedregal y hacías trabajos con un tractor, ¿no?

Francisco: Sí, sí... Después de venir de Madrid salía al jornal con un tractor que tenía (marca 'Carraro'). Araba tierra, empacaba hierba, sacaba patatas... Iba por casi todos los pueblos

del concejo: Santa Eulalia, La Pereda, Orrea, Sangoñeo, El Espín…

Karina: ¿Y por qué salías a trabajar afuera?

Francisco: Porque era joven y quería tener dinero para salir...

Karina: ¿Y recuerdas algún reconocimiento o premio en la juventud?

Francisco: Fui a un Concurso Nacional de Ordeño a Mano de Avilés y quedé el octavo. ¡Y eso que había mucho enchufe! En relación con esto se me viene a la mente que hubo un tiempo en que ordeñábamos tres veces al día. Nos vinieran a dar un curso la PPO (Promoción Profesional Obrera), pero aquello quedó en nada, porque las vacas se desgastaban demasiado y además daba mucho trabajo.

Karina: ¿Tienes en el recuerdo algún trabajo en el que te hayas tenido que esforzar mucho?

Francisco: ¡Habría tantos que no acabaría! Pero, así de pronto, me acuerdo especialmente de dos. Ayudé a mi padre a hacer la sepultura de hormigón del cementerio. Apionábamos Manel de La Carrina y yo. Subíamos el cemento a carretillaos. Yo subía tirando de una cuerda por delante y Manel por detrás empujando la carretilla. Abonamos también la sierra de lo que hoy es parte del Polígono de La Curiscada. ¡Muchas piedras sacamos de allí pa el pozo de Los Llanos! Los terrenos que íbamos preparando los cerrábamos con postes y alambre y luego la Guardia Civil nos lo volvía a abrir. Tuvimos varios juicios hasta que al final nos dejaron explotar las parcelas.

Karina: Pero tuviste otro encuentro no muy agradable con la Guardia Civil...

Francisco: Sí... Una vez estábamos sacando patatas en La Veiga y me mandaron amenar dos vacas hasta casa y en la carretera me pararon dos guardias civiles y me preguntaron: '¿Cómo se llama tu padre?'. Antonio Peláez Pertierra, les dije. '¿Y cómo se llama tu buelo?'. Francisco Peláez Prieto, aclaré. 'Pues que baje uno de los dos (me ordenaron) a las 8 de la tarde a la taberna de Paco (Bar El Coxo).' Y les pusieron una multa de 50 duros por vaca, 250 pesetas en total, por llevarlas sueltas ¡No me gusta contar estas historias tristes!

Aurora: Bueno... Y después de todos esos avatares viene lo agradable, pues ¡me conoció a mí en Fontalba! Fuimos novios durante un tiempo y después nos casamos en la escuela del pueblo (pues la capilla estaba en obras) e hicimos la comida en Casa Lula de El Crucero. Era el año 1983 y fue mucha gente de por aquí...

Francisco: El tiempo estuvo regular, ya que ese día llovía. Bueno, casi nevaba...

Aurora: En Fontalba éramos cuatro chicas de entre 16 y 18 años. Y como no nos llevaban a ningún lado hacíamos baile allí con un tocadiscos ¿Qué dónde? Pues había un paisano en el pueblo que tenía un baruco al que iban los hombres a echar la partida. Y donde la casa vieja hizo después una especie de garaje, un chigre improvisado con un tablón como barra del bar y allí nos organizábamos... No solo venían chavales de por aquí, sino que también de El Pedregal y alrededores, a unos 25 km. Fue el caso de Francisco, Ladio de La Miriega, Lorenzo, Nando del Couto, Toni Navariego, tú hermano Roberto y Jaime, de La Espina, que eran muy buenos mozos los dos.

Francisco: Antes por los pueblos había mucha gente joven y el ambiente era grande, sobre todo los domingos en Fontalba, que era cuando íbamos a cortejar. Con un acordeón o un tocadiscos se preparaba enseguida un baile. Había muy buen ambiente: nunca un enfado ni una pelea. Sólo recuerdo una ocasión en la que una chica le tiró con un zapato a un chaval.

Aurora: ¿Qué por qué iban tantos mozos pa Fontalba? Porque las cuatro éramos muy curiosas y no teníamos vicios, pues cuando los viejos acababan de echar la partida, ¡nosotras delante de ellos pa casa!

Francisco: ¡Nosotros también éramos formales: por eso íbamos!

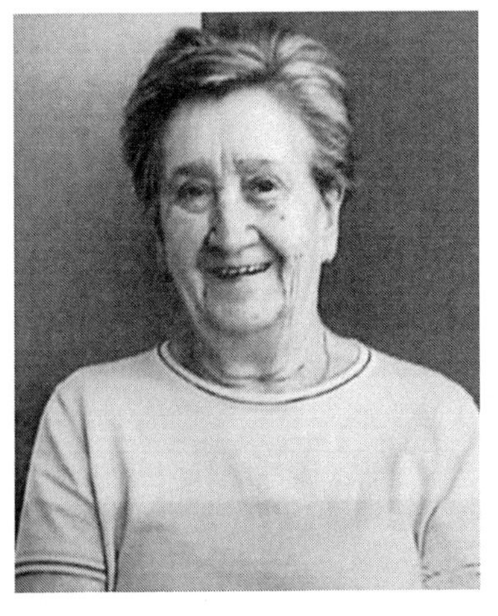

Aurora: ¿La vida después de casados? Vinimos p'al Pedregal y ¡hala, a trabajar con pocas comodidades, porque aquí no tenían ganas de gastar dinero en mejoras y tuvimos que ir tirando por la vida con unas 25/30 vacas... Francisco tiene un hermano once años menor que él, Pepe, pero eran de aquella como el día y la noche...

Francisco: Tenemos una cabaña en Los Rozos y las vacas estaban repartidas entre los dos lugares. Las de Los Rozos las atendía mi padre cuando vivía.

Aurora: Nuestra hija Karina no quiso saber nada de las vacas, pues nunca le gustaron... ¡Bueno, pa las vacas siempre hay tiempo! Se licenció en Ciencias Económicas en la Universidad de Oviedo, es asesora fiscal y en la actualidad concejala de Servicios Sociales y Hacienda del Ayuntamiento de Tineo. La gestión municipal es complicada, porque hay que intentar servir de la mejor forma posible a los vecinos y vecinas. Tiene bastante complejidad y además hay que convivir y lidiar con la oposición...

Karina: Yo quería haber estudiado Psicología, pero ya ves que terminé haciendo Económicas...

Reseñas fotográficas:

Página 255: Leonides con Carlota poco tiempo antes de que la bisabuela falleciese. Fue la última foto que hicieron juntas.

256: Francisco el día de su Primera Comunión.

257: Francisco y Aurora en una fotografía reciente.

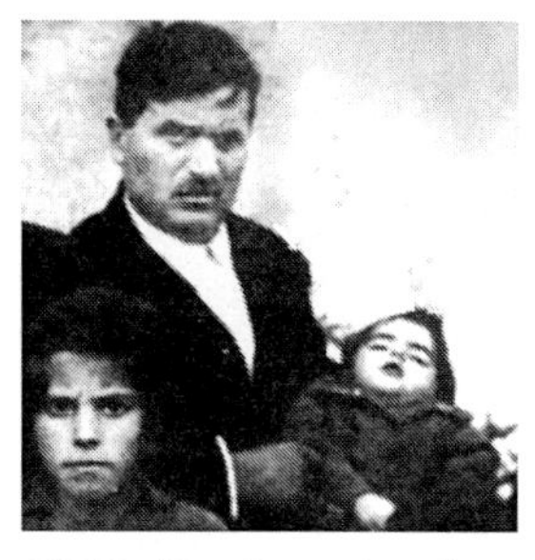

258: Funeral de la niña María Dorinda Peláez Pertierra, hija de Francisco y Celestina, nacida el 10 de julio 1932 y fallecida el 31 de marzo de 1934. En la foto, circunspectos, Francisco Peláez (con el cadáver de María Dorinda en brazos), Celestina Pertierra y sus hijos Francisco, José, Vidalina, Jovita, Libia, Antonio y la hija difunta

259: De izquierda a derecha, Jacinto, Karina, Leonides, Carlota, Aurora y Francisco.

260: Los familiares se muestran apenados ante el féretro de la malograda niña.

261: Francisco cuando se hallaba cumpliendo el servicio militar en El Ferrol.

262: Leonides Bermejo y Antonio Peláez en la Comunión de Pepín hermano de Francisco.

263: De izquierda a derecha, Luciano, Leonides y Pepe Bermejo, todos de Casa Camuño.

264: Leonides Bermejo y Antón de Casa Sico (Antonio Peláez).

265: Aurora Rodríguez Menéndez con su hermano José.

266: Jóvenes de El Pedregal en una obra de teatro. En el centro se puede ver a Francisco Peláez.

267: Aurora Rodríguez en sus años jóvenes en Fontalba.

268: Leonides con la alegría y buen talante que siempre la caracterizaba.

269: Un recuerdo entrañable de Leonides y Antón.

13

Leyendas de fuentes, tesoros y mal de ojo

Los trabajos de prospección arqueológica (Ayuntamiento de Tineo: 2010) realizados con motivo de la instalación del parque eólico en la Sierra de Tineo depararon el hallazgo, además de varias estructuras tumulares prehistóricas, de los restos arruinados y semienterrados de los muros de piedra correspondientes a antigua cabaña situada en este paraje conocido con el nombre de El Miru'l Galán.

La excavación arqueológica de un pequeño sondeo en el interior de la cabaña ha permitido conocer, gracias a los fragmentos cerámicos hallados en el curso de los trabajos, que ésta se construyó y ocupó entre los siglos XII y XIV. Las reducidas dimensiones de la excavación solamente permitieron atisbar las características constructivas de la edificación, que recuerda a

las cabañas o casas teitadas, aún hoy presentes en los valles centrales y suroccidentales de la montaña asturiana.

Los muros de esta construcción trazan una planta ovalada del algo más de 150 metros cuadrados de superficie en la que, hacia su zona central, se situaba un sencillo hogar. Las toscas paredes se levantaron siguiendo la pendiente natural del terreno, empleando piedra local trabada con barro. Parece que los muros no alcanzarían gran desarrollo en altura y la cubierta debería consistir en un armazón de madera que serviría de base a la materia vegetal de cubrición. Quizás en relación con la sustentación de este armazón se encuentren dos hoyos de poste localizados junto al muro occidental de la construcción. Esta cabaña es testimonio del uso en época medieval de la Sierra de Tineo, seguramente con el objeto de aprovechar las óptimas condiciones naturales de este espacio para el desarrollo de actividades ganaderas, como harán después los modernos vaqueiros, cuyos pueblos de alzada son origen de núcleos rurales próximos como Las Tabiernas [o La Brañina]. Del aprovechamiento de esta sierra en tiempos prehistóricos son testigos los túmulos funerarios dispersos por ella, en los que fueron enterrados los primeros pastores que ocuparon estas tierras. Uno de estos túmulos se encuentra muy cercano a la puerta de la cabaña investigada.

Bajando desde la sierra donde tenemos la necrópolis megalítica en dirección al pueblo de El Pedregal pasamos por La Fayona, Casa Rama o Tagón y por Casa Pedrón, debajo de la cual y en una de sus fincas (al NO del pueblo) nos encontramos con la Fonte de La Plata y con la leyenda de la pita con los pitinos de oro, que en realidad no es otra cosa que una ayalga, un tesoro de los tantos que se buscaron en los siglos XVIII y XIX siguiendo las informaciones de las gacetas. Carmen De la Cera nos da cuenta de esa referencia mitológica y otro de los vecinos, Ovidio Martínez Rodríguez, de Casa Rama, que en la actualidad tiene 88 años, nos comenta que desde niño ha escuchado que en el siglo XIX y a principios del XX algunos forasteros (los famosos ayalgueros) vinieron a cavar en dicha fuente y no encontraron nada. En el lugar de dicho manantial había una considerable oquedad que en la actualidad ha sido rellenada con tierras y otros materiales de desecho agrícola, con el finde allanar la finca, aunque se puede apreciar perfectamente la fuente. Dice Ovidio que esta fontana de La Plata, junto con la de Navariego y la de Villanueva de La Pena la Liebre constituyen la línea divisoria del barrio de La Hüergola, que es su tiempo perteneció a la parroquia de La

Pereda. A este respecto es interesante el documento del año 1636 que a continuación se transcribe:

'Yo, Emilio Javier Migoya Valdés, Abogado y Notario del Ilustre Colegio de Oviedo, con vecindad y residencia en esta villa, Doy Fe: De que en el archivo a mi cargo de los protocolos de este Distrito Notarial figura un libro de apeos practicados ante el escribano don Juan Menéndez, a cuyo folio ciento cuarenta y seis se halla un apeo que transcrito literalmente dice así: (Documento de 1636, transcrito por notario, cedido **por Ovidio Martínez Rodríguez, Casa Tagón: 2025)**

La. Güérgola. Apeo. En el lugar de la Güérgola, junto al Pedregal, del concejo de Tineo y a once días del mes de abril de mil seiscientos treinta y seis años y en presencia de su merced el licenciado Manuel de Llera y Barguen [tal vez Ybarguen, *nota auctoris*] Alcalde mayor de los partidos de Cangas y Tineo= Otrosí: Juez de comisión por el Rey Nuestro Señor y en virtud de la Real Provisión del Consejo de Su Majestad con que fue vestido y ante mí, escribano y testigos, parexió presente su piedad el padre fray Bernardo de Ramos, administrador de la Congregación del [...] San Benito y Predicador y Procurador del Monasterio de San Juan de Corias y baya [a]pear el terreno de la Güérgola que está junto al de Pedregal, que es todo enteramente del dicho Monasterio de San Juan de Corias, según le está entregado por Real Carta Ejecutoria. Presentó por testigos

a Gonzalo García del Pedregal y a Antonio de la Peña del Pedregal, vecinos del Pedregal; y a Gonzalo de la Millariega, vecino de la Millariega; y a Antonio Martínez, vecino del Pedregal y a Pedro de la Güérgola, vecino de la Guérgola, *todos vecinos del concejo de Tineo*, de los cuales y de cada uno de ellos su merced el dicho licenciado y Alcalde mayor y Juez de comisión recibió juramento en forma de dicho apeo, del cual prometieron decir verdad= Licenciado Manuel de la Llera y Barguen. Ante mí, Juan Menéndez, escribano. Rubricados.

Declaración. E luego acabaron este día, mes y año y ante su merced el dicho licenciado Alcalde mayor y Juez de comisión, declarando por ante mí, escribano, los dichos hombres buenos apeadores, el dicho Gonzalo García del Pedregal dijo que es de edad de sesenta años poco más o menos y dicho Alonso de la Peña del Pedregal dijo que es de edad de más de cincuenta años y el Gonzalo de la Millariega dijo que es de edad de cuarenta años poco más o menos y el dicho Alonso Martínez del Pedregal dijo que es de edad de treinta años poco más o menos. Y el dicho Pedro de la Güérgola dijo que es de edad de veintiocho años poco más o menos. Y todos ellos declaran que no les empecen las generales de la ley= Y declaran que saben que todo el término de la Güérgola es propiedad y posesión del Monasterio de San Juan de Corias y como tal se lo vieron entregar con la casa en que vive el dicho Pedro de la Guérgola y con los cierros y por Real Carta ejecutoria al dicho Monasterio, el cual se deslinda y determina en esta manera= Déjase el camino real y toma el prado del Pontigo, que está del camino abajo, que es prado que está de la parte de abajo del dicho camino real, corta por la parte que va del regueiro que confina con el Pedregal; y del lado hacia la Millariega topa con el prado de la Jugueria, que es asimismo de dicho Monasterio de San Juan de Corias y por el lado hacia el Pedregal va por el agua del regueiro que va arriba [hacia] lo alto de la sierra y llega a las fuentes de la Brañanueva y de allí sube a la sierra arriba hasta el camino real de la sierra que va al cordal de la sierra hacia la venta de Penatecha= Y del lado hacia la Millariega topa con la fuente de Navariego y con términos de la Millariega que es asimismo de San Juan de Corias y viene por el agua abajo hasta el camino real que viene del Pedregal a la Millariega= Y así lo declaran que siempre lo han visto ser y pasar del tiempo de sus acordanzas y oído a sus mayores [y que] desde tiempo inmemorial a esta parte nunca oyeron lo contrario= Y esto es la verdad bajo del juramento que tienen hecho, en que se afirmaron y ratificaron y no firmaron por no saber y firmolo su merced el licenciado Alcalde mayor y Juez de comisión que se halla presente, Manuel de Llera y Barguen. Ante mí, escribano, Juan Menéndez'.

En boca de todos está también el tesoro de la Cueva la Yalga, en la serranía que corona la ladera del pueblo, en las inmediaciones de La Pena de La Liebre, pero se trata de uno de los túmulos funerarios de la necrópolis megalítica que vimos en el capítulo anterior, que todavía muestra un incipiente foso de saqueo. Aunque señala Ovidio Martínez que cuando se creó el parque eólico se rellenó con algunos materiales de desecho

dicho túmulo, pues, buscando la supuesta ayalga (el discreto ajuar funerario megalítico) se había excavado en su totalidad, viéndose los ortostatos y hasta en uno se ellos se podía sentar una persona con cierta comodidad. Se trataría de una de las lajas laterales de la cámara, pues la piedra cobertera (de cierre del dolmen) se cree ya había sido expoliada.

También Anita Fernández García (Tina El Coxo) refiere que siempre escuchó de niña comentar en su casa de Ondinas que en la sierra que se ve desde Modreiros (por la que discurren los canales romanos del siglo I) existía enterrado un cabrito de oro, que tenía al cuello una cadena y que ésta se prolongaba (enterrada) a lo largo de una zanja. Encontrándola se podría llegar al cabrito de oro. Parece que también fue explorada esta zona por los buscadores de tesoros que seguían las anotaciones de las gacetas. Esas son las únicas referencias mitológicas de ese tipo que he encontrado en la parroquia.

Sobre todo, durante el siglo XIX (Alonso Romero, F.: 2002) circuló mucho le leyenda de una gallina con pollos de oro o dorados que (en alguna de sus múltiples variantes) salían diariamente de una caverna y que, tras un corto paseo, regresaban al interior de su guarida. Cuando por casualidad alguna persona conseguía verlos podía apreciar cómo la gallina se transformaba en una hermosa doncella que exhibía sobre una mesa a la entrada de su cueva una serie de objetos entre los que había unas valiosas tijeras. Siguiendo el relato mitológico, parece que dicha joven invitaba al que la había descubierto a que cogiera lo que más le agradase de su *tienda*. Pero debía evitar coger las tijeras porque se seguiría de ello grandes daños.

Otra versión es la de una gallina que pone huevos de oro, pero está guardada por una serpiente, que en realidad es una moura encantada que todas las mañanas sale al exterior con una flor entre sus labios. Cualquiera que se arriesgue a darle un beso en la boca devolverá a la moura su aspecto humano y recibirá como premio a su valor la gallina de los huevos de oro, mostrándosele también el camino para llegar a un aposento en el que retozaría con la xana y en el que habría, además, una viga de oro. En Asturias se conocen incluso fuentes que llevan el nombre de Fonte da Xana porque en ella se cree que vive una joven muy hermosa que al amanecer del día de San Juan sale de la caverna al mismo tiempo que una camada de pitinos (generalmente, siete), para peinarse sus cabellos.

El origen de la relación de la gallina y los pollitos con las corrientes de agua tiene una clara explicación si reconocemos que con ese nombre se referían los antiguos asturianos a las Pléyades, un cúmulo abierto de estrellas (Millariega, J.: 2024) que podemos ver a simple vista, sin necesidad de telescopio y de manera sencilla en los cielos boreales de invierno. Reciben también otros nombres populares, como las siete cabritas o las siete hermanas... Ya Frazer. J.G. (1955) en su interesante estudio sobre el significado de las Pléyades en diversas culturas, señaló la importancia que tenía en la agricultura la aparición y emergencia de esta constelación, puesto que coincide con la llegada de la estación de las lluvias y, por lo tanto, con la mejor época para la siembra y la labranza en otoño y los cultivos en primavera; actividades agrícolas en las que el agua es un

elemento fundamental. De ahí que exista una íntima relación de las fuentes y las corrientes de agua con la gallina y sus polluelos. Para los antiguos agricultores asturianos su aparición traía la lluvia y hacía brotar los manantiales. De ahí también la circunstancia de que no se puedan atrapar esas míticas aves, pues no se trata de una realidad tangible, sino, simplemente, de una transposición de la constelación (interpretada como gallina con sus polluelos) a un lugar diferente del estelar, pero íntimamente vinculado a un fenómeno meteorológico cuya más evidente manifestación es la aparición de las corrientes de agua. Es la gallina con sus polluelos la que trae el agua; por eso, su aparición es recibida como un tesoro en la sociedad campesina cuya riqueza y prosperidad dependen de la agricultura y de la ganadería.

El fenómeno de los buscadores de tesoros (Sánchez Vicente, X.X.; Cañedo, X.:1984; Suárez López, J.:2001; Rodrigo, A.: 2014; Mill, J. 2024) no es privativo de los asturianos o gallegos que investigaban la riqueza de los moros (el término 'moro' parece hacer referencia a cualquier vestigio del pasado, siendo 'cuevas de moros' para buena parte de la creencia general los restos de minas romanas y de otras oquedades), puesto que los mismos árabes buscaron en ellas los supuestos tesoros dejados atrás por los romanos. Los ayalgueros codiciaban el Libro de San Cipriano (un grimorio de fórmulas mágicas, encantos, desencantos y tesoros, conocido con otros nombres, entre ellos el del Ciprianillo, fascículos atribuidos a San Cipriano de Antioquía (siglo III), con raíces, incluso, anteriores en el tiempo) que circularon ya con cierta profusión en varios legajos desde el siglo XVI y que aportaban recetas de magia e instrucciones para hacer y revertir conjuros, así como para localizar fortunas escondidas. El Ciprianillo contenía una lista de tesoros de Asturias, Galicia y de parte de Portugal, con localizaciones detalladas de los lugares donde encontrarlos. Mucha gente se arruinó por conseguir un ejemplar (hipotecando sus haciendas) y terminó por perder todos sus bienes, al empeñarlos para conseguir el libro y dedicarse, a continuación, a una intensa búsqueda del oro y joyas ocultas que en el mismo se citaban. No existen pruebas de que alguien prosperara económicamente siguiendo las indicaciones del Ciprianillo, pero sí rumores de que varias personas hallaron riquezas de las que no dieron cuenta por temor a que se las requisaran o robaran. Uno de los casos que se comenta por el occidente de Asturias es el de Los Cuatrinos de Brañasivil (Lavio). Se dice que, estando una mujer de la casa al cuidado del ganado en el monte, recibió la visita de unos extraños que, guiados por El Ciprianillo, buscaban una gran piedra con una marca. Como ella les dijo que nada sabía del asunto, los visitantes se marcharon, aunque, al parecer recelosos y con intención de volver. Y se cuenta que, muy al contrario de lo expresado por la buena señora, la familia de los Cuatrinos ya había reparado antes en dicha piedra y la tenía localizada, aunque nunca imaginaron lo que el futuro les iba a deparar. Así que la mujer bajó corriendo a dar aviso de la visita de los forasteros y, sin tardar mucho,

varios miembros de la casa prepararon enseguida herramientas y una mula con unas alforjas, encaminándose enseguida a la sierra. Una vez que alcanzaron el punto donde se ubicaba dicho pedernal, lograron moverlo del lugar y en el sitio donde se encontraba comenzaron a cavar, encontrando, al parecer, gran cantidad de oro. Hasta se cuenta que pusieron tanto peso sobre la mula que casi la revientan antes de llegar al pueblo de vuelta. Pues bien, este prodigioso hallazgo parece que fue lo que les permitió dejar Brañasivil y marcharse a Torrestío (León), en el Camino Real del Puerto de la Mesa, donde viven actualmente. La historia de los Cuatrinos de Brañasivil es muy conocida en el antiguo Coto de Lavio y en gran parte del occidente asturiano.

Aunque existieron en el tiempo múltiples versiones del Ciprianillo (en sus variadas exégesis: copiadas, traducidas, escitas y reescritas con fines económicos), la más popular se conoce como El Tesoro del Hechicero. (Missler, P: 2006; Arboleda Batlén, E.: 2014). La primera recopilación catalogada en papel se imprimió en la segunda mitad del siglo XVIII. Pero, aparte del Ciprianillo, lo que verdaderamente hizo furor entre los ayalgueros fueron las gacetas, pequeños manuscritos que señalaban las riquezas de los moros y los pasos a seguir para evitar los conjuros dejados atrás por éstos a modo de protección, pues no faltaban los que decían que esos tesoros estaban amparados y preservados por el diablo. Pero lo cierto es que los remedios prescritos para defenderse de las maldiciones eran retorcidos y difíciles de conseguir para un campesino de la época (que apenas disponía de lo necesario para subsistir), por lo que los ayalgueros, más prácticos, solían seguir el modus operandi de reunir al mayor número posible de colaboradores y dedicarse a cavar indiscriminadamente en el lugar y alrededores del pretendido tesoro. Así fue como se expoliaron (entre otros) todos los túmulos sepulcrales megalíticos (± 3.500 a.C.) de Asturias.

En una parroquia tan agrícola y ganadera como la de El Pedregal (Millariega, J.: 2025), no podíamos dejar de tratar un aspecto tan importante como el del mal de ojo, una cuestión que se debate entre el mito y las creencias populares sacras o paganas, pero que siempre suele estar presente cuando hay ganado bovino de por medio. Dice el antropólogo Tilley Bilbao (2012) que es una práctica muy arraigada en Asturias, donde tradicionalmente existe la creencia de que una persona puede acarrearle un mal (o una serie de males) a otra a través de la mirada (mal de ojo). Generalmente son las personas del núcleo familiar y algunos animales domésticos quienes *sufren* este mal. En los humanos los síntomas muy variados: cansancio, cefaleas, la pérdida del apetito, la tristeza o la falta de fuerza física... Y aunque generalmente se trata de afecciones anímicas, el mal de ojo puede afectar a todas las dimensiones de la vida, tanto privadas como sociales del individuo. Pueden verse afectados también todo tipo de animales productivos (pero especialmente al ganado bovino) e indirectamente los dueños de los mismos. Ante esto siempre surgen una serie de preguntas sobre el origen del mal... ¿Se encuentra en los ojos? ¿Actúan estos únicamente como canal? ¿Todas las personas tienen la capacidad de echar el mal de ojo a otros individuos? La creencia general es que el mal se encuentra en la mirada, no en los ojos (que actuarían como canal), teniendo una relación muy

directa con la envidia. No obstante, también existen otros casos en los que el mal de ojo se transmite sin intencionalidad ninguna, argumentándose que el mal reside en el ojo, no en la intencionalidad de la persona. Para ilustrar este punto siempre se refiere la historia de un hombre que, creyéndose víctima del mal de ojo, se escondió detrás de una tapia para descubrir quién era el culpable. Como también estaba observando su propio ganado vio como una de las vacas sufría un accidente al poco de haberla observado, comprendiendo de esta manera que era él mismo el portador del ojo que causaba el mal. Finalmente, el individuo decide arrancarse el ojo. El exagerado ejemplo viene a ilustrar, sin embargo, una de las dos creencias antagónicas sobre la transmisión del mal de ojo, siendo, no obstante, más extendida la de la intencionalidad de la persona y por tanto la de su culpabilidad.

Si la transmisión era realizada por mujeres, a estas se las asociaba con la brujería, suyo arquetipo sería una mujer de edad avanzada, y que generalmente vive sola o en un relativo aislamiento que podía corresponder con un estado de marginación y pobreza, que exorcizaban y sacaban el mal del filo, midiendo a la persona aojada en sus variadas dimensiones, diagnosticando el mal y prescribiendo un remedio. Si una mujer tenía la capacidad de echar el mal de ojo era debido a su maldad, mientras que los hombres que poseían esta característica eran víctimas de dicha situación. Así a la bruja se le supone consciente y responsable del mal que infunde. Curiosamente, aunque la transmisión del mal es atribuida principal mente al sexo femenino, también son las mujeres las personas que tienen la capacidad o conocimientos para curar el mal de ojo, especialmente, cuando este mal afecta a los seres humanos (como se dijo antes, sacar el mal del filo). En estos casos, la mujer que cura el mal de ojo no viene considerada como una bruja, sino como una maga o especialista, siendo una persona apreciada por la comunidad en cuanto que presta un servicio de innegable utilidad pública. Una vecina de Cezures explicaba que 'te pasaban un hilo de guita por el cuerpo nueve veces, hacían un nudo cada vez y decían la oración. Luego te colocaban el hilo en el cuello nueve días, como una gargantilla. Pasado ese tiempo te lo quitaban y ponían laurel bendito en la cocina. Cuando salía el humo te pasaban sobre el mismo nueve veces. Después quemaban el hilo que sobraba, con lo que se consumaba la extinción del mal del filo. Lo principal era el hilo, los nueve nudos, los nueve días y después quemarlo'. En este sentido, la exorcista lucha en las fronteras del bien y del mal, intentando romper la negatividad del número 9 y aprovechando su vertiente bíblica: 9 hojas de laurel, 9 pasadas del hilo, 9 oraciones, 9 nudos, 9 días atado a la ropa y en contacto con el cuerpo, porque la lucha entre el bien y el mal es constante en el mundo. No en vano en las operaciones de la numerología clásica, el verdadero número satánico es el 9. En la tradición numerológica las cifras siempre se suman hasta reducirse a un solo dígito. El número de la Bestia está asociado con el capítulo 13, versículo 18 del Apocalipsis, último libro del Nuevo Testamento. De donde, tomando el versículo 18, tenemos que 1+8 sería igual a 9, que es un 6 invertido. Y en el Apocalipsis 13:18 se vaticina que: 'Aquí hay sabiduría. El que tiene entendimiento calcule el número de la bestia, porque es el número del hombre y su número es seiscientos sesenta y seis'. Dice Begoña Rodríguez Calzón (2019) en el libro de J. Mill 'Cezures más cerca del

cielo' que <en una ocasión a una niña de dos meses que le habían echado mal de ojo se lo sacó una mujer de El Pedregal>.

Al igual que en el diagnóstico del mal de ojo en las personas, la sintomatología en los animales es muy heterogénea, pero el signo más claro es que el animal diera sangre en lugar de leche durante el ordeño (o bien esta leche mezclada con sangre), lo que en algunos lugares se asociaba a una calentura. Este episodio era tenido en ocasiones como un hecho inequívoco de la presencia del mal de ojo, algo que para la población rural de antaño venía considerado como un hecho insólito y que en la actualidad puede ser explicado por la ciencia veterinaria, pudiendo estar asociado a diversas dolencias del animal como por ejemplo la leptospirosis, enfermedad zoonótica causada por bacterias. Aunque también existen otros muchos síntomas del padecimiento del mal de ojo en la ganadería vacuna, principalmente el comportamiento anormal o poco común de las reses: el hecho de que el animal deje de comer, no de leche durante el ordeño, no obedezca a su propietario cuando habitualmente lo hace o que este haga daño a su cría sin motivos aparentes... Para ilustrarlo en muchas ocasiones los investigadores sociales sacan a relucir el ejemplo del hombre que estaba en cierto pueblo con un carro y una pareja de bueyes, pasando a su lado una vecina que miró los animales, los cuales, temporalmente, se quedaron parados y dejaron de obedecer a su dueño.

En general, el amparo o auxilio contra el mal de ojo dentro el mundo animal viene enfocado a la ganadería vacuna, ya que esta supone un bien económico inestimable para el núcleo familiar en las comunidades rurales. También existen métodos para la protección del mal de ojo en otros animales como cerdos, ovejas, cabras e incluso abejas, todos ellos domésticos y productivos para el campesino. En Asturias existen diferentes métodos para defender al ganado del mal de ojo, especialmente el bovino: humo, amuletos, regalar al animal (a un amigo o vecino por un precio simbólico y volver a comprarlo), obligar a la bruja a deshacer el aojamiento, símbolos católicos, pasar varias veces sobre el lomo de la res una vela encendida y trazando cruces en el aire, plantar un saúco en la puerta del establo, poner en la cuadra (o a la puerta) laurel bendito o muérdago...

Respecto a lo que *ut supra* Begoña Rodríguez Calzón afirmaba sobre que una mujer de El Pedregal había sacado el mal de ojo a una niña de dos meses, recuerda Anita Fernández García (Tina El Cojo) cómo escuchó en el su bar-tienda comentar en cierta ocasión por la noche a unos vecinos que, a principios del siglo XX, en una casa de El Pedregal se pasaba el agua para deshacer el maleficio del aojamiento. Y que la mujer que llevaba a cabo ese ritual introducía en un recipiente con agua unas medallas con el dibujo o la efigie de santos, de tal suerte que si al sumergir los medallones aparecían en el agua burbujas era que la persona estaba maleficiada, debiendo en tal caso beberse dicha agua para conjurar el encantamiento. Acción que se acompañaba de cierto ritual, rezos y plegarias. A este respecto la doctora en Medicina Inmaculada González-Carbajal García explica en su obra 'Medicina Creencial en Asturias: el agüeyamiento' (1983) que dicha agua debería ser llevada para el exorcismo por la persona enferma o por alguien en su nombre (si se trataba de un animal había que aportar algunos pelos

del mismo, preferentemente del rabo). Después la oficiante (en algunos casos llamada erróneamente 'hechicera', pues no era otra cosa que una sanadora que seguía un rito a la usanza de las religiones) vertía dicha agua en una taza y tras hacer tres veces la señal de la cruz con la persona aojada, rezaba un Padrenuestro. Y a la vez que hacía otras invocaciones y jaculatorias dejaba caer un amuleto (que muy bien podría ser una medalla de un santo, como bien cuenta Tina El Cojo que se desprendía de la conversación que presenció en su bar) en el agua. Si salían burbujas (los ojos de las brujas) era señal de aojamiento y o bien se bebía o bien se derramaba sobre fuego para consumir el mal, aunque el ritual tenía más variantes. La doctora reseñada, Inmaculada González-Carbajal García, también asegura que <...un amuleto muy utilizado en Asturias contra el agüeyamiento es la medalla de la Santa Regla de San Benito, cuyo origen está ligado a la gran devoción que el Santo tenía para con la Santa Cruz, sirviéndose de esta señal bendita para vencer las tentaciones y evitar los lazos del demonio. Dicha medalla presenta en su reverso una cruz y alrededor de la misma unas letras. La Santa Regla dice respecto a su uso que suelen colocarla los fieles en las paredes, cimientos y puertas de sus casas y, asimismo, pueden arrojarla en el agua que se da a las personas y animales enfermos para que recobren la salud. El agüeyamiento se atribuye sobre todo a las brujas (la creencia en ellas es una de las supersticiones más arraigadas en Asturias), por la facultad que tienen de ocasionar males al prójimo con el simple hecho de la mirada. También se piensa que, sin ser una bruja auténtica, lo pueda ocasionar alguna mujer vieja y envidiosa. Estas agüeyadoras podían ser personas completamente normales en lo familiar, religioso, social y profesional, aunque después de conocerlas se podía pensar que sus ojos eran más brillantes de lo normal, que estaban torcidos o que hablaban con segundas intenciones (mirada intensa y centelleante). Se cree que el poder maléfico lo tienen en un solo ojo, el ojo 'malo', de ahí el nombre en singular del encantamiento. De manera especial están expuestos a este mal los niños o jóvenes con excelente salud y hermosos a la vista. Curiosamente también el amor excesivo podría producir este lastimoso efecto, por lo que un niño puede quedar agüeyado si se le pondera demasiado sin decir a la vez: '¡Dios lo guarde!'. Pero no sólo las personas son objeto del agüeyamiento, sino que también los animales, sobre todo las vacas, por lo que antes de entrar en las cuadras debe decirse '¡San Antonio la guarde!'...>

Reseñas fotográficas

Página 270: Fabián Xenral y Tino Cuña en el paraje de El Miru'l Galán, cerca de La Pena La Liebre, en el lugar donde estuvo ubicada la cabaña medieval de entre los siglos XII y XIV.
271: Ovidio de Casa Rama o Tagón (Ovidio Martínez Rodríguez), al lado de su casa, al NO del pueblo y ante los verdes parajes de las vegas de El Pedregal.
272: Joseph Millariega en la fuente encantada de La Plata, en las inmediaciones de Casa Pedrón (Foto de Carmen de la Cera).
273: Adela Rodríguez y Emilio Martínez Bermejo, padres de Ovidio Martínez.
274: El abuelo de Ovidio, Manuel Martínez (Tagón) en Colombia, país al que había emigrado intentando evitar el penoso servicio militar de principios del siglo XX.
276: Tino Cuña en la zona de la cabaña medieval.

278: Los abuelos de Ovidio, Manuel Martínez (Ca Tagón) y Teresa Bermejo, hermana de La Española de Las Aurales, ambas de Casa Camilo.

280: Joseph Millariega, con la brújula en mano, comprobando la situación NO de la Fuente de La Fuente de La Plata (Foto: Carmen de la Cera).

282: Anillo romano para proteger del mal de ojo. Los amuletos romanos (Staff, LBV: 2017; Millariega, Joseph: 2025) están ligados tanto a la religión romana como a la magia, por lo que normalmente eran empleados en contextos externos a la esfera religiosa. Se basaban en la asociación de algunos tipos de gemas y piedras preciosas con determinados dioses, pero también de objetos concretos, como pendientes, colgantes y anillos de oro, plata o bronce. Así, ya en tiempos de la República romana (509 a.C. – 27 a.C.), el uso de joyería estaba regulado por ley. Las leyes de las Doce Tablas del 450 a.C. limitaban la cantidad de joyas que se podían enterrar con los fallecidos. Y en 215 a.C. la Lex Oppia prohibía a las mujeres romanas llevar encima más de media onza de ellas. La idea de que la modestia en el vestir era una virtud pervivió durante mucho tiempo en el mundo romano. Al mismo tiempo que consideraba a los hombres que portaban joyas como afeminados, como nos indican fuentes tales como Plinio el Viejo. Sin embargo, los amuletos quedaban excluidos de esa concepción, especialmente los anillos de protección contra el mal de ojo, que eran muy comunes tanto en niños como en adultos. Aunque no estaban pensados para ser llevados en la mano como un anillo normal, sino para colgarse con una cadena al cuello y portarlos generalmente ocultos a la vista. Su misión era proteger a su portador de la mala influencia de personas envidiosas, malvadas o desagradables. En ocasiones se usaban 'bullas' para ocultar dentro y transportar el amuleto, que eran unos colgantes o medallones que se ponían a los niños varones nueve días después de su nacimiento y en cuyo interior se colocaba el amuleto. Solían llevándolos hasta los 16 años, edad a la que ya que se convertían en ciudadanos romanos. Las niñas no llevaban 'bullas' sino que 'lúnulas', un amuleto con forma de media luna, la cual solo dejaban de utilizar la víspera de su matrimonio.

284: Frontispicio en el Museo del Ara Pacis Augustae de Roma (Altar de la Paz de Augusto). Miembros más jóvenes de la familia imperial: a la izquierda, el más pequeño, cogido de la mano de una mujer, lleva colgada una bulla. A la derecha, la niña más alta porta una lúnula (Foto: R. Rumora). Las civilizaciones antiguas (Unceta Gómez, L., Universidad Autónoma de Madrid: 2024) nos han dejado un buen número de objetos a los que se atribuían funciones protectoras y apotropaicas contra el mal de ojo. Hechos de materiales muy diversos (gemas, arcilla, metal o papiros, entre otros), con o sin inscripciones de textos mágicos, otorgaban a quienes los portaban cierta seguridad contra las fuerzas sobrenaturales perniciosas. De manera muy particular, el pueblo romano utilizó un número muy amplio de amuletos con forma fálica, conocidos con el nombre de *fascinum*, que comenzaron a conocerse a partir del descubrimiento de Pompeya y Herculano, y tuvieron un efecto perturbador en la moral de la época. Pero quizá la representación más llamativa es la de los llamados *tintinabula*, campanillas de viento que se colgaban en las casas para alejar la *invidia* (la mirada dañina). Los niños y las niñas constituían en su conjunto un colectivo particularmente vulnerable en la Antigüedad, para quienes los amuletos resultaban casi imprescindibles.

286: La Higa es un amuleto protector originario de la Península Ibérica que adoptaron los romanos y que con el tiempo se difundió por el mundo con diferentes nombres. Se utilizaba para ahuyentar el mal de ojo, la envidia, los celos y como protección contra las enfermedades. (Revisó reseñas: Mari Paz G.)

14

Seguir siempre adelante con esperanza

'Nací en Castro de Ayones (**María Manuela Menéndez Álvarez: 2024**). Cuando tenía un año fui pa Fastias, pa Casa Josepón, al ir mi padre pa allí de heredero, aunque él era de Flogueirúa. Cuando vino de la mili nací yo y entonces se casaron [mis padres]. Por lo tanto, en Fastias me crie y fui a la escuela con una maestra que era de Brañalonga y que se llamaba Celestina, madre de los González de La Espina.

Ya después cuando dejé el colegio fui a trabajar a Madrid de ayudante de cocina en el bar Risol, en la calle Altamirano y esquina con Princesa (sigue funcionando), pues los dueños eran de Fastias y viví en su casa con ellos. Madrid en aquellos años estaba muy bien, con mucha seguridad: podías caminar tranquilamente por donde desearas y me gustaba mucho, pero estuve poco tiempo allí, porque sobre los 16 años vine p'al Pedregal pa con una tía que era modista, Delfina Álvarez, porque quería aprender a coser. Fue cuando conocí a Galdino, que pasaba por delante de la casa con un burro, un pullo, con sombrero y catiuscas. Yo fijéme en él porque era un mozo muy curiosín... Y ya sabes lo que pasa: ¡gustábame...! ¿Lo primero que hablé con él? ¡Ay, no me acuerdo! Durante mucho tiempo, nada, porque solo lo veía ir y venir y me parecía que tenía un nombre muy raro, porque no lograba acordarme de cómo se llamaba ¡Galdino, Galdino García Fuertes! ¡Ay, Dios... no me quedaba nunca del nombre! No lo recordaba y tenía cada pouco que preguntai a mi prima. Después ya nos vimos en los bailes de

Casa El Cojo y me sacaba a bailar... ¡Yo qué iba a decí...! ¡Yo nada! En aquellos años eran ellos los que sacaban a bailar... ¡Nun recuerdo de qué hablábamus! ¡You qué sei! De las cosas de la vida diaria... ¡Antes no se decía nada, Josín! ¡Hablábase lo que había que hablar!

Cuando yo era una chavala íbamos a Casa Floro [†], el pariente tuyo de Fastias, que tocaba muy bien el clarinete en el bar y bailábamos al son de esa música ¡como you sei quei...! Cada quince días había baile ya iban muchos chavales de diversas partes, porque había unas cuantas mozucas curiosas: llegaban de Ayones y de otros muchos pueblos...

Estuvimos dos años de novios, pero viéndonos una vez al mes o como mucho cada 15 días, porque you después marché del Pedregal pa mi casa de Fastias y todo el verano estábamos trabajando, haciendo la hierba y las tantas labores del campo que había en esa época. En invierno iba a verme más a menudo en una moto grande que tenía, cuando había menos trabajo en el campo. Y mi padre... ya sabes lo que pasaba antes: si tabas mucho tiempo con un chico y luego te dejaba pues no estaba bien visto para la mujer. Entonces mi padre dijo que había que o casase o dejase... ¡Ya entonces, hala, casámonos! Éramos muy nuevos pal matrimonio, ¡pero you qué sei, casámonos! You tenía 17 años y él iba pa 21. No es que fuera imposición de mi padre (más bien un consejo), pues nos queríamoslo tamién. Es que tampoco en aquella época te dejaban salir como ahora, entonces era una forma, una oportunidad de cambiar de modo

de vida... Y ya despúes de casaos viniemos paquí, pa esta casa, Casa La Loba o Casa Galdino. Mi suegro y Galdino de aquella eran albañiles y trabajaban por fuera. Aquí taba mi suegra que tenía cuatro vacas...

Los mejores recuerdos que tengo con Galdino son de ir al baile a La Dorada: igual fuimos casi veinte años. A mí me gusta bailar y él era muy buen bailarín. Bailábamos de todo: el tango no lo sabíamos perfecto y eso... pero nos defendíamos. Yo más bien seguíalo... Hombre, rock and roll y eso no lo bailábamos, pero pasodobles, cumbias, ¡de todo...! Nos éramos más bien de cordión, ya teclao, ya deso...

Despúes cuando mi suegro se jubiló Galdino dejó de salir pa fuera de albañil, porque parez que'i aburría al quedar él solo haciendo obras. Además, tuviera un accidente ya quedara sin una vista y yo creo que si no fuera por eso él nunca se habría decidido a seguir con las vacas, porque aquí tampoco había mucho terreno. Tenía una gran afición por los camiones (y los coches), lo apasionaban, pero conducir era imposible por la pérdida del ojo cuando era más joven. Tuvo un accidente de bastante mala suerte, cuando llevábamos diez años de casaos

(tenía nuestra nena ocho años). Fue enganchando un rotovator a un tractor: no encajaba bien la bola y le dio con un martillo, con tan mala fortuna que le saltó una china al ojo. Estuvo ingresao y se la sacaron, aunque después tuvo un desprendimiento de retina y quedó que nun vía prácticamente nada...

Pero bueno... son cosas que te trae la vida y que hay que aceptar porque no queda otra... Entonces, volviendo a cuando Galdino dejó de salir como albañil, echamos más vacas: decidimos aumentar en la cuadra vieja (al otro extremo del huerto que tenemos aquí) a unas veinte vacas.

Pero ya cuando en 1992 se casaron Mirta ya Paco (Francisco Lorences Riesgo) tuviemos oportunidad de comprar un terreno e hicimos la cuadra nueva. Y más adelante volvimos a comprar más terreno ya hicimos más cuadra... Ahora debemos de tener sobre 150 vacas, unas 80 de leche y el resto novillas. En los últimos tiempos siempre hubo entre 130 y 150. Empezamos entregando pa Nestlé y pa Arias... Ahora llevamos veintitantos años entregando pa la Central Lechera.

Mirta y Paco tuvieron dos hijas. Y aquí tengo que recordar algo que me come por dentro, el fallecimiento de Elsa a los 18 años justos, en un accidente de tráfico antes de llegar a Corias, cuando iban a las fiestas del Carmen en Cangas.

Galdino fue cazador desde siempre. La escopeta teníala el hermano que marchó pa Francia y como se quedó él con ella empezó a ir de caza, convirtiéndose en un gran cazador ¡vaya si

mataba jabalís! ¡Era el número uno! Un año fue el mejor de Tineo, tiene un recuerdo de esos que te dan... ¡Vese bien de menos que nun ta Galdino! ¡Ta lleno de jabalís! Y cuando no los mataba, espantábalos de las tierras... Este año fue un caso serio de lo que comieron...

Galdino fue una de las víctimas del Covid. Primeramente, usaba mucho los guantes, la mascarilla y todo eso, pero después desdejouse... ¡Ya como nun podía parar en casa! El xenro tenía un papel pa ir a ver los caballos a La Pereda, pero él taba retirau, ¡ya qué papel iba a sacar! Salía de paseo pri pa bajo, iba a casa de un pariente ahí en Ondinas a pasar un rato ya a tomar un café. Así de esas cosas...

Lo de él fue grave, lo asimilamos, pero yo desde que murió la nieta (sollozos), ¡lo de la nieta eso no puedo con ello! ¡Eso no se supera en la vida! Lo de Galdino tenía esos años, era diabético, iba a tener muchos problemas, por eso you siempre dije ¡quisiera morime you como él! ¡Sedánolu ya nun se enteróu! Entós you eso foi lo que me quedóu siempre... ¡Pero lo de la nieta eso ya imposible, imposible! Ya... gracias a este hombre, Jacinto (se emociona él también, pues está presente en la entrevista), mejorei, pues sacoume de casa, ya que nun iba a ningún lau... Sacoume a San Bartuelo, al programa de la RTPA de los 'Pueblos'. ¿Qué si ya buena persona Jacinto? ¡You quierolo mucho, mucho! (corren las lágrimas por las mejillas de ambos). Él aquí venía, ya ¡tienes quir, tienes quir...! Ya empecei a salir, ya bueno... Sí, sí, Jacinto feixo de psicólogo, ya la suegra, Aurora, tamién... Los de La Miariega, ya un hermano de la mi cuñada tamién... Hablando por teléfono, iba a tomar café con

ellos, ya fui tirando palante... Pero yo cuando voy a la fiesta toi bailando con Galdino, yo imagínome que bailo con Galdino... Me acuerdo de aquellas piezas que bailábamos los dos: además muchas de ellas siempre nos las dedicaban. En La Dorada hacían pava y él bailaba con tolas las mujeres...
Nosotros a los difuntos no vamos: difuntos, no... La nena tenémosla aquí incinerada y a él tamién... Eso ya lo mejor que hicimos, ¡no lo sabes bien! Nosotros no celebramos nada de Navidad ni nada desde el 2018, desde el fallecimiento de la nena en el accidente. Desde hay seis años... Ahora toy tejiendo la bufanda con el nombre de El Pedregal (hay más mujeres haciendo otras) para ponerlas alrededor del carbayón de junto a la iglesia, lo único... El árbol de Navidad si un día hay un nieto volveremos a ponelo otra vez, mientras tanto no... Un bisnieto mío... ¿Que qué espero yo ahora? ¡Morime! ¿Qué cúmu me voy a morir? Sí, sí, los tengo a todos que me arropan, pero ¡descansaba...! (llanto)'.

Reseñas fotográficas

Página 290: Lolita, la viuda de Galdino (María Manuela Menéndez Álvarez).
291: Placa que Galdino tiene dedicada en el monumento erigido en su honor en La Pena La Liebre, escenario de muchas de sus cacerías.
292: Mirta y Paco en las fiestas de San Bartuelo 2024 de El Pedregal.
293: Lolita hablando con Jacinto en las fiestas de San Bartuelo 2024.
294: Galdino en sus años mozos.
(Revisión de reseñas: Mari Paz García González).

15

Un auténtico motor del pueblo

No podía faltar en este libro el testimonio de la persona que últimamente se ha constituido en el auténtico revulsivo y motor del pueblo, por derecho propio: Jacinto García Fernández. Él no tiene ningún afán de protagonismo y todo lo que hace es de corazón, ya que le sale de esa esencia interior de buena persona que le invade. Ni siquiera me quería comentar que es el actual alcalde de barrio. Tanto él como otras personas buenas y eficientes se han esforzado en facilitarme las cosas para sacar adelante este libro, logrado crear entre todos(as) esa especie de sintonía que se necesita para que un proyecto fructifique y llegue, con más o menos dificultad (que siempre existe en estudios tan complejos), a su término. Pero entre todos(as) creo que estamos consiguiendo recopilar un acervo de historia, vida y recuerdos que van a constituir la memoria futura de la parroquia de El Pedregal, conscientes de que no solo será interesante para una gran cantidad de personas que valoren la cronología, semblanzas y tradiciones del pueblo, sino que para las generaciones futuras. Jacinto no está solo en este empeño, pues tiene a su lado a una gran mujer, Karina Peláez. Son padres de una hija de 7 años que es la alegría de la casa.

Jacinto: Nací y me crie en el barrio de El Pascón de Tineo con mi padre Jorge Jacinto García Vera (el Vera era el apellido de mi abuela de Murcia) y mi madre Nely (Fernández Méndez), mi hermano Jorge y mi hermana Lorena. Mi nombre y el de mi hermano coinciden con el compuesto de nuestro padre. Debo decir que no tengo muchos recuerdos de la convivencia con mis hermanos, ya que Jorge era once años mayor que yo y de muy joven se fue a trabajar a la mina, casándose a los 21 años. Y en cuanto a Lorena también me aventajaba en nueve años,

se desplazó a Oviedo a estudiar Ciencias Químicas y después fijó su residencia en Madrid.

J. Mill: Me consta que eres un reconocido conductor, pero también sé que te gustan los animales....

Jacinto: Es cierto... Mi pasión por ellos hizo que pasara mucho tiempo en la casa de mis abuelos, en el Pico de la Villa de Tineo, en especial los fines de semana. Allí tuve una pequeña granja (cerdos, pitas y algún otro animal de corral). Incluso subía para estar con los abuelos y cuidar de los animales y del terreno muchos días después de salir del colegio, a pesar de que la casa de mis padres estaba al lado del centro educativo. Así fue como comencé a quedarme en Picos de Villa más y más tiempo, coincidiendo con el hecho de que mis abuelos se iban haciendo mayores y que era más necesaria mi colaboración para atenderlos, tanto a ellos como a la hacienda.

J. Mill: Creo que ibas para administrativo, pero cambiaste el rumbo...

Jacinto: Sí, cursé un Ciclo de Grado Medio en Administración y Finanzas en el IES de Tineo, haciendo a continuación las prácticas en una asesoría de la villa, pero, tras un cierto tiempo en labores administrativas, llegué a la conclusión de que aquello no era lo mío, de que quizás no era la profesión más acorde con mis aptitudes y aspiraciones profesionales. Así que intenté cambiar de rumbo y enseguida conseguí trabajo como mozo de almacén en Alvemaco (una empresa dedicada al alquiler de

maquinaria) en su centro del Polígono de La Curiscada. Aunque más tarde ya hice repartos por las obras con una furgoneta, en una época en que la construcción estaba en auge. Posteriormente la empresa dio un curso de formación para conductores de camión y me inscribí en el mismo, obteniendo el permiso de conducir para este tipo de vehículos, con lo cual ya pasé a conducir un camión con el que llevaba a las obras los materiales que necesitaban (tableros, puntales y otros). Fue una época de cierto sacrificio al principio, porque a veces llegabas al lugar donde estaban construyendo y tenías que descargar entre el barro o en lugares inapropiados (claro, donde les venía bien a ellos) siempre que fuese medianamente accesible. Pero entrabas y después el camión no salía: unas veces te ayudaban y otras se quedaban mirando para ti... Así fue pasando el tiempo, a la vez que cumplía con el trabajo con el mayor celo con que me era posible, por lo que Benjamín, el dueño de la empresa, me pidió que hiciese el curso para obtener el carné de mercancías peligrosas, ya que en muchas ocasiones se debían

transportar, entre otros materiales, botellas para soldar (oxígeno y acetileno) y visitar muchos talleres de Asturias.

J. Mill: ¿Y cómo te arreglabas para combinar el trabajo con la atención a tus abuelos y el cuidado de los animales y el huerto?

Jacinto: Pues casi no paraba... Antes de marchar al trabajo yo ya dejaba a mi abuela todo preparado: la cocina prendida y todo en orden: así estuve varios años... Mi abuelo murió en el 2012 y mi abuela en el 2015, el año que nos casamos Karina y yo. La boda fue en abril y ella murió en octubre.

J. Mill: ¿Qué te llevó a hacer los cursos para obtener las credenciales de conductor de autobuses y trailers?

Jacinto: Tuve una grave dolencia de hernia discal, siendo operado con éxito de la misma, pero debiendo afrontar una larga convalecencia, por lo que, a sugerencia de Karina, me puse a sacar el carnet para conducir autobuses, logrando aprobar sin mayores contratiempos. Bueno, con la dedicación y esfuerzo típico de estos casos, pues tampoco resulta fácil lograrlo: desde afuera puede parecer sencillo, pero hay que estudiar bastante y después ponerse al volante de un transporte tan voluminoso. Pero la verdad es que no me puedo quejar: el esfuerzo dio sus frutos y al final hasta conseguí también el

permiso para conducir camiones con trailers.

J. Mill: Pero un poco de mérito también es de Karina y de Aurora, que te animaron...

Jacinto: Eso es verdad... Cierto es que mi suegra y mi mujer me habían apuntado esa posibilidad, pero lo cierto es que yo ya lo tenía en la mente, porque siempre me gustó el autobús. Y la verdad es que pude obtener esos carnets debido a que tuve un buen periodo post operatorio, porque en realidad trabajando no tenía tiempo a nada.... Cuando hice el curso para la obtención del CAP (Certificado de Aptitud Profesional) para llevar viajeros iba desde Tineo a Oviedo con otros dos chavales y llevaban ellos el coche, porque yo no podía ni conducir; casi ni sentarme, pues tenía que colocar un cojín en el asiento del coche debido a lo reciente de la operación. Así que puedes darte cuenta del sacrificio que tuve que hacer y de que también pasé una odisea: me llevó un año de dedicación exclusiva...

J. Mill: ¿Y cómo llegaste a trabajar en la empresa ALSA?

Jacinto: Empecé a trabajar en ALSA porque cuando saqué estos últimos carnets hacíamos las prácticas por el polígono del Espíritu Santo de Oviedo y yo veía la nave de formación de ALSA en dicho parque empresarial. Entonces nos dijo el

profesor de la autoescuela a todos los alumnos que ALSA impartía cursos de tres meses, con opción a quedar trabajando. Así que fui un día por allí, entregué el currículo y me llamaron para hacer uno de dichos cursillos. Y se da la circunstancia que cuando estaba a mitad de la formación me decía mi padre '¡Deja eso que no te va a servir de nada! ¡Vuelve para Alvemaco!'. Y yo le replicaba que ahora estaba haciendo aquello y que ya se vería... ¡Que para Alvemaco tenía tiempo a volver! Y ahora hace ya once años que pertenezco a ALSA. Estuve ocho con contratos (de un lado y para otro) y ahora llevo cuatro con base en Cangas del Narcea.

J. Mill: ¿Hay gente piensa que conducir un autobús es un trabajo 'descansado'?

Jacinto: Llevar viajeros es una gran responsabilidad: tienes que estar siempre alerta, con tensión, porque hay que estar muy atento a todo... ¿Difícil? Bueno... ¡fácil no es! Una cosa es la percepción que tiene la gente de un conductor de autobús (pues muchos piensan que vas de paseo, aunque no es así) y otra es la realidad... Tienes unos horarios y unos servicios. En mi caso, hay que salir de Cangas del Narcea y llegar a Oviedo observando rigurosamente los tiempos establecidos, para después hacer los servicios de los colegios y algún otro si surge en la jornada. Y no dependes de ti mismo, sino que de factores externos como el tráfico, el número de viajeros que transportas y otros factores... A veces, si comentas algo de esto con amigos (no como una queja, sino como simple exposición de una realidad que mucha gente desconoce) te suelen decir en plan jocoso que cómo es que me canso si voy sentado... ¿Sabes lo peor de todo esto? ¡Que hoy al autobús sube todo el mundo! Y hay personas que pierden el respeto y decoro debidos y te tienes que callar...

J Mill: ¿Cuándo conociste a Karina?

Jacinto: Karina y yo nos conocíamos del Instituto, porque teníamos amigos comunes. Pero luego pasaron los años y perdimos el contacto... Hasta que después ya fuimos trabando amistad, porque a mí me gustaba: era educada y formal. Y te voy a contar una anécdota: en una ocasión vine aquí a El Pedregal con un Seat Panda que tenía mi padre. Como estaba nevado lo tuve que dejar debajo de la cuadra de Primitivo, porque no era capaz de subir con él hasta Casa Sico. Y curiosamente el que iba a ser mi suegro, Francisco, estaba en el bar de Casa El Cojo, junto con bastantes más clientes. Y entonces le preguntaron a dónde iría yo después dejar el coche en la carretera general y emprender el camino hacia arriba. Pero Francisco azorró y no dijo nada, aunque sabía que yo iba a cortejar a su hija Karina, que de aquella estaba estudiando Económicas en Oviedo, pero cuando ella venía a casa yo iba muchas veces por El Pedregal y salíamos juntos.

J. Mill: Incluso antes de casaros levantasteis casa propia... ¡Ya se os veía con visión de futuro!

Jacinto: Es verdad, sí... Al poco de acabar la carrera Karina empezó a trabajar y cuando yo tenía 28 años hicimos una casa

(comenzamos en el año 2011) al lado de la de la de mis suegros, sobre una que ellos habían comprado a Tere Pablo. Así es: eso fue antes de casarnos y Antón, el padre de Francisco, no quería que la construyésemos, porque decía que '¡había casa bastante, que él se iba a morir y luego para qué...!'. Pero aquí había mucha gente y Nides siempre decía en broma que 'ella ya aguantaba bastante, que había que repartirse' (risas). Yo seguí viviendo en Tineo porque tenía que atender a mis abuelos, pues ya no podían estar solos. En el año en que hicimos la casa falleció mi abuelo, Manuel 'El Valenciano'. (A mi abuela la llamaban también 'La Valenciana').

J. Mill: O sea, que tu vida giraba entre el trabajo, El Pedregal y Tineo...

Jacinto: Yo venía a El Pedregal por el día y les ayudaba lo que podía, como ahora... Francisco también se había puesto enfermo de una pierna en el año 2008. Eso sirvió para que me integrase más todavía, porque como él tenía esa dolencia yo tuve que emplearme un poco más a fondo con las tareas de la ganadería.

Aurora: Fue en el 2013 cuando empezaste a venir a dormir aquí, cuando te operaste de la hernia discal y necesitabas atención...

Jacinto: Es cierto que ya tuve que venir a vivir en la nueva, porque no me valía por mí mismo. Quise traer a mi abuela con nosotros, pero fue reacia a salir de su casa. Así que estuve una temporada entre Tineo y El Pedregal, hasta que después ya acordamos casarnos en abril de 2015. Como te comenté antes,

mi abuela murió no mucho tiempo después... Nuestra hija Carlota nació en el 2017, una niña encantadora ¡y aquí estamos!
Aurora: Yo quería aprender a rezar el Rosario y a tocar las campanas, pero como tenía mucho trabajo no podía y le dije a Jacinto: ¿por qué no lo haces tú...? Y aprendió él... Aunque ahora ya no es como antes que se dejaba a los difuntos en casa, pero la verdad es que se sigue rezando el rosario en algunos tanatorios. ¿Qué si soy creyente? Si sí..., ¡muy religiosa, muy creyente! Respeto a todos, pero yo tengo mis creencias... Y entonces Jacinto aprendió a rezar el Rosario con Alicia Xacalén, aunque hay varias versiones de los misterios de la plegaria
Jacinto: A mí a veces no me es posible acudir a los velorios; en ocasiones, también me llaman de Tineo y tengo que decir que no por falta de tiempo...
Aurora: En cuanto a tocar las campanas, si no puede bajar Jacinto a la iglesia lo hago yo...
Jacinto: Hicimos la fiesta de San Bartuelo el año en que nos casamos, pero luego paramos y pasaron siete sin que la

hubiera, desde el 2015 hasta el 2022. Cuesta mucho organizarla, pues los costes pueden llegar a diez mil euros o más... Está todo detallado en la hoja que ponemos en el tablón de anuncios del pueblo. Hay que trabajar mucho durante todo el año para conseguir sacar el dinero, con venta de papeletas y otras actividades. Aparte tenemos las aportaciones de las Casas del Pueblo. Tuve que encabezar la constitución de una Asociación Cultural de Festejos, porque nos hacía falta un CIF, ya que en otro caso no se puede recibir ningún tipo de ayuda ni realizar trámites administrativos. Dicha Asociación tomó parte desde hace dos años en el desfile de carrozas de las fiestas de San Roque de Tineo con una elaborada por personas del pueblo (con un fin solamente lúdico y participativo) que representó en esta primera ocasión el campanario de la iglesia, el carbayón y el bar de Casa El Cojo. Y ya en el 2024 rememoramos los años 80 y fuimos vestidos a tenor de la época. Siempre nos acompaña en la carroza, con su sublime música, Alicia, nuestra vecina teclista.

Aurora: El pueblo está muy unido en estos últimos años. Se celebra la Navidad con un concurso de fachadas decoradas, se toma parte en el Carnaval y se está arreglando el bajo de la Casa del Pueblo. Jacinto lleva la iniciativa, pero todos le ayudan...

Karina: También hay una Asociación de Mujeres muy activa. Celebran la fiesta de la Virgen de la O. Este año se hicieron bufandas para decorar el carbayón, al lado de la iglesia. Lo que pasa es que todo esto va para abajo, ¿sabes?, porque no hay niños y eso es fundamental. Por eso se intenta apoyar un poco las actividades, para que no decaiga la vida del pueblo. Mira, por ejemplo, Carlota colaboró en la elaboración de un plato de chosco infantil que se hizo en Tineo y ganó el premio. ¡Dile qué plato presentaste al concurso, Carlota!

Carlota: ¡Canutillos relleno de chosco! (aplausos).

Karina: Le ayudamos, pero los hizo casi todos ella, Le dieron un premio de 100 euros que tiene que gastar en una actividad de aventura y quedó muy contenta y motivada para futuras ocasiones...

Reseñas fotográficas

Página 297: Karina y Jacinto en las fiestas de San Bartuelo de El Pedregal (2024).

298: En la escuela de El Pedregal: Emilio, Fran, Angélica, Cristina, Bernabé, Ladín, Héctor, Lorena, Lara, Icíar, Karina, Cristina, Silvia, Carla y Antonio con la profesora Yolanda.

299: Jacinto en sus años de colegial.

300: Jacinto con el ALSA que conduce y su hija Carlota.

301: Jacinto, Carlota y Karina.

303: Karina de dama de honor en una boda en el mes de agosto del año 1986.

304: Jacinto recibió el galardón de 'Rey de la Huerta' en El Pedregal en el año 2022.

306: Karina, Jacinto y Carlota (Fotos: Karina Peláez y J. Mill).

16

Cuando la suerte marca el paso de la vida

Un buen día, cuando ya estábamos en la recta final de los textos de este libro (pero, ya tras un año de trabajo, con varias entrevistas pendientes y aun faltando bastante pare el inicio del proceso de corrección, fotografías y maquetación), recibo una llamada de Jacinto García, indicándome que sería conveniente entrevistar también a Leonides y Luciano, de Casa Camuño, ya que también tendrían interesantes aportaciones que hacer. Por supuesto que estoy de acuerdo, pues nuestra intención es recoger el testimonio del mayor número posible de vecinos (as) de la parroquia, dentro de las limitaciones que en una publicación de este tipo hay que observar, fundamentalmente en cuanto a contenido y a espacio.

Así que un sábado de mediados del mes de octubre de 2024 aparezco en la puerta de Casa Camuño de buena estructura y planta, comprobando que ya me han visto llegar. Enseguida sale a recibirme Nides, que amablemente me hace pasar a la amplia cocina, donde me espera Luciano. Estoy unos minutos charlando con ellos de las cosas intrascendentes (de esas de las que se habla para ir rompiendo el hielo de las narraciones de historias de vida) y enseguida tengo ocasión de comprobar que me hallo ante dos

personas entrañables y carismáticas, unas cualidades a las que después tendría ocasión de añadir la del altruismo más humanitario...

Leonides Bermejo Fernández, Nides: Luciano Bermejo Fernández, mi padre, tenía otros dos hermanos: Pepe, el mayor (que sufrió un accidente en la mina) y Nides, que se casó para Casa Sico.

Luciano: Sí, cayói un leñazo na mina La Angelina cuando yo tenía 13 años. Tuvo 9 meses ingresao en Oviedo en la Clínica San Cosme, que era a la que iban los de la mina. Había que subilo y bajalo del caballo, aunque en la casa vieja el nun séi cúmu se arreglaba que se montaba solo desde una escalera.

Nides: Sí, en la casa vieja, en la escalera que había a la entrada, se ponía en un poyo y se montaba solo.

Luciano: Los brazos respondian'i mucho...

Nides: Picaba leña y andaba con las vacas para llevarlas al prao y buscarlas...

Luciano: cuando la siega de la hierba él se montaba en la segadora ya you iba cuyendo lus bueis. ¡Ya él quitaba yerba aunde hacía falta quitala, me cagun diez, con una mano!

Nides: Para algunas cosas se iba arreglando....

Luciano: ¿Los recuerdos que tengo de antes de ir a la escuela? ¡You qué séi! ¡Que nací el último, ya que nun tenían ganas de mí, pero criánunme! ¡Foi con lo que se tuvienun que arreglar! Leonides había muy poco que se casara ya José foi pa la mina pa no ir a la mili ya cayói el leñazu...

Nides: ¿Y a que no sabes lo que'i pasó el día que tuvo el accidente en la mina? Fue a salir de casa pa ir a trabajar y no era capaz de abrir la puerta...

Luciano: ¡Non, nun foi quien!

Nides: Había un pasadizo desde la casa a la panera y entonces tirose abajo por ese lugar pa salir... (Y se dio la casualidad de que cuando mi abuelo se levantó de la cama y abrió la puerta pudo hacerlo sin ninguna dificultad). Con lo cual Pepe se fue a trabajar en bicicleta pa la mina de La Angelina y bajando por La Tejera cayó al suelo y marchó en plancha un pedazo, sin que padeciera ni un rasguño... ¡Porque si se hubiera accidentado ya no iba a la mina ese día!

Luciano: Marchou arrastro ya rompeu una botella de leche que llevaba nu bolso, pero a él nui tocou nada: ¡mira qué cosas! ¡El destino! ¡De ese día acuérdome bien!

Nides: Vamos a cambiar de tema, papá... ¿Y a la escuela fuiste con Cañedo el de La Pereda o con otro anterior?

Luciano: No, no, fui con Cañedo, porque yo nací en 1939, porque Cañedo vino enseguida, hacia 1945 o así... Nos decía que las palabras las lleva el viento, pero que con lo que se escribe había que tener cuidao... Fui con regularidad a la escuela hasta los 14 años, sin que tenga nada especial que resaltar desa etapa. A mi Cañedo nunca me pegou con la regla o la vara...

Nides: A mí púsome escuela también... Home, a veces pegaba algo, pero era que lo merecíamos. Yo después fui a estudiar la EGB pa Tineo y los únicos que sabíamos hacer raíces cuadradas éramos los de El Pedregal. Ya dictados, ¡Dios te libre!, sin faltas de ortografía, que ahora pónense a escribir por whatsapp ya da dolor. Él siempre nos decía que era fundamental el dominar bien las matemáticas y la lengua pa que nun tener faltas de ortografía: que lo demás ya tendríamos tiempo a estudiarlo. Aparte de la escuela, aquí en la casa siempre había trabajo: la vida n'el campo, nun pueblo, nun ya igual que pa los de la villa o la capital...

Luciano: Después yo tuve que trabajar aquí en la casa. Cuando tenía que desplazame a algún lugar lo hacía a caballo o bien en bicicleta. No tuve coche hasta que me casei con Engracia ya tuve estos tres nenos, porque, claro, ya no era cosa de ir a los sitios en bicicleta...

Nides: Mi madre, Engracia Fernández Menéndez, falleció el 23 de julio de este año, a los 83 años. Los hijos de Félix y Olvido (mis abuelos paternos) llevan los mismos nombres que la generación anterior: José, Leonides y Luciano, además por el mismo orden y con los apellidos iguales. Yo me quedé aquí en casa y a Tanín (Luciano) supongo que lo conoces, pues es el marido de Ana Pertierra, la hija de Tino Cuña. José es el mayor. Es veterinario y está en Galicia...

Luciano: Díjome que quería estudiar pa veterinario... Ya díjei you: bueno, hombre, tú... ¡si quies, págotela! Ya fartouse a estudiar: a veces amanecía pegao a los libros... Pasaba la noche estudiando, ya víanlo ya decía alguno que si nun cogería algo mucho. Pero el neno sacoula palante...

Nides: Empezó la carrera en León y la terminó en Madrid. Está viviendo en Galicia con su mujer Julia, que también es veterinaria. Tienen dos hijos.

Luciano: ¡Home, arréglanse bien! Ya muy bueno: vien a venos cada pouco... ¿Qué te cuento de Nides? ¿Qué si toi contento con ella? ¡Home, mira, voy a decítelo pronto! ¡Tienme como a un pollo nuna incubadora! Y atiende además un montón de vacas.... Yo ahora tengo 85 años... ¿Qué no me los echa nadie? ¡Tan ahí! ¿Las comidas que faigo pa manteneme así? Como muy sano...

Luciano: Pa mí fue mejor la vejez con Nides que casi la juventud. Pero tengo que matizar que, aparte de ahora, cuando mejor lo pasei foi cuando tuve na mili en Palma de Mallorca. Y de paso conocí Madrid y Barcelona, viajando en aquella época en avión, tren y barco. Fui al fútbol a ver al Oviedo, a los toros, a

la playa y al baile por los hoteles de Palma. Guardo grandes recuerdos de aquellos años, pues también fui a un cine y a ver a Marisol en persona, que cantaba en directo...

Nides: Cuando estuve año y medio llevando a Pepe a curarse al Centro de Salud de Tineo todos los días del año. Pero un día fuimos al antiguo Hospital Universitario Central de Oviedo y nos dijo una médica: '¡Pero, bueno, este hombre está parapléjico y no tenemos historial de él! ¿Cómo puede ser esto?'. Y yo le expliqué que siempre lo llevábamos a consulta al médico de cabecera... 'Pues este señor (nos siguió diciendo la doctora) tenía que quedar aquí un par de días para hacerle un

chequeo'. Y yo le contesté, medio en broma: ¡Pregúnteselo a él: yo no sé nada...! Porque bastaba que tú dijeras paquí pa que él dijera pallá... Y entonces lo convencieron pa que ingresara unos días, que fue cuando lo examinaron y le apreciaron una úlcera, que después le operaron. Dicha úlcera llevaba mucho tiempo activa porque la infección le había llegado al hueso, por lo que le tuvieron que cortar una parte de dicho tejido óseo. Pero antes de llegar a eso, en las curas, una enfermera muy buena le metía unas cánulas para que fuera drenando. Aunque después hubo unos días en los que ella no lo atendió y cuando volvió a verlo se extrañó de que no le siguieran aplicando dichas cánulas, ante lo cual yo le dije que no lo sabía, porque el que entraba a las curas era él... Y la enfermera me encomendó que vigilara esa cuestión: 'Mira (me advirtió), hoy se la puse yo y mañana que no me toca a mí trabajar, pasas con él a la cura y si no está la cánula es que se cuelan para adentro...'. Ante lo que yo le repliqué: Pero ¡cómo se van a meter pa dentro! Y ella que sí, que sí... Así que al día siguiente entré yo con él a la cura y, efectivamente, como había dicho la enfermera, la cánula faltaba. Entonces llamé al doctor Llorente y se lo comenté, a lo que me replico que en ese caso tenía que enviarlo para el hospital de Cangas del Narcea. Por lo tanto, me extendió un volante y llegamos a Cangas, expongo el asunto y los médicos que estaban allí en urgencias se reían

de mí... ¡Sí, home, van a tar ahí dentro!, decían. ¡Nueve le sacaron! En definitiva, que fue una vida de martirio para todos. Pepe pasó lo suyo, pero nosotros también, porque todo el mundo tiene pena por el enfermo, pero hay que acordarse un poco del padecimiento, vida, renuncias y generosidad de los cuidadores...

Luciano: Así es..., como dice Nides: al enfermo hay que compadecerlo, confortarlo y ayudarlo, pero ¡hay que pasar por ello!

Reseñas fotográficas

Página 307, 309 y 312: Luciano y su hija Nides en el año 2025.

308 y 310: Luciano con su hermano Pepe después del accidente de este último (a caballo y sentado en una silla)

311: Luciano hacia 1962 en Palma de Mallorca.

313 y 314: Luciano en 1962 durante el servicio militar en Palma de Mallorca en el arma de Aviación (septiembre de 1961 hasta marzo de 1963). [Reseñas: Nides Bermejo y M. Paz García González].

17

Cuando la palabra tenía el valor de un contrato

"Antonio Rodríguez Bermejo, Antón para todos sus amigos (Iglesias, M.J.: 2011) y seres queridos, uno de los fundadores de Central Lechera y director jubilado de la Caja Rural en Tineo, falleció el pasado 27 de mayo [2011] dejando un fecundo legado al campo asturiano y a quienes lo conocieron. Quedó patente el día de su funeral, al que no faltaron compañeros de Caja Rural, ganaderos y dirigentes agrarios, que coincidieron en destacar la profunda humanidad de Bermejo y su asombrosa capacidad de trabajo. Su vida fue una lucha casi desde que nació, el 2 de noviembre de 1933 en el barrio del Cueto, en la localidad de El Pedregal (Tineo). Con escasos 4 años perdió a su padre, fallecido durante la guerra civil española cuando luchaba en las filas de Franco. Como tantos niños de la posguerra en el medio rural asturiano, desde muy pequeño se vio obligado a ayudar en las tareas agrarias y apenas pudo ir a la escuela, aunque acabó los estudios primarios. Él mismo contaba que estudiaba mientras cuidaba a las vacas en los prados de El Pedregal. Pero el joven Antonio tenía afán por saber y estudió por correspondencia varios cursos de electricidad y mecánica. A los 18 años se fue a Valladolid a hacer la mili y al regreso retomó su trabajo en el campo. Pronto destacó como portavoz de la Hermandad de Labradores de Tineo y promotor de la cooperativa agrícola que se formó en el municipio, de la que fue gerente. En medio de aquel proceso de cambios en la ganadería de finales de los años 60, Antonio Rodríguez se entusiasmó con el proyecto de Jesús Sáenz de Miera para formar una gran cooperativa ganadera en Asturias, que daría lugar a Central Lechera. Bermejo, casado con Virginia Cano y padre de dos hijos, Cora y Antonio, apoyó la idea de Sáenz de Miera y trabajó sobre todo por la zona de Tineo para captar [una parte de los] socios que integraron los 19 grupos fundadores, destacando el de Tineo, animado por el entusiasmo de Antonio, que lo presidía, una estructura que fecundó, como se dijo antes, en la Central Lechera. Sus presidentes, entre ellos Bermejo, integraron la junta rectora de la nueva entidad, que resultó fundamental para la modernización de la ganadería de leche en Asturias. En 1970 entró en el consejo de la Caja Rural y dirigió la sucursal de Tineo hasta su jubilación en 1997. También introdujo el ordeño mecánico en Tineo, a través de su empresa. Pero sus amigos coinciden en algo: su *empresa* más querida fue su familia". [La Nueva España, 9 de junio de 2011].

Virginia Cano García, 2024: 'Mi marido Antonio (para la mayoría de la gente Bermejo o bien Antón, en este segundo caso para los vecinos de El Pedregal) fue una persona que ansió mucho el poder estudiar porque por ser el mayor de los hermanos y también el más fuerte le tocó quedar en casa para ayudar a su madre. Cuentan las gentes del pueblo que recuerdan verlo ir siempre al molino que había en Ondinas subido al burro con el saco para moler y leyendo o estudiando. Se intentaba instruir en todas partes y siempre que tenía algún momento libre, hasta cuando en ocasiones estaba cuidando el ganado en cualquier prado. Esto era tan habitual y de dominio público y todo el mundo quedaba admirado del interés que tenía Antonio por los libros y por cualquier publicación provechosa. De ahí que cuando un vecino (cuyo nombre no recuerdo), en el transcurso

de un viaje que realizó en cierta ocasión, se topó con un souvenir que representaba a un niño leyendo un libro, a la vez que cuidaba una vaca que estaba pastando, compró la figura y se la regaló, como prueba de admiración. La tengo aquí en casa y la guardo como un recuerdo entrañable...

Antonio siempre decía que la vida ha cambiado mucho y que antes (en su época de director de la Caja Rural de Tineo e, incluso, anteriormente) la palabra de una persona era tan válida como un contrato. Cuenta que cuando dirigía dicho banco estaba en una ocasión haciendo unas gestiones por la calle en Tineo y que se encontró con una clienta que necesitaba sacar dinero del banco para hacer un pago urgente. Pero la sucursal ya estaba cerrada, por lo cual Antonio no podía darle el dinero en esos momentos. Al preguntarle que cuánto necesitaba, la mujer dijo que 300.000 pesetas. Entonces mi marido le dijo que si esperaba un poco iba a El Pedregal y recogía en casa ese dinero y se lo llevaba, pues tenía en el domicilio en esos momentos cierta cantidad como producto de unos cobros que había realizado de los ordeños. La buena señora estuvo de acuerdo: más que eso, ¡encantada! y, como no, esperó a que

Antonio regresara sin moverse del lugar en el que tenían apalabrada la entrega. En efecto, el bueno de Antonio llegó a Tineo con las 300.000 pesetas y las puso a disposición de la mujer, sin que le exigiera a cambio recibo alguno, salvo el compromiso de la señora de comparecer al día siguiente en el banco a primera hora para devolverle el préstamo. Así que mi marido por la mañana se encaminó a la oficina como siempre y le llamó la atención una esquela que había en un bar donde entró a tomar un café. Y según iba leyendo no podía dar crédito a lo que se reseñaba en la necrológica: ¡la mujer a la que había prestado 300.000 pesetas sin ninguna firma ni reconocimiento del préstamo había fallecido en la tarde del día anterior en su casa! No había papeles, no había testigos, no había nada... Pero no perdió la calma porque sabía que eran buena gente y la palabra de la difunta era como una escritura pública. Así que fue al entierro, dio el pésame a la familia y después no tuvo ningún problema, porque la fallecida, antes de obitar, tuvo tiempo de entregar el dinero en casa, de contar cómo lo había obtenido y de advertir que había que reponerlo sin demora. Enseguida la familia pasó por Caja Rural para arreglar cuentas con el director Bermejo. De todas formas, ¡un buen susto!

Antonio quería tanto al pueblo y al concejo que cuando me casé con él y fuimos a vivir para Luarca me decía que las compras teníamos que hacerlas en Tineo. Por ejemplo, para la ropa de los críos íbamos a la tienda de María Jesús; para los zapatos a la tienda que tenían unas señoras, para las compras de la farmacia a la de Tineo, ¡todo...! Yo tenía que hacerle una lista y me lo compraba en la villa o bien me acercaba yo, porque decía que había que adquirirlo todo dentro del concejo de Tineo; porque decía que había que dar de comer a los que te daban a ti y, a la vez, hacer patria... Es que incluso su interés por el concejo y todo lo que representaba llegaba mucho más lejos,

como podrás ver a través del ejemplo que te voy a poner. Como yo estaba en la Seguridad Social y Paco el de Bárcena de alcalde, realizaron diversas gestiones para intentar traer la Seguridad Social para Tineo y, a tal efecto, Paco se desplazó a Madrid para hablar con el director general de esta entidad y todo para intentar acercar ese servicio a los vecinos. Ofrecían gratuitamente el cine Marvi como oficina, pero no lo consiguieron. Pero fíjate tú lo que quería al pueblo que entonces se le ocurrió proponer una oficina ambulante y me decía a mí que podía ir yo por los pueblos, pero tampoco se logró... Me aconsejaba (un poco en broma, la verdad) que era una labor idónea para que yo pudiera conducir, desarrollar el servicio y favorecer al mismo tiempo a los vecinos más apartados de la capital del municipio. Aunque, como es lógico, sería una plaza que se creaba, teniendo que salir a concurso y a lo mejor no me la daban a mí, en caso de estar interesada. No obstante, cuando me lo proponía como una posibilidad, yo le decía: 'Pero ¡cómo voy a ir conduciendo por todos los pueblos! ¡Me da miedo transitar por esos sitios que no conozco, a lo mejor con carreteras estrechas...!'.

Bueno..., pues todo eso lo comentábamos cuando él barajaba el proyecto, pero después, como la Seguridad Social nunca había hecho ningún servicio de ese tipo, la idea fue decayendo por sí sola...

Quizás no tenga tantas vivencias en El Pedregal como otras personas, pero sí puedo contar algunas cosas. Comencé a caminar con Esperanza la de Casa Gaita desde que me jubilé y por la senda que hacíamos nos encontrábamos con personas como Loño, de La Güérgola, que en una de esas ocasiones nos recitó una poesía escrita por él en la que mencionaba a Esperanza. Así que le pedimos que nos la facilitase por escrito, a lo cual nos contestó que si íbamos a su casa nos la dictaba al objeto de recogerla por escrito y que perviviera en la memoria del pueblo. Así lo hicimos al día siguiente, siendo obsequiadas con una rica merienda que acompañó la animada tertulia. Después nos dictó el poema, entonando cada verso como él sabía hacer, mientras yo tomaba notas de las estrofas. Más tarde ya lo pasé al ordenador e imprimí varias copias, una de las cuales está enmarcada en la Casa del Pueblo. Como también le había dado varios ejemplares impresos Loño, en señal de agradecimiento me regaló una cuchara muy bonita (confeccionada por él) para el azúcar con mis iniciales y un logo, todo finamente grabado.

"En aquellos años de la postguerra (escribió Loño, el hermano de Tino Cuña) *en que no había ni una perra, pero sí mucha ilusión, hacíamos el pan en casa y a veces el café de tizón. Y molíamos la molienda en el molín del Regueirón, pero había que echarle el agua desde Casa de Pedrón. Por el verano jugábamos al balón en el campo del Xeixón. Allí, junto a C'a Borrón y en aquella casa había una mocina que se llamaba Esperancina. Y por el invierno íbamos al filazón a casa de Luisa y Antón. Yo echaba una partida con Manel de La Carrina y a las gemelas de Casa Felipón, que les gustaba mucho jugar, su*

Como ya te comenté (*continua Virginia*), Antonio, al no haber podido estudiar por tener que trabajar en casa, siempre tuvo esa espina clavada y estaba siempre leyendo libros y formándose por su cuenta. Mira, como aquí está hoy con nosotros Esperanza Rodríguez Rodríguez, de Casa Gaita, te puede comentar algo de eso: '¡Yo subía a la escuela (*asegura Esperanza*) desde mi casa y él bajaba a moler a Ondinas en un caballo con el saco de maíz (o lo que fuera) y a la vez con el libro abierto, estudiando... ¡Nunca se me olvida a mí eso! En aquellos tiempos los caballos taban domaos porque trabajaban mucho y él podía ir leyendo sin sobresaltos. El Cueto y mi casa están cerca y siempre veíamos a Antonio... A mí llamábame Pancina, quizás como diminutivo de Esperancina. Aunque él era mayor que yo, cuando las mayadas jugaba siempre con nosotros, porque ¡era muy niñero, muy niñero! Nos entreteníamos jugando a pillar, al escondite o a correr y saltar sobre el muro, en los arcos de la iglesia. ¡Que ahora ya no me subo ni a una banqueta...!'.

Tengo también cartas enviadas desde el frente (*continua Virginia*) por el padre de mi marido (por Antonio Rodríguez Fernández, casado con Lucía Bermejo Pérez: Casa Camilo), que murió en acción de guerra con el bando nacional en El Escamplero en febrero de 1937. Incluso tengo la última que escribió unos días antes de morir, pues está fechada en el día 17. En una misiva algo anterior se interesaba por saber si sus hijos Antonio y Víctor (otra hija ya había fallecido de difteria) seguían bien y si preguntaban por él... También ponía (a lápiz, en la hoja de una libreta) que les manda unos juguetes, no recuerdo si eran unas escopetas o unas espadas y para su mujer una navaja. En otra ya preguntaba si habían llegado los regalos y también mandaba dar recuerdos a varios vecinos y le sugería a ella algunos consejos...Todas empiezan con un '¡Viva España! ¡Viva Franco! ¡Viva el Ejército español!'. Respecto a la navaja que le envió a su esposa, cuando un día estaba yo buscando documentación de la abuela, encontré una cartera de mi suegra y dentro mira lo que tenía en un sobre: ¡la navajina que le había mandado él desde el frente antes de morir! 'Ella pasó mucho tamién (*suspira Esperanza Gaita*) de aquella con los neninos: Antonio tenía algo menos de 4 años y Víctor 2 años. Aquí en el pueblo hubo varias viudas de guerra: Lucía, María la del que fue de Ondinas, la Begega y Argentina la de Casa Carmen, todas de combatientes del bando nacional'. Tengo la carta (continua Virginia) en la que se notifica a la viuda el fallecimiento de mi suegro: <Don Juan Janáriz Pérez, Comandante Mayor Accidental del Regimiento de Infantería de Montaña Milán N° 32, del que es primer jefe el Teniente Coronel Don Miguel Cuervo Núñez. Certifico: Que de los antecedentes que obran en esta oficina de mi cargo referentes al soldado Antonio Rodríguez Fernández, perteneciente al reemplazo de 1931, éste falleció en acción de guerra el día 21 de febrero del corriente año en la posición de Pando, al ser rechazado un ataque enemigo. Y para que conste expido el presente en la Plaza de Oviedo a veinticinco de mayo de mil novecientos treinta y siete. Juan Janariz. V°B el Teniente Coronel Jefe: Cuervo. [Hay un sello que dice: 9 Regimiento Infantería de Montaña. Milán n° 32].

Es copia. El original se acompaña a una instancia que la viuda del Antonio Rodríguez, Dña. Lucía Bermejo, dirigió con fecha 21 de enero de 1938 al Excmo. Sr. Secretario General de Guerra, solicitando la pensión correspondiente a la misma y sus hijos por el fallecimiento de Antonio. Vº Bº El Alcalde>.

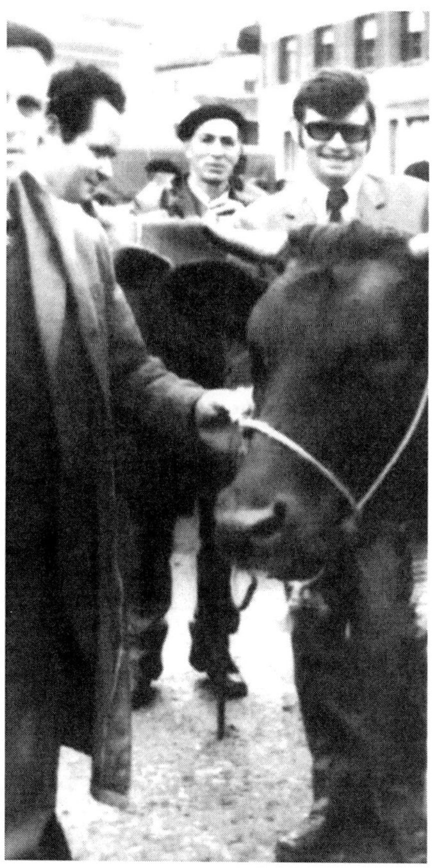

Ayuntamiento de Tineo. Año 1883-84. Impuesto *equivalente* a los de la sal. Este documento (asimilado al impuesto de la sal: ver nota *in terminis*) pertenece al archivo personal de Antonio Rodríguez Bermejo, siendo cedido para este libro por su viuda **Virginia Cano García** y transcrito por **Mari Paz García González**: 2024. Nos ofrece una información muy importante sobre la economía rural del pueblo en el año 1883, a través de los tipos impositivos y la contribución rústica pagada.

'Padrón general que formáis este Ayuntamiento de los contribuyentes que por *inmuebles, cultivo y ganadería* se hallan sujetos a este impuesto conforme a lo previsto en la Ley de 31 de diciembre de 1881 y reglamento de igual fecha, al tipo de gravamen del 2'40 por ciento sobre la riqueza imponible.

Conceptos clave en el análisis de esta contribución: número de orden con que figura en el reparto - nombre y apellidos de los contribuyentes – vecindad - capital impositivo con que figura en el reparto - carácter anual o trimestral.

El Pedregal

[] Nombre y apellidos: *Alonso, Baltasar* – Vecindad: Cueva – Capital impositivo que figura en el reparto (72) Carácter anual (1,73 pesetas) [] Nombre y apellidos: *Alonso Rubio, Tomás* – Vecindad: El Pedregal en todos los asientos, salvo indicación de lo contrario – Capital impositivo que figura en el reparto (144) – Carácter anual (3,72 pesetas) [] Nombre y apellidos: *Bermejo Colado, Esteban* – Capital impositivo (217) – Anual (5,21 pesetas) []*Bermejo Colado, Juan* -Impositivo (10) – Anual (24 céntimos) [] *Bermejo Colado, Camilo* – Impositivo (194) – Anual (4,66 pesetas) [] *Borrón [Barro], Agustín* – Impositivo (38) - Anual (91 céntimos) [] *García López, Carmen* - Impositivo (27) - Anual (65 céntimos) [] *García Fernández, Sebastián* – Impositivo (76) Anual (1,82 pesetas) [] *García de Llano, Juan* – Impositivo (245) – Anual (5,88 pesetas) [] *García Santos, Juan* – Impositivo (67) – Anual (1,61 pesetas) [] *García Peña, Isabel* – Impositivo (95) – Anual (2,28 pesetas) [] *García Rubio, Vicente* – Impositivo (15) – Anual (36 céntimos) [] *García García, Clara* – Impositivo (7) – Anual (17 céntimos) [] *García Rubio, Teresa* – Impositivo (91) – Anual (2, 18 pesetas) [] *García Rubio, Antonio* – Impositivo (86) – Anual (2,06 pesetas) [] *García Santos, José* – Impositivo (225) – Anual (5,40 pesetas) [] *García Fernández, Sinforoso* – Impositivo (43) – Anual (1,03 pesetas) [] *García Feito, Francisco, Brañuca [Brañina]* – Impositivo (22) – Anual (22 céntimos) [] El Mayordomo de la Fábrica de El Pedregal - Impositivo (40) – Anual (1,20 pesetas). [El Mayordomo de Fábrica es el que recauda las rentas de la iglesia y cuida de su fábrica. Antiguamente, pertenecía al obispo la inspección de las fábricas de las iglesias, pero después se

descargó este cuidado en los arcedianos y, finalmente, éstos en los curas: *n. acutoris*] [] *Menéndez Cornás, Antonio* – Impositivo (93) – Anual (2,22 pesetas) [] *Menéndez García, Roque* – Impositivo (113) – Anual (2,71 pesetas) [] *Marinas Fernández, José* – Impositivo (208) Anual (5 pesetas) [] *Marinas García, Joaquín* – Impositivo (203) – Anual (4, 87 pesetas) [] *Pérez Díez, Antonio* – Impositivo (27) – Anual (65 céntimos) [] *Peña Fernández, Joaquín* – Impositivo (107) – Anual (2, 37 Pesetas) [] *Peña Fernández, Maximino* – Impositivo (6) – Anual (14 céntimos) - *Pérez Pertierra, José* – Impositivo (39) – Anual (94 céntimos) [] *Pertierra Pérez, Bernardo* – Impositivo (350) – Anual (8,20 pesetas) [] *Peña Fernández, María* – Impositivo (34) – Anual (82) [] *Pertierra Pérez, Francisco*, Ondinas – Impositivo (170) – Anual (4,08 pesetas) [] *Rubio, Ángel* – Impositivo (32) – Anual (77 céntimos) [] *Salas García, Bernardo* – Impositivo (270) – Anual (6,28 pesetas) [] *Torre García, Felipe* - Impositivo (34) – Anual (8,18 pesetas) [] *Torre Pardo, María* – Impositivo (19) – Anual (46 céntimos) [] *Torre Pardo, Francisco* – Impositivo (174) – Anual (4,18 pesetas) [] *Uría Abello, [Regina]* – Impositivo (80) – Anual (1,92 pesetas). *Pertierra García, José, La Millariega* – Impositivo (335) – Anual (8,04 pesetas) – *Pérez García, Francisco, La Millariega* – Impositivo (407) – Anual (9,77 pesetas) – *Pérez Díez, Ramón, La Millariega* – Impositivo (30) – Anual (72 céntimos).

El estudio de la Contribución Territorial Rústica y Pecuaria ha constituido siempre un tema del mayor interés (Fernández Navarrete, D.: 1978; García González, M. Paz; Millariega, Joseph: 2024). A finales del siglo XIX y en la primera mitad del XX se distinguen dos etapas distintas en su desarrollo, perfectamente delimitadas. La primera arranca en 1845 (fecha de creación del impuesto) y llega hasta 1906, siendo conocida como de los Amillaramientos. La segunda parte de esta última fecha y alcanza hasta la reforma tributaria de 1964, durante la cual se puso en funcionamiento el Catastro Parcelario, siendo después de 1964 utilizado el sistema de parcelación catastral como unidad mínima, lo cual ya se escapa del objeto de esta introducción, que se hace a propósito de una contribución en El Pedregal durante el ejercicio 1883-84. La reforma tributaria contenida en la Ley de Presupuestos de 23 de mayo de 1845, más conocida como reforma tributaria Mon-Santillán, es considerada como el paso del sistema tributario tradicional al moderno. La principal novedad que supuso dicha legislación (aparte de la unificación fiscal a que dio lugar) fue la creación de un gravamen sobre el producto líquido resultante de los bienes inmuebles, cultivo y ganadería, lo que significó el nacimiento técnico de la moderna Contribución Territorial Rústica y Pecuaria.

En el padrón de esta contribución rústica que acabamos de ver y que pagaron los vecinos de El Pedregal en el ejercicio 1883-84 se puede apreciar cómo se asimila al 'impuesto de la sal', un tributo que también se liquidó, que fue muy cuestionado a lo largo de su historia y sobre el que merece la pena hagamos una pequeña exposición también en este texto, a pesar de que no poseemos ninguna relación del pago del impuesto, lo que sería también un buen indicador de las rentas vecinales, pues cabría pensar racionalmente que un mayor o menor consumo de la imprescindible sal y una también mayor o menor base imponible serían unos elementos muy esclarecedores a la hora de determinar el estatus económico del pueblo. De todas formas, el consumo de sal pudo ser muy proporcional a las contribuciones rústicas vistas anteriormente

Aunque en su estado puro la sal (el llamado oro blanco) está compuesta por una gran variedad de oligoelementos (Millariega, Joseph; García González, M. Paz: 2024), sus principales elementos son el sodio y el cloro, los cuales forman la mayor parte de su composición. En sus orígenes, la única presentación de sal a la que se tenía acceso era la sal marina, que se obtiene de forma natural por medio de la evaporación del agua de mar. Fue con el desarrollo industrial y las técnicas mineras, que se descubrió y empezó a explotar diferentes yacimientos subterráneos, donde la sal se encuentra solidificada en halitas. Fue esencial a lo largo de la historia, desde que ya comenzó a usarse en alimentos en tiempos del emperador chino Huangdi (2670 a.C.). Por ejemplo, para los romanos sin la sal sería imposible almacenar carne y pescado para el invierno o que los productos marinos solo pudieran llegar a pocos kilómetros de la costa. Además, con ella se curtían pieles, se intervenía en el proceso de obtención de la púrpura o en la mejora del vino de la época y también se usó como método de pago a los soldados y funcionarios públicos y de ahí procede la palabra *salario*.

En España el estanco de la sal (Bará, M.: 2022; Garay, J.: 2018; García González, M. Paz y Millariega, Joseph.: 2024) se materializó de manera generalizada bajo el reinado de Felipe II en 1564.

Tras varias tentativas con otras imposiciones, el Rey decidió en 1631 decretar el 'estanco de la sal'. ¿Qué significaba esto? Que el preciado producto, básico para la conservación de la carne y el pescado, quedaba embargado y solo la Corona podría venderlo. Por si no fuera suficiente, su precio se dispararía un 44%. El reinado de Felipe IV atravesaba en torno a 1630 muchos y graves problemas: la Guerra de los Treinta Años, los rebeldes Países Bajos, la tensión en Cataluña y Portugal... Todo ello llevó al conde-duque de Olivares, el verdadero hombre fuerte de la Corona, a tomar una medida tan habitual como polémica: subir impuestos. En 1633 la Corona fijó los precios de la sal como parte del monopolio mediante concesiones públicas que le reportaron importantes beneficios. Ello dio lugar a un gran malestar y a la revuelta de la sal en Bilbao, que consiguió frenar el impuesto temporalmente, pero después se ejecutó a los seis inductores del motín. Una placa los recuerda en el lateral de la iglesia de San Antón de Bilbao. El impuesto siguió cobrándose regularmente hasta que la Ley de 16 de junio de 1869 decretó el desestanco de la sal en nuestro país; es decir, que la sal ya no era sólo un monopolio del Estado y se pusieron en venta o alquiler las salinas. Pero en 1874 se gravó con 15 céntimos kilo el consumo de sal y en 1877, con la Ley de 11 de julio, se creó otro impuesto a mayores; como resultado del mismo existía un impuesto que afectaba al consumo y otro diferente a la producción de la sal. Pero el problema comenzó a cobrar una nueva dimensión cuando en 1896 el ministro valenciano Juan Navarro Reverter aumentó de manera exponencial impuestos de la sal, los de explosivos, la minería, la navegación y a otros sectores.

Presupuesto para piso-vivienda en la escuela.
El documento que figura a continuación pertenece al archivo personal de Antonio Rodríguez Bermejo, siendo transcrito y cedido para este libro por su viuda **Virginia Cano García**

(diciembre, 2024). En el mismo (de fecha 5 de junio de 1949) se hace referencia a una comisión de vecinos que se constituye para el control y adjudicación de las obras de la escuela de El Riñón, pero, como se puede ver más adelante, la misma se constituyó formalmente el 2 de marzo de 1950.

'Presupuesto para hacer un piso vivienda en la Casa Sindical del pueblo del Pedregal en las condiciones que a continuación se indica y según el plano que presenta dicha Comisión:

1.-Dar fachada de ladrillo entera y los otros dos de mampostería ordinaria.

2.-Tabiques de ladrillo. Los interiores cargados de cal y arena y lucidos de yeso y los cales exteriores exclusivamente los del piso y blanqueados.

3.-Portería y marcos interiores y exteriores todo de castaño, vigas y pontones de castaño, medidas de las vigas 30x20, pontones 12x6.

4.-Cielo raso el que tiene y teja la misma y cocina y pileta la misma que tiene dicha casa y aprovechar todas las maderas que tiene para la misma.

5.-Un váter con tapa sencilla, con dos metros de desagüe y la cocina tres cajas de azulejos.

6.-La piedra por cuenta del pueblo, el poner el alado de la obra, la mampostería con cenizas y el ladrillo con cal y arena y los cargaderos de hormigón y cemento.

7.-Herrajes interiores, picaportes con manilla y la puerta de entrada con cerradura; y las ventanas con cerrojo y las bisagras todas similares de 11 centímetros.

8.-Pinturas, la portería y marcos y alero del piso, dos manos de pintura de aceite, lo mismo la interior que la exterior. Y las habitaciones pintadas de temple, dos manos, tabla del piso de pino del país a pulgada de grueso.

Este presupuesto, bien terminados los trabajos, según se exponen por cuenta del contratista, según dice el presupuesto, asciende a pesetas (17.375), pesetas diecisiete mil trescientas setenta y cinco. Y para que conste lo firma el contratista. Francisco González.

La Espina, 5 de junio de 1949.

Celebrada la reunión de la Comisión de dar el piso de la Casa Escuela, es decir de la vivienda de la señora Maestra, se acordó dar dicha obra a don Francisco González, por ser éste el de más bajo presupuesto presentado. Se compromete don Francisco a dar dicha obra terminada en las condiciones estipuladas para el próximo mes de octubre. Y para que conste firma la Comisión junto con el mencionado contratista en El Pedregal a cinco de junio de mil novecientos cuarenta y nueve. La Comisión: José Pertierra. El contratista, Francisco González. Félix Bermejo. José Seoane. Francisco Peláez'. [*Ad litteram*]

Comisión para la construcción de la escuela de El Riñón
Este documento pertenece al archivo personal de Antonio Rodríguez Bermejo, siendo cedido para este libro por su viuda **Virginia Cano García** (2024):

'En la villa de Tineo a dos de marzo de 1950, ante los testigos que al final se expresan comparecen don Celedonio Martínez Bermejo, don Manuel García Peláez, José Seoane Fernández, vecinos de El Pedregal; José Pertierra Colado, vecino de La Huérgola; don Adolfo Braña Pedraza, vecino de El Espín y don Agustín Ávila Miranda, vecino de La Millariega, mayores de edad, casados, de profesión labradores, manifiestan:

1º. Que los citados forman una comisión nombrada por los pueblos del distrito escolar de El Pedregal, según acta que al efecto fue suscrita el día dos de febrero próximo pasado en reunión general por la mayor parte de los vecinos de los pueblos del mencionado distrito, en la que se les faculta para la construcción de un edificio escolar de planta baja y principal, que se situará en el lugar denominado 'Plaza del Riñón', del citado pueblo del Pedregal.

2º. Esta comisión se compromete a la construcción del referido edificio, denominado casa-escuela, por cuenta de la misma comisión y los vecinos firmantes del acta, que lo autorizaron.

3º. La repetida comisión, según el acta a que hemos hecho referencia, queda facultada para hacer las diligencias y gestiones precisas, a fin de disponer los trabajos, adquisición de materiales y señalar las cuotas que han de abonar cada uno, [que] serán proporcionales a las posibilidades de cada vecino, fijando estas posibilidades en dos categorías.

4°. Si alguno de los vecinos firmantes o no firmantes se negare a cumplir partes de lo mencionado, la comisión queda facultada para imponerles las sanciones legales que crea oportunas o incluso acudir a la vía judicial.

5°. Una vez terminada la obra y aprobada por el personal técnico, la tan repetida comisión hará entrega de ella al Ayuntamiento, quedando de propiedad del Municipio.

6°. Se hace constar que la planta baja y el principal que hemos referido serán destinados: el primero a local-escuela y el segundo a vivienda de la maestra.

7°. Al cumplimiento de este contrato se obligan con arreglo a Derecho.

8°. Esta Comisión hará las gestiones correspondientes con el Ayuntamiento para el logro de una ayuda económica, según lo acostumbre hacer en casos análogos.

Conformes con lo expuesto, firman en presencia de los testigos que lo son don José María García Rodríguez y don Julio Antonio Fernández Lamuño, ambos vecinos de Tineo'. [*Ad litteram*]

Gastos a los que asciende el aumento de la planta baja y materiales de la Casa Sindical, costeados por la Cooperativa Lechera. Año 1962.

Este documento pertenece al archivo personal de Antonio Rodríguez Bermejo, siendo cedido para este libro por su viuda **Virginia Cano García** y transcrito por **Mari Paz García González**. Se trata, en definitiva, de un simple balance de gastos e ingresos, pero aporta mucha más información que la mera referencia a unas operaciones mercantiles, pues nos permite conocer los precios de determinados productos y ciertos salarios en el año 1962, cuando la peseta era la unidad monetaria española. Y

una lectura un poco más atenta e imaginativa del mismo hasta nos puede inducir a estudiarlo como una muestra representativa del nivel y modo de vida de los vecinos en aquellos años. La peseta rubia fue la moneda oficial de curso legal en España desde el 18 de octubre de 1868 hasta el 1 de enero de 2002, año en que se introdujo el euro. No obstante, dicha peseta siguió conviviendo con el euro el territorio español durante dos meses. En su momento, la peseta había nacido en virtud del Decreto del Gobierno Provisional el 18 de octubre de 1868, lo cual supuso un paso de gran calado que ayudó a la modernización y ordenación del sistema monetario nacional español. No obstante, ya aparecía como moneda con el valor de dos reales en el Diccionario de Autoridades en el año 1737. En cualquier caso, gracias a la introducción de la peseta entró en vigor el sistema métrico decimal de la Unión Monetaria Latina. A pesar de que el 64 % de los españoles creen que el euro ha tenido efectos positivos para el país, persiste cierto malestar que se evidencia en los hogares, los supermercados, las gasolineras y hasta en las barras de los bares de que 'con la peseta se vivía mejor'. El eterno debate entre los nostálgicos de *la rubia* y los entusiastas de euro cobra vigor cada vez que una crisis atropella la economía. Además, las zancadillas de algunos socios del euro (como los Países Bajos, que nos la tienen guardada desde los Tercios de Flandes) a las iniciativas que podrían poner coto a las disparidades dentro de la unión monetaria han acentuado ese sentimiento de rechazo hacia una moneda, que no logrado cosechar la simpatía de su antecesora. Ahora bien, ¿qué hay de cierto en eso de que el euro ha perjudicado a los bolsillos de los españoles? Pues hay mucho (salvando también las numerosas ventajas) y sería largo de explicar aquí, pues no en vano fue el mayor cambio de moneda de la Historia. Aunque en el sentir de todo el mundo está el disbalance que produjo en los precios de los bienes y servicios. Según algunos autores lo único positivo de nuestra pertenencia al euro (pero que se podría quizás haber conseguido sin entrar en la moneda única) son la pertenencia a un club regido por unos claros principios democráticos que suponen límites a comportamientos pre-democráticos de las élites patrias, tanto económicas como políticas y funcionariales. (Congreso: 2019; Portero, C.: 2020; Álvarez Barba, Y. & Laborda, J.: 2022; García González, M. Paz; Millariega, Joseph: 2024)

Detalle del balance

7 metros de arena, a 175 pesetas unidad, 1225 pesetas – 3 metros de arena, a 168,33 metros unidad, 505 pesetas – 40 bolsas de cemento, a 45 pesetas unidad, 1800 pesetas – Cristales, masilla y bisagras, 358 pesetas – 10 metros de canalón, a 25 pesetas unidad, 250 pesetas – 4 metros de canalón de tubo nº 6, a 22 pesetas unidad, 88 pesetas – 10 ganchos de canalón, a 3,75 pesetas, 37 pesetas – 3 barras de estaño al 50%, a 13 pesetas unidad, 39 pesetas – 21 jornales y medio,

a 100 pesetas cada jornal, 2150 pesetas – 3 jornales, a 125 pesetas unida, 375 pesetas – 15 jornales, a 150 pesetas unidad, 2250 pesetas – 55 m2 de losa, a 37 pesetas unidad, 2035 pesetas – madera, 3605 pesetas – marcos y ventana, 398 pesetas – portes y varios, 101 pesetas – 60 peonadas, a 100 pesetas cada una, 6000 pesetas – puntas, 258 pesetas – 26 tubos de gres de 150 mm, a 34 pesetas unidad, 884 pesetas – 36 tubos de gres de 120 mm, a 21 pesetas unidad, 756 pesetas – 2 bragas de gres de 120 mm, a 55 pesetas unidad, 110 pesetas – 7 jornales, a 100 pesetas unidad, 700 pesetas - 2 bolsas de cemento, a 45 pesetas unidad, 90 pesetas – medio metro cúbico de arena, a 175 pesetas unidad, 87,5 pesetas – 1 [libro] diario, 32 pesetas – 1 cerradura, 150 pesetas – 9 llaves para la cerradura, 90 pesetas – Canalón puesto por Emilio Seoane, 430 pesetas – Colocar cerradura y masilla en la puerta, 50 pesetas – servicio de luz para el año 1962, cuantía de 20 pesetas al mes, 240 pesetas – lámpara para luz pública, 14 pesetas – instalación de luz pública 100 pesetas.
Ingresos por cuotas de garaje y otros
24 meses de Erundino Carbajal, a 50 pesetas por mes, 1200 pesetas – 24 meses de Emilio Seoane, por huerto, a 15 pesetas el mes, 360 – 24 meses de José Seoane, a 5 pesetas mes, 120 – 20 meses de Antonio Fernández, a 5 pesetas el mes, 100 – 20 meses de Edilio García, a 5 pesetas el mes, 100 pesetas.

Reseñas fotográficas

Página 316: Antonio Bermejo y Virginia Cano en el Campo de San Roque (Tineo) con motivos de las fiestas de agosto.
317 y 321: Ensilando en Casa El Churro.
319: Antonio Bermejo con sus padres Lucía y Antonio.
323: Antonio Bermejo en un día de feria hablando con los ganaderos.

325: Antonio con sus hijos Cora y Antonio.

327: Antonio en un día de trabajo con Diego Borrón.

329: Directivos y socios de la Central Lechera. El primero de derecha a izquierda es Antonio Bermejo y en cuarto lugar puede verse Jesús Sáenz de Miera, el que fuera fundador y presidente de la Central.

331: Antonio con su madre Lucía Bermejo y su hermano Víctor.

333: Antonio en la inauguración de unas obras.

336: Antonio Bermejo con un grupo de niños y niñas del barrio: Gloria, Charo, Ramón y en su brazo M. Ángeles. También está en el carro una niña cuyos padres estuvieron poco tiempo en el pueblo, de ahí que no se recuerde su nombre a la hora de hacer esta cita.

(Reseñas: Mari Paz García González, J. Mill y Virginia Cano).

18

Por quién doblan las campanas

Llego a Casa Campanero un día 10 de noviembre de 2024 para recoger las vivencias de Aurelio y de su hija Conchita, que me reciben con cordialidad y se disponen a echar mano de los recuerdos que atesoran de otro tiempo. El pueblo colabora en el proyecto con mucha entrega y eso ayuda a que quien lleva a cabo la investigación social pueda mantener también el buen ánimo y la ilusión que se requiere en estos casos para que el proyecto vaya saliendo, poco a poco, adelante. El tiempo nos apremia, porque los quehaceres son muchos por ambas partes... Pero, aun así, disponemos de una escasa hora para poder recoger, al menos, algunos aspectos sustanciales de sus vidas.

María Concepción Peña Rodríguez (Conchita): Mis padres, Aurelio y María de los Ángeles, se conocieron en El Pedregal, porque ella era de Casa Borrón, con raíces en Modreiros, de donde era mi abuela materna. Tuvieron tres hijos: yo, que soy la mayor, María Luisa y José Antonio.

Aurelio Peña Fernández: Fuimos cuatro hermanos y la casa mía estaba ahí más allá, pero ya cuando nos casamos vinimos a vivir para esta nueva...

Conchita: Mi padre vivía en una casa que hay después de C'a Sico. Allí tuvieron también una cuadra y en esa vivienda fue donde nació. Después ya tuvieron también ganao aquí en Casa Campanero.

Aurelio: Entre vacas y novillas llegamos a tener unas 24 y entregábamos a la Central Lechera.

Conchita: ¿Y cuando la cooperativa del Sindicato llevamos leche pa ahí?

Aurelio: Sí, oh....

Familia Peña -Rodríguez

Conchita: De los recuerdos que tiene Aurelio de cosas curiosas que le pasaron en El Pedregal siempre cuenta lo de cuando iba a ayudar a misa a dos curas...

Aurelio: Sí... Vivían los dos en Casa Borrón. Uno dábame una perrona (Don Joaquín) y el otro, por ser más, dos perronas (Don Generoso).

Conchita: Por hacer de sacristán y campanero. ¿Y qué tenías que hacer de sacristán?

Aurelio: Tenía que rezar el Rosario antes de la misa... ¿Por qué? Porque en aquellos tiempos había que rezalo, porque taba así dispuesto en la liturgia de la Iglesia.

Conchita: Y cuando moría alguien también rezaba el Rosario en la iglesia. Y por mayo también iba a rezar lo de las Flores, así como por Semana Santa cuando se hacía el Vía Crucis con las estaciones dentro de la iglesia. Él era el encargado de todos esos rezos...

Aurelio: Había varios toques de campanas: a misa, a repicar, a muerto y a fuego. El que más se tocaba, claro, era el de a misa...

Conchita: A ese sabía tocar yo también...

Aurelio: A misa se tocaba con un tañido normal: tan, tan, tan, tan, tan... A repicar cuando había procesión; a muerto, despacio y a fuego, muy deprisa...

Conchita: Cuando había procesión (hace tiempo la comitiva iba hasta La Cruz y daban la vuelta) él quedaba en la iglesia repicando las campanas sin parar hasta que regresaban al templo. Tañidos más ligeros que para misa y un poco menos intensos que a fuego...

Aurelio: Eran unas buenas campanas... Porque llevánolas a arreglar a Santander en tiempo de Don Cándido ya vinieron peor que fueron...

Conchita: ¡Eran! ¡Eso, eran! ¡Porque trajeron una miseria de campanas! El caso es que las campanas desaparecieron, ¡porque eran unas señoras campanas, grandes! Y ahora hay una mayor y otra más pequeña que suenan muy poco.

Aurelio: Eran tan buenas que las sentía yo cuando taba con las ovejas en La Curiscada. ¡Sí, sí...! Tamién hubo ovejas aquí en casa: unas setenta... A última hora ya venían los lobos y había que tar con ellas, pero antes taban todo el día solas...

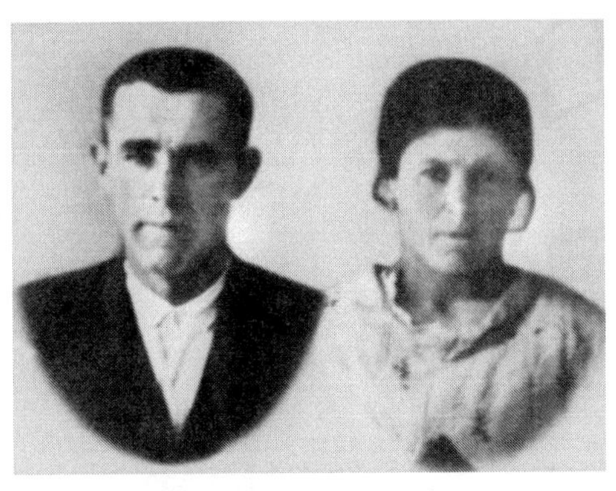

Conchita: Me acuerdo de cuando mi padrín Antón el de Casa Borrón mató un lobo, lo echó al hombro con las patas p'alante y pedía una gratificación por las casas. La gente daba lo que buenamente podía, porque agradecía que hubiera personas que los tuvieran controlados, ya que eran muy dañinos a veces para el ganao. ¡Parez que lo toi viendo venir por la Calea con el lobo colgao y pidiendo por haberlo matao!

Aurelio: En Casa Borrón eran cazadores...

Conchita: Cambiando de tema... Te voy a contar algún recuerdo de la escuela. Una vez salimos al recreo y tábamos ahí en el carbayón jugando y yo pa escondeme me subí al árbol. Y en eso que baja la maestra, que vivía en el piso de arriba de la escuela... ¡Y yo mandando que callaran para que no me viera subida allí, porque pensé que me iba a castigar! Así que desde que entraron bajé del árbol y conseguí llegar al pupitre, pasando desapercibida ¡Me iba el corazón a mil! ¡Qué susto llevé...! Cosas que nos pasan en la infancia que siempre recordamos como hazañas... Y en otra ocasión, también durante el recreo, fuimos a robarle ciruelas y peras a Julio. Tenía un ciruelo en el prao, que da al caminín por el que bajas p'al Cueto, que tenía unas ciruelas amarillas que daba gusto velas. Y yo era la que siempre me subía a los árboles, por lo que las demás me animaron a engaramarme pa tirarles algunas abajo. El caso es que sentimos llamar al recreo pa dentro de la escuela y tan deprisa me quise bajar que quedé colgada del vestido fruncido: se desfrunció todo ¡y tuve que entrar a la clase con él

enroscado alrededor de mi...! No, en casa no me riñeron: papá era muy bueno y muy niñero... Siempre tuvo suscrito a La Nueva España: mira, ahora está con ese periódico... Yo recuerdo de ponerse aquí a leer el periódico y de venir Celita la de Casa El Cura a charlar un rato y nosotras seguíamos jugando con él allí como si nada y Aurelio no nos decía nada, con toda la paciencia del mundo. Y decía Celita: '¡Si mi padre fuera como Aurelio el de Campanero!'. Y los dientes que estaban para quitarse nos los sacaba él cuando nos dormíamos. ¿Cómo hacías, papá? '

Aurelio: Dejabas una uña un poco larga y la metías así por debajo en la encía y el diente salía...

Conchita: Sí, porque eran dientes de niños que ya se movían... Y el mes de diciembre lo pasaba por el pueblo de matachín...

Aurelio: Sacaba adelante la matanza en 15 casas o más... Fui hasta Ribadesella a hacerle el San Martín a Paco El Encanto, porque me lo pidió y era amigo. Nunca cobré nada a nadie...

Conchita: ¿Te acuerdas? Era aquel que venía con un motocarro recogiendo la leche...

Aurelio: Garraran allí una casería y me dijo que confiaba en la experiencia y buena labor que yo hacía como matachín y que tenía que ir... Y yo le dije que no había problema, siempre que me viniera a buscar con el coche.

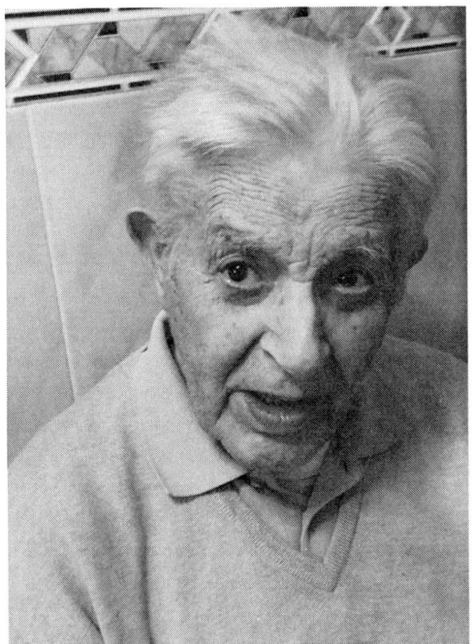

Conchita: No, no... Nunca cobró nada. Aunque recuerdo que ya a última hora en Casa El Churro le regalaron un jersey muy guapo que todavía lo tiene. Pero él siempre lo hizo por amistad, como se hacía en los pueblos. También ponía las inyecciones.

Aurelio: Sí, sí, era practicante también. Lo que más se solía poner era penicilina...

Conchita: Farmacén, que era penicilina... De aquella andaba el Farmacén, que ahora hay un laboratorio con ese nombre. Pero creo que era penicilina...

Aurelio: ¿Qué enfermedades predominaban? Mucho las reumáticas, mucho... La mayoría de las inyecciones las ponía intramusculares, aunque tamién a la vena. Las mujeres iban a consulta al médico de La Espina y cuando había que pincharlas a la vena varios días le preguntaban '¿Tenemos que venir todos los días a la consulta?'. Y el médico, don Ángel, les contestaba '¡No, no...qué va! ¡Vosotras estáis bien, que tenéis a Aurelio que os las pone!'. Yo tampoco nunca cobré nada por ser el practicante...

Conchita: La primera me la puso a mí y ¡muy bien! ¡Nunca me tuvo que pinchar más que una vez! A la primera, a la vena y ¡venga! Tampoco jamás se le infectó ninguna ni nada.... ¡Aprendió a ponerlas a la vena conmigo! Porque a mí me las ponía la mujer del maestro Cañedo, Leonides, porque toda la semana solían vivir aquí (los sábados y domingos iban para La Pereda) y fue la que me enseñó. Después yo le transmití esos conocimientos a Aurelio...

Aurelio: Pero la labor principal era la del campo: la agricultura y la ganadería...

Conchita: Sí, mi padre labraba, segaba... En tiempo de la siega de la hierba (con aquellas segadoras que iban tiradas por las vacas) nos levantaba a las seis de la mañana, un día a mí y otro a mi hermana, para ayudarlo a segar: pa ir delante de las vacas, porque él tenía que sentarse en el sillín de la segadora. Luego ya se segó con el tractor...

Reseñas fotográficas

Página 338: Árbol familiar de Casa Campanero.
339: Aurelio con su nieto Pablo.
340: José Antonio y Ramona, los abuelos de Conchita Campanero.
341: Conchita Peña con su hijo Pablo.
342: Primer plano de Aurelio Peña.
(Reseñas: Mari Paz García González y Conchita Peña).

19

Un censo actual y el conde Diego de Zuleta

'El Pedregal. Aldea y parroquia del mismo nombre (Tineo), dedicada a los santos Justo y Pastor. (Diccionario Geográfico de Asturias, Ciudades, Villas y Pueblos: 2000. Javier Rodríguez Muñoz). Comprende la aldea de El Pedregal y las caserías de Modreiros, Ondinas y Las Pontigas, con una población de 179 almas (recordemos: antes del año 2000, *nota auctoris*) y superficie de 5,04 km2, emplazada al noroeste de la sierra de La Curiscada, abarcando gran parte de ella, así como la totalidad de la sierra de Ondinas. Limita al norte y oeste con la parroquia de La Pereda; al sur con la de Santa Eulalia y al oeste con la de Tineo. La parroquia fue filial de la de Tineo hasta 1894. Atraviesa su territorio la AS-216, antigua C-631, de La Espina a Ponferrada, con una red de caminos municipales que permiten el acceso a todos los caseríos. El pueblo como tal tiene 158 habitantes como cabeza de la parroquia, distando 7 km de Tineo. Emplazado a ambos lados de la carretera AS-216, a la altitud de 715 metros, rodeado de excelentes praderías que son la base de una importante riqueza vacuna que en sus establos se mantiene, con

altas producciones lecheras. El templo parroquial se alza en medio del núcleo urbano, al lado de la carretera y de la calzada medieval del camino jacobeo. Posee en la fachada del norte, un atrio con tres arcos de cantería, protegiendo una portada principal con un arco con amplio dovelaje y alfiz enmarcado. Fue construido a finales del siglo XV o principios del siglo XVI y la apertura de las capillas laterales en el siglo XVII. Es de nave única y de gran altura y al lado de la epístola lleva adosada la capilla de San Bartuelo, fabricada en 1707 por Francisco Díaz Valdés y su mujer Ana María Torres. Conserva retablos con las tallas atribuidas a Antonio Borja. Hay dos casas escuela, siendo la más antigua la levantada sobre los restos de la fundada en 1750 por Juan Lucas Díaz Valdés, natural de la parroquia, que la construye como una de las de más vieja tradición en el concejo. También se conserva un viejo crucero o humilladero, emplazado en el camino francés o senda que siguieron los pasados siglos los peregrinos jacobeos. Y la casa de la Torre, que antaño sirvió como albergue de peregrinos y que ahora, modernizada, presenta mirador y corredor, ambos acristalados, torre esquinera, balaustres pétreos y restos de almenas. Existe también, emplazada muy cerca de la iglesia y con la fachada dando a la carretera AS-216, la casa llamada

del Gancho, de los Fernández Colado, con piedra de armas trasladada desde la antigua casona de Bedures'.

'Pedregal, San Justo y Pastor (Diccionario Geográfico Estadístico Histórico de España y sus Posesiones de Ultramar, de Pascual Madoz, Madrid: 1845), feligresía de la provincia y diócesis de Oviedo (9 leguas), partidos Judicial de Cangas de Tineo (4 leguas), Ayuntamiento de Tineo (1 legua). [*Ad litteram*. Una legua del año 1801 equivalía a 5.573 metros, *nota auctoris*]. Situado a la izquierda del río Narcea en terreno montuoso y clima sano. Tiene 49 casas y una iglesia, San Justo y Pastor, aneja a la parroquia de Tineo, con la cual confina y con las de Santa Eulalia y La Pereda. El terreno participa de monte y llano y produce trigo, maíz, mijo, panizo, habas, patatas, cáñamo, frutas y pastos. Hay ganado vacuno, de cerda, lanar y cabrío y caza de varias especies. Población, 49 vecinos, 290 almas'. [Uno de los significados de el topónimo El Pedregal podría ser el de 'camino empedrado', pudiendo guardar relación con el Camino de Santiago, según manifestó en octubre de 2024 a **Mari Paz García González** la Catedrática de Historia de la Universidad de Oviedo, Pepa Sanz, *nota acutoris*]

En el Archivo Histórico Diocesano (Mill, J.: 2025) existen los siguientes libros sacramentales y de fábrica: Bautizados, 1678 – 1899; Casados, 1682 – 1923; Difuntos, 1718 – 1904;

Fábrica de la Iglesia, 1779 – 1872 y Cofradía del Santísimo, 1742 – 1872.

Censo de la población de El Pedregal en el mes de octubre de 2024, indicando las casas y su ocupación (Elaborado por **Mari Paz García González**).

La Pontiga

Casa Lolita – Ocupantes: varón y hembra – Temporales – Situación: propiedad / *Casa Manolo* – Ocupantes: varón y hembra – Temporales – Situación: propiedad / *Casa Javier* – Varón y hembra – Fijos – Propiedad / *Casa El Churro* – Varón y hembra – Fijos – Alquiler.

Calea de Arriba

Casa La Grandalesa – Desocupada / *Casa Sico 1* – Varón y hembra – Fijos – Propiedad / *Casa Sico 2* – Un varón y dos hembras – Fijos – Propiedad / *Casa Campanero* – Varón y hembra – Varón fijo, hembra temporal – Propiedad / *Casa El Cura* – Desocupada / *Casa José y Clara* – Varón y hembra – Fijos – Propiedad / *Casa Chaparro* – Un varón y dos hembras – Fijos – Alquiler / *Casa Colás* – Varón y hembra – Fijos – Propiedad / *Casa Lisa* – Desocupada.

El Riñón

Casa Ángel – Varón y hembra – Fijos – Propiedad / *Casa Gaita* – Una hembra – Fija – Propiedad / *Casa Sabelona* – Tres varones y tres hembras – Fijos – Alquiler.

La Huérgola

Casa Xacalén – Tres varones y dos hembras – Fijos – Propiedad – *Casa Lucita* – Una hembra – Fija – Propiedad / *Casa María* – Desocupada / *Casa Cuña* – Un varón y una hembra – Fijos –

Propiedad / *Casa Loño* – Un varón y dos hembras – Fijos – Alquiler / *El Canarín* – Dos varones y dos hembras – Fijos – Propiedad / *Casa Fausto* – Desocupada.

El Canarón

El Chalet – Desocupada / *Casa Sandra y J. Luis* – Dos varones y una hembra – Fijos – Propiedad / *Casa Emilio y Gely* – Dos varones y una hembra – Fijos – Propiedad / *Casa Francisco* – Desocupada / *Casa Visita* – Dos varones y dos hembras – Fijos – Propiedad / *Casa La Loba* – Un varón y dos hembras – Fijos – Propiedad / *Casa Eloy* – Desocupada.

El Cueto

Casa Xenral – Tres varones y dos hembras – Fijos – Propiedad / *Casa Camuño* – Un varón y una hembra – Fijos – Propiedad / *Casa Romanín* – Desocupada / *Casa José Manuel* – Un varón – Fijo – Propiedad – *Casa Mariño* – Un varón – Fijo – Propiedad / *Casa José Luis* – Tres varones y una hembra – Fijos – Propiedad / *Casa Omar* – Dos varones y dos hembras – Fijos – Propiedad / *Casa Aleyda* – Desocupada.

La Iglesia

Casa Primitivo – Una hembra – Fija – Propiedad / *Casa La Trula* – Un varón y una hembra – Temporales – Propiedad / *Casa Pili* – Un varón y una hembra – Fijos – Propiedad / *Casa José y*

Justina – Dos varones – Alquiler / *Casa Carlota* – Un varón y una hembra – Fijos – Propiedad / *Casa El Gancho* – Desocupada / *Casa Verardo* – Un varón y dos hembras – Fijos – Propiedad.

El Rechayo

Casa Emburria – Un varón y una hembra – Fijos – Propiedad / *Casa Coleto* – Un varón y una hembra – Temporales – Propiedad / *Casa Camilo* – Abandonada / *Casa El Conejo* – Un varón y una hembra – Fijos – Propiedad / *Casa Belén y Jaime* – Tres varones y una hembra – Temporales – Propiedad / *Casa El Churro* – Un varón y dos hembras – Una hembra fija y dos temporales – Propiedad / *Casa Román* – Desocupada / *Casa Calvín* – Una hembra – Fija – Propiedad / *Casa Sandalio* – Una hembra – Fija – Propiedad.

La Carretera

Casa El Velero – Una hembra – Fija – Propiedad / *Casa La Begega* – Desocupada / *La Cruz* – Tres varones y dos hembras – Fijos – Propiedad / *Casa Donato* – Desocupada / *Casa David* – Desocupada – *Casa Bermejo* – Una hembra – Fija – Propiedad / *Casa Blanca* – Desocupada / *Casa El Coxo* – Desocupada / *Casa Felipón* – Tres varones y dos hembras – Fijos – Propiedad / *Casa Pili y Quique* – Un varón y una hembra – Fijos –

Propiedad / *Apartamento 1* – Un varón y una hembra – Fijos – Alquiler / *Apartamento 2* – Desocupado / *Casa La Carrina* – Una hembra – Propiedad.

Casas no adscritas a ningún barrio

El Biforco – Dos varones y tres hembras – Fijos – Propiedad / *La Perrubia* – Dos varones y dos hembras – Fijos – Propiedad / *Casa La Enamorada* – Un varón y una hembra – Temporales – Propiedad / *Casa Pedrón* – Un varón y una hembra – Fijos – Propiedad / *La Fayona* – Dos varones y una hembra – Fijos – Propiedad / *Casa Rama* – Dos varones – Uno fijo y otro temporal – Propiedad / *Bungalós* – Desocupados / *Casa Vile* – Dos varones y una hembra – Fijos – Propiedad / *Casa Ramón* – Un varón – Temporal – Propiedad / *Casa Luisa* – Desocupada / *Prefabricada 1* – Un varón y una hembra – Temporal – Propiedad – *Prefabricada 2* - Un varón – Temporal – Propiedad / *Prefabricada 3* – Un varón y una hembra – Temporal – Propiedad / *Casa Félix* – Dos varones – Fijos – Propiedad / *Casa Almirante* – Desocupada / *Ondinas* – Tres varones y tres hembras – Fijos – Propiedad / *Casa Borrón* – Dos varones y dos hembras – Fijos – Propiedad / *Casa Fabio* – Dos varones y cuatro hembras – Fijos – Propiedad.

Total de habitantes fijos: 141 (71 varones y 70 hembras).

Total de habitantes temporales: 24 (14 varones y 10 hembras).

Viviendas totales: 85 (57 ocupadas – 5 alquiler – 21 desocupadas – 1 abandonada)

El problema del despoblamiento rural (Reader: 2013) queda de manifiesto si se tiene en cuenta por ejemplo que 17 de los 78 municipios asturianos (más de un tercio de la superficie) tienen menos de diez habitantes por kilómetro cuadrado y sufren procesos de regresión demográfica difícilmente recuperables. La Naturaleza asturiana (Álvarez, L.: 2016) se desborda y puede convertirse en un problema para la región. La alarmante disminución de habitantes en las zonas rurales y el abandono de actividades agrícolas empujan a la fauna salvaje hacia las zonas urbanas y convierten al Principado en un polvorín ante los incendios forestales. Los expertos piden replantear el modelo territorial y advierten de un riesgo inminente de que el bosque se descontrole. En el año 2012 Asturias tenía 672 pueblos abandonados y otros 716 sin viabilidad demográfica y abocados a una inminente desaparición, con menos de tres habitantes (Reader; Profoas: 2012). En la fecha del informe se decía que uno de cada cinco pueblos de Asturias tenía los días contados. De las 4.928 entidades ubicadas fuera del área metropolitana del centro de la región había 408 en las que ya no vivía absolutamente nadie y en 538 lo hacían sólo entre uno y tres vecinos. Son datos del estudio 'Pueblos en el olvido', elaborado por la Red Asturiana de Desarrollo Rural (Reader) en colaboración con el Ministerio de Medio Ambiente Medio Rural y Marino. Aunque este dosier que se cita es algo antiguo, se ha tomado como referencia por ser muy riguroso el estudio que lleva a cabo, habida cuenta además que los datos INE actuales solo reflejan ligeros cambios, tanto en la exigua incidencia al repoblamiento (más en lugares con cobertura informática) como en el incipiente éxodo rural. En la fecha de referencia el Principado tenía 672 pueblos abandonados. En concreto, en la región Ese-Entrecabos (Allande, Cudillero, Salas, Tineo y Valdés), había 69 pueblos 'fantasma' y 85 a punto de serlo. En el año 2019 Asturias tenía 880 pueblos en los que no vivía ni un solo vecino y 321 con un solo habitante. (Datos recopilados por **Joseph Millariega** y **Mari Paz García González**: 2025).

'Benedicta Lorences (Beni) nos aporta el árbol genealógico de su familia de Modreiros (**Mari Paz García González: 2024**), que abarca cinco generaciones, desde 1830 hasta el momento actual. El análisis del mismo nos permite comparar las familias de los siglos XIX y XX con las actuales en aspectos tales como el número de hijos, la esperanza de vida, la trasmisión de los bienes patrimoniales, etc. Comenzamos en 1.830 con el matrimonio de Ramona Fernández y Tomás Alonso, que eran pastores de ovejas y solo tuvieron una hija llamada Teresa, algo muy poco habitual en esa época en que las familias solían ser muy numerosas. Teresa se casa con el carpintero Indalecio Lorences, que será quien aporte dicho apellido 'Lorences' a la familia de Modreiros (que lo continúa ostentando hasta el momento actual), debido a que la transmisión de los bienes patrimoniales de las familias se produce al primer hijo varón, a

causa de que la familia era troncal con mayorazgo o heredero único: razón por la cual el apellido 'Lorences' se mantiene en la familia. Teresa e Indalecio tuvieron 9 hijos (5 varones y 4 hembras), algo habitual, ya que no había ningún método anticonceptivo eficaz y además hay que tener en cuenta que los hijos/as eran considerados como fuerza de trabajo, asignándoles ya desde que eran pequeños unos roles según el sexo y la edad. (Fernández Lamuño, J. A.; García Martínez A.: 2018. *La sociedad campesina en el occidente de Asturias*). Seguiremos la línea del cuarto hijo varón de Teresa e Indalecio, llamado Román. A Román no le correspondía ser el mayorazgo por ser el cuarto hijo varón. Sabemos que el tercero emigro a Cuba y que los dos anteriores hicieron vida lejos de casa familiar.

Román se casa con Concha y tienen 4 hijos (3 varones y una hembra). El primogénito (y destinado a continuar la saga familiar) emigra a Madrid. Es Tomás, el segundo de los hijos, quien se queda en la casa familiar. En este punto quiero apuntar que Tomás recibe el mismo nombre de su bisabuelo, también algo constante en la época, donde los nombres pasaban de padres a hijos o de abuelos a nietos, encontrándonos familias donde se repiten los mismos nombres. Tomás se casa con Irene y tienen dos hijos, Benedicta y José Ramón Lorences, siendo este último el actual residente en la casa de Modreiros: es padre de dos hijos Juan y Laura, que sin duda continuarán aumentando la saga familiar. En la casa familiar convivían tres generaciones, los padres o amos: el primer hijo varón casado en casa y los hijos de este matrimonio. Además, solía haber algún tío o hermano soltero, generalmente varón. (Fernández Lamuño, J. A.; García Martinez A.: 2018. *La sociedad campesina en el occidente de Asturias*). Ahora las familias son nucleares: padre, madre y uno o dos hijos (y en algunos casos solo hay un progenitor).

En el documento aportado por Beni aparecen algunas fechas de defunción. A este respecto, señalar que era habitual la mortalidad infantil, debido a la ausencia de vacunas y a la no gratuidad de los servicios médicos. También muchas mujeres morían en el parto, ya que este tenía lugar en la propia vivienda tan solo con la ayuda de alguna vecina entendida. También los varones tenían poca esperanza de vida: por ejemplo, Román, ya citado, moría a la edad de 46 años. La medicina estaba poco desarrollada y los escasos médicos rurales que había cobraban un salario por atender a los pacientes (a veces en especie) lo que hacía que las visitas al médico se espaciaran. Ahora en Modreiros solo vive la familia Lorences, pero en la primera mitad del siglo XX asegura Beni que hubo otras dos casas aparte de la suya. La de Priscila (ahora deshabitada), en la que vivieron José Antonio Morán (El Machacante) y Virginia, que tuvieron dos hijos: Almudena (su ahijada, que ahora reside en Nieres) y José María. Y otra en el camino que va a Villanueva, que se derrumbó hace tiempo, en la que Beni llegó a conocer al matrimonio formado por Emilio Moro (El Moreno) y Aurora'.

Asegura **Beni Lorences** que 'mis padres Irene y Tomás cuando se casaron (Mill, J.: 2025) se quedaron en Modreiros con mi abuela Concha, porque era mayor y andaba mal de salud. No tenían prácticamente y nada y, para colmo, tuvieron que pleitear durante mucho tiempo (desde que se casaron, el 21 de mayo de 1955) con un conde que decía ser el dueño de Modreiros, ganando finalmente el juicio al noble, pero quedando en mucha peor situación económica todavía, hasta que ya con

el paso de los años se fueron recuperando de las pérdidas sufridas en tan costoso proceso. A mí hermano y a mí nos criaron con leche de vacas que se explotaban 'a medias', algunas de las cuales eran del tratante de La Espina Ismael, el que después sería mi suegro.

Respecto al pleito con el conde (Mill, J.: 2025), asegura Anita Fernández García (Tina El Coxo) que por aquella época <había un individuo llamado Rodrigón que faroleaba de que era el dueño de todo Modreiros (tierras que en su día fueron, al menos en parte, 'suertes') y que quizás se tratase de un testaferro del conde...>. [Las suertes eran unas parcelas agrícolas que se entregaban en usufructo a los vecinos mediante un sorteo, de ahí el nombre que reciben. El tiempo de la cesión podía variar entre los 10 o 15 años o incluso ser vitalicio. En todo caso, el beneficiario debía pagar un canon al municipio que podía ser en dinero o especie, *nota auctoris*].

A la vista de estos datos facilitados por Beni Lorences, este autor revisó una serie de BOPOs de los años en los que era probable que tuviera lugar tan desigual pleito entre la nobleza y estas personas humildes, con escasos recursos y un tanto desamparadas, encontrado una sentencia de instancia del Juzgado de Tineo y su apelación de la Audiencia Territorial, comprensivas de tan singulares sucesos y que se transcriben a continuación.

'*Don Jaime Estrada Pérez, Licenciado en Derecho* (BOPO nº 50, de 1 de marzo de 1960), Secretario del Juzgado de Primera Instancia de Tineo y su partido. Certifico: Que en los autos de que se hará mérito se ha dictado la sentencia cuyo encabezamiento y parte dispositiva dicen así:

Sentencia

En Tineo, a dieciséis de febrero de mil novecientos sesenta. Vistos por el señor don Eduardo Gota Losada, Juez de primera instancia de esta villa y su partido, los presentes autos de juicio declarativo de mayor cuantía sobre acción reivindicatoria y declaración de dominio y otros extremos, seguidos entre partes: de una, como demandante don Diego de Zuleta y Queipo de Llano, Conde de Casares, mayor de edad, soltero por anulación de su matrimonio, vecino que fue de Salas y domiciliado actualmente en Chipiona (Cádiz), representado por el Procurador don Eugenio Menéndez Pérez y dirigido por el Letrado don Santiago Martínez. Y de otra, como demandados, don Galdino Fernández García, mayor de edad, casado, industrial y vecino de Valdarieme; don José Estanislao Menéndez Llano, mayor de edad, casado, Procurador de los Tribunales y vecino de Tineo; don Antonio López Vázquez, mayor de edad, viudo y vecino de Tineo; doña Concepción Menéndez Fernández, mayor de edad, viuda, por su propio derecho y en representación de su hijo legitimo don Tomás Lorences Menéndez, [casado]; don Ramón Lorences Menéndez, mayor de edad, soltero labradores y vecinos de Modreiros, parroquia del Pedregal y en rebeldía, don Elisardo y doña Benedicta Lorences, mayores de edad, representados actualmente por el Procurador don Francisco Cerredo López y dirigidos por el Letrado don José María Virgós. **Fallo:** Que, rechazando íntegramente la demanda, debo declarar y declaro no identificada físicamente *la braña de Modreiros*, rechazando en su virtud la acción declarativa pretendida por el actor y en cuanto a la acción reivindicatoria debo absolver y absuelvo de la misma a los actuales demandados, sin hacer especial imposición sobre las costas y en cuanto a los restantes demandados estese a la transacción aprobada por auto de trece de abril de mil novecientos cincuenta y nueve. Así por esta mi sentencia lo pronuncio, mando y firmo. Firmado y rubricado, Eduardo Gota Losada.

Leída y publicada fue la anterior sentencia por el señor Juez que la dictó hallándose en audiencia pública en el día de su fecha, doy fe. Ante mí, Jaime Estrada. Y para que sirva de notificación en forma a los en rebeldía don Elisardo Lorences Menéndez, ausente en ignorado paradero y a las demás personas desconocidas que estén interesadas en la herencia de don Ramón Lorences Alonso, así como a la de doña Benedicta Lorences Menéndez, asistida de su esposo don Nemesio Riesgo y Riesgo. expido el presente que firmo en Tineo a veinticinco de febrero de mil novecientos sesenta. El Secretario'.

Apelación

'El Licenciado Nicanor García González (BOPO n° 192, de 23 agosto de 1960) Oficial de Sala de la Audiencia Territorial de Oviedo. En la ciudad de Oviedo a veintiocho de junio de mil novecientos sesenta. Ilustrísimos señores. Presidente: don Carlos Álvarez Martínez. Magistrados: don Luis Álvarez Álvarez, don Manuel Rodríguez Caravera y don Luis González Diéguez. Vistos por la Sala de lo Civil de esta Audiencia Territorial los

autos del juicio de menor cuantía (antes mayor), que procedentes del Juzgado de Primera Instancia de Tineo penden ante la misma en grado de apelación entre partes; de una como demandante y apelante don Diego de Zuleta y Queipo de Llano, Conde de Casares, mayor de edad, soltero, por anulación de su matrimonio, vecino de Chipiona (Cádiz), representado ante esta Sala por el Procurador don Antonio García Pérez Cabañas y defendido por el Letrado don Santiago Martínez; y de otra como demandados y apelados doña Concepción Menéndez Fernández, mayor de edad, viuda, por su propio derecho y en representación de su hijo legítimo don Tomás Lorences Menéndez, [casado]; don Ramón Lorences Menéndez, mayor de edad, soltero, labradores y vecinos del Modreiros, parroquia de El Pedregal y don Elisardo y doña Benedicta Lorences Menéndez, mayores de edad; y contra las demás personas desconocidas que estén interesadas en la herencia del don Ramón Lorences Alonso, representados por los Estrados del Tribunal por no haber comparecido, sobre acción reivindicatoria.

Fallamos

Que confirmando en lo esencial la sentencia apelada, debemos absolver y absolvemos a los demandados doña Concepción Menéndez Fernández en la representación suya y de su hijo don Tomás Lorences Menéndez; don Ramón Lorences Menéndez; don Elisardo y doña Benedicta Lorences Menéndez de la acción producida en su contra por don Diego de Zuleta y Queipo de Llano, sin costas. Publíquese esta resolución en el Boletín Oficial de la provincia para notificación de los demandados incomparecidos. Así por esta nuestra sentencia, lo pronunciamos, mandamos y firmamos. Carlos Álvarez. Luis Álvarez. Manuel R. Caravera. Luis González.

Publicación

Fue publicada la anterior sentencia por el Ilustrísimo señor Magistrado ponente, celebrando audiencia pública en el día de hoy; lo que certifico. Oviedo, treinta de junio de mil novecientos sesenta. Nicanor García, rubricado. Para que conste y ser publicada en el Boletín Oficial de la provincia, expido la presente que firmo en Oviedo a once de julio de mil novecientos sesenta. Nicanor García González'.

'Mi padre Manuel Fernández (Ondinas) fue combatiente con el bando nacional **(Anita Fernández García, Tina el Coxo: 2025)**, pero resultó herido de gravedad en el frente de Teruel y necesitó tres años de curas en el hospital de Valdecilla (Santander) para recuperarse, pasando después a la situación de mutilado de guerra y siendo ascendido a sargento del Ejército. Siempre contaba un triste asesinato ocurrido en Modreiros, en Casa La Maruca (hoy en estado ruinoso), una vivienda habitada por una mujer llamada Priscila que tenía una hija conocida como La Fidela. Pues bien, terminada la guerra (hacia el año 1940 o 1941) unos afectos al Régimen recibieron un chivatazo en el sentido de que no era afecta a la causa nacional o que quizás escondía (o había dado refugio durante la guerra) a algunos republicanos o a gente denunciada por vecinos que andaba escondida. El caso es que estos hombres que la mataron (al parecer, tres) fueron armados en su busca y se rumorea que hasta abusaron de ella, asesinándola después y dejándola tirada, según se cuenta, en un regueiro. Teniendo en cuenta el miedo que había a posibles represalias entre la población nadie la quiso enterrar y fue mi padre Manolo el que la fue a recoger, la puso en un carro tirado por vacas y la subió al cementerio viejo que había al lado de la iglesia, para que le dieran sepultura. Recuerda que tenía un anillo (posiblemente de oro) que él respetó escrupulosamente, aunque después parece ser que Priscila fue desposeída de dicha ara por quienes la enterraron.

Eran tiempos complicados y de represión: como prueba de ello te voy a poner otro ejemplo que contaba mi padre siempre. Por esas fechas de después de la guerra estaban mis padres y mis abuelos curando hierba en un prado de Ondinas y apareció por allí Plácido el de La Espina, padre de Celedonio El Cándano, que estuvo un rato hablando con ellos. Pero no se detuvo mucho, ya que les dijo al poco rato que 'me voy, porque tengo el presentimiento de que van a venir a por mí... ¡Si llegan a buscarme les decís que no me visteis!'. Así que lo estuvimos observando y pendientes de él hasta que lo vimos llegar a la sierra de abajo y ocultarse en El Peñón. Y tenía razón: pues no pasó mucho tiempo cuando aparecieron unos hombres con fusiles, posiblemente para matarlo. Nos preguntaron por él y mi padre dijo que no había estado allí y después no sé qué camino tomaron... Plácido estuvo escondido un tiempo y logró sobrevivir'.

Reseñas fotográficas

Página 344: Gracia y Pacita (de Casa El Churro), Esperanza, José Manuel y Amparo (de Casa Gaita) compartiendo mesa y mantel junto al carbayón con motivo de la celebración de la Virgen de la O.

345: Javier de la Lolita y Manolo Silva charlando con David Menéndez al lado del mítico carbayón.

346: Las gemelas Carla y Laura, del Biforco, con una amiga disfrutando de la celebración.

347: La celebración de la Virgen de la O terminó con un baile popular amenizado por Alicia y sus teclados y la joven Alba con su acordeón.

348: Vile, Itziar, Antonio y José charlan durante la celebración.

349: Un grupo de vecinos contemplando el baile.

350: Un primer plano de Margarita y al fondo, sentados, los vecinos de más edad.

351: Familia de Casa Felipón. Antonín y Concha con sus hijos. Arriba, a la derecha, Pepe; a la izquierda, Torre. Abajo, en el centro, Raúl con las gemelas Carmina e Inesita a ambos lados (Foto y texto: Mirta Aenlle).

353 y 358: Beni Lorences con su madrina Esperanza Rodríguez.

355: Bautizo de Beni Lorences en El Pedregal, con su abuela Concha y sus padres Irene y Tomás.

359: Toni, Tina y su hijo Héctor (Foto y texto: Anita Fernández).

(Reseñas fotográficas: Mari Paz García González).

20

Una niña con inquietudes viajeras

'Soy **María Esperanza Rodríguez Rodríguez** [noviembre de 2024], de Casa Borrón. Nací en 1943 y tuve seis hermanos, que ya fenecieron todos: Araceli (murió con 96 años), Pepe, que falleció en Cartagena; Angelita, la mujer de Aurelio Campanero; Antón, Diego y Emilio. Mi padre, Diego Rodríguez Borrón, se casó dos veces. Del primer matrimonio con Luciana Lorences, de Modreiros, son los primeros cuatro hermanos. Y de las segundas nupcias con María Rodríguez Fernández somos Diego, Emilio y yo...

De pequeñina me decían que taba muy consentida. Es que me gustaba que me sacaran a los sitios y a veces me dejaban en casa...Por ejemplo, ellos marchaban a la fiesta de San Roque y a mí me decían que no... ¡y yo quería ir! Fui a la escuela de Doña Manolita Alperi. El marido era maestro también y estaba en El Rañadoiro. De esta época del colegio, claro, tengo muchas anécdotas, aunque de lo que más me acuerdo es de jugar alrededor del carbayón de junto a la iglesia...

Después, ya de chavalina, tuve en Madrid un tiempo ayudando a mi hermana Araceli en un negocio de pastelería. A mí Madrid me gustaba ¡y andaba por allí como no sé qué...! Pero me vine para El Pedregal cuando tendría unos 17 o 18 años, porque mi madre taba mala y tenía que estar aquí en casa con ella, porque además ya era mayor (murió con 84 años). También había que atender el ganao, ya que había en casa diez o doce vacas de leche ¡Mi casa ahora nun val nada, pero fue muy buena casa! Aunque yo, salvo cuando había que andar a la hierba, hacía más bien las tareas del interior de la vivienda: comidas, limpieza... También cuando vine de Madrid fui a aprender a coser con Delfina, la modista de aquí del pueblo

"

(que vivía enfrente de Casa de Blanca) hasta que me casé a los 20 años con Manulín, José Manuel García Fernández, que era de esta casa en la que estamos ahora haciendo la entrevista, de Casa Gaita. Ya nos conocíamos del pueblo, de siempre, desde nenos, porque además las dos casas nuestras llevaban mucha relación. Porque mi padre fue sereno en Madrid (y ningún hijo quiso seguir con la plaza) y el padre del él, Casimiro García, también lo era... Cuando yo nací, los primeros recuerdos que tengo son de verlo marchar para Madrid durante algunos meses (para otra parte del año tenía un suplente).
¿Qué me decía Manulín cuando me empezó a cortejar? ¡You que séi lo que me decía! (risas). El tuviera en Venezuela unos diez años y vino con idea de volver a marchar, pero el padre tenía que quedar aquí solo y entonces decidió quedarse en Casa Gaita para hacerse cargo de la propiedad y atenderlo... Cuando salíamos juntos íbamos a un baile que había en Casa El Cojo con un tocadiscos. En el local de la Casa del Pueblo había también bailes cuando las fiestas de San Bartuelo (24 de agosto), Pascua, la Virgen de la O (quince días después de Pascua) y San Francisquín (el último domingo de mayo). ¿Qué cómo decidimos casanos? ¡Bueno, yo qué sé...! ¡Como lo decidirán todos, ¿no?! ¡Home, claro propúsomelo él! Yo era una

nena y n'aquellos tiempos éramos inocentes como no sé qué...
La boda fue en el año 1963 (el marido llevábame 14 años:
Manolín tenía 34 años y yo 20). Estuvimos de luna de miel diez
días por todo el norte: desde Santander (¡que guapo!), hasta
San Sebastián, que era también precioso. Bilbao no me gustó
nada, porque estaba todo muy sucio. Fuimos en autobús... Yo
no sé si había ALSA, creo que sí... Por aquí pasaba el que llamaban El Correo, que dejaba las cartas en Casa El Velero, pues
allí tenía Conrado la cartería, pues era el cartero del pueblo.
En casa también vivía un hermano soltero del marido mío, Edilio, que taba así un poco mal... Bueno, tuviera una parálisis
infantil y murió en el ochenta y algo. Ya taba tamién mi suegro,
el padre de Manolín (que no conoció a la madre), que durou
tuvía, pues murió en 1975. ¡Y nada...! Luego de la luna de mil
venir paquí a trabayar con el ganao y la labranza. Manolín era
muy madrugador, pero a mí gustábame más quedame en la
cama...
Tuvimos dos hijos, José Manuel y María del Rosario García Fernández. José Manuel es profesor de Formación Profesional en
Piedras Blancas desde 1998, aunque el primer destino lo tuvo
en Mahón. María del Rosario se casó también y vive en Burgos.

Tengo cinco nietos: Bárbara, María, Pablo y dos biznietos, Nicolas y Carol. Los dos de María del Rosario son María Victoria y Nacho...

Después ya quedamos aquí solos y Manolín enfermó del corazón y falleció hace ahora siete años. De primeras, echelo mucho de menos...Ahora ya me voy acostumbrando un poco. Bueno, de momento me voy arreglando bien aquí en casa, con algún pequeño achaque propio de la edad...'.

Reseñas fotográficas

Página 363: Boda de Esperanza con Manolín de Ca Gaita. La madrina es Angelita de Ca Campanero, hermana de la novia.
364: Esperanza con su hijo José Manuel (izquierda) y Jacinto.
365: Esperanza con su hijo José Manuel (izquierda) y el autor de este libro ante la conservada panera.
(Revisión de reseñas: Mari Paz García González).

21

Memorias de un niño melancólico

Nací en Casa Pepe Tilia (José de la Torre) de La Millariega un 30 de junio del año 1954. Mis padres fueron Eloy y Aurora. Mi madre era hija de María Fernández (mi abuela materna entroncada con Aurora La Rubiona de Villatresmil), una viuda temprana tras la guerra que había quedado expuesta a las miserias del mundo y de un país desvencijado con tres hijos más (aparte de mi madre): Lolo, Pepín (el padre de mí primo Joselito, de Ponte) y Edelmiro. Yo no tengo muy claro por qué nací en esa casa de La Millariega y nunca me lo quisieron contar, pero siempre supuse que Pepe Tilia había acogido a mi abuela María como compañera de viaje de sus últimos años, a pesar de tener ella detrás una abundante prole. Venían de una casa de Cezures (que yo visité no hace mucho tiempo) en la que no sé cómo conseguían acomodarse todos, dado lo reducido de sus espacios y la escasez de dependencias donde dormir. Supongo que varios en una cama… Allí tuvieron algo de ganado y cultivaron el campo: no sé cómo lograron sobrevivir… Sí, lo sé: pasando muchas privaciones, como la mayoría de sus coetáneos, de ahí que María muchos años después siguiera pelando las patatas como si les quitara en vez del mondo un papel de fumar…

Yo jamás vi a María y a Pepe juntos, salvo para comer en la mesa. Sé que la nueva casa se estrenó hacia mediados de la década de 1940 porque hicieron una fiesta y a ella acudieron muchos vecinos(as). Verardo (que cumplió 90 años el día de San Bartuelo de 2024) y Tere, de El Pedregal, me cuentan que fueron a dicha inauguración y que había una gran sala a un andar que se utilizó como salón de baile, que fue la que yo conocí. Entrabas y a la derecha estaba la cocina, después la habitación de mis padres (en la que nací) y a continuación la

de Pepe. De niño yo dormía con mi abuela en una cama solitaria al fondo de la enorme sala, en la que también se celebraban los esfoyones. A continuación, una puerta daba a un pajar cuya pared derecha colindaba con Casa Xuaco. Debajo del piso estaba la cuadra y anexa a ella la corte de los cerdos. También estaba la Casina del Forno, con horno tradicional y llariega. Creo recordar que mi abuela María me dijo que por algún tiempo había vivido en ella (supongo que cuando llegó a La Millariega), no me explico cómo, dado su reducido tamaño…

También cuenta con un hórreo frente a la entrada principal, que siempre estuvo en bastante buen estado. Cuando te encontrabas abajo, en la cuadra con las vacas, se escuchaba con nitidez lo que sucedía arriba y como no había baño y se utilizaban bacenillas, recuerdo que las mujeres se cuidaban de no hacer ruidos peculiares cuando había tratantes o visitas en la cuadra, porque se oía todo… Allí, entre el ganado, todas las noches mi padre Eloy nos leía a mí madre y a mí unas páginas de El Conde de Montecristo. Recuerdo que Aurora, de vez en cuando, suspiraba y puede que hasta llorase en ocasiones, pues el sentimiento con que Eloy leía la famosa novela y lo interesante del relato llevaba las emociones al límite.

En los esfoyones se bebía vino blanco caliente con azúcar (que podía acompañarse con bollinas azucaradas sin relleno o con torrijas), anís corriente, vino tinto de pellejo (recuerdo a Gómez de Porciles traerlo a mi casa), jerez (para algunas mujeres) y cualquier otra bebida espirituosa de ese tipo. Lo justo para

alegrar un poco el final de la jornada y recompensar de alguna manera el esfuerzo de quienes habían ayudado, pues no había para muchos dispendios. Y la jornada solía terminar con alguna actividad a modo de diversión, como el juego de la zapatilla. De ese modo, niños(as) y mayores sentados contra la pared retozaban *a la zapatilla por detrás tris-tras, ni la ves ni la verás tris-tras*, quizás después de colgar las riestras en el hórreo. Existen algunas variantes de ese entretenimiento, pero en aquella ocasión en Casa de Pepe Tilia tenía el siguiente diseño: una persona trataba de hacerse con la zapatilla que todos (sentados contra la pared de la gran sala) nos pasábamos rápidamente por detrás de la espalda. Corría y corría de un lado a otro (llevando zapatillazos cuando era pillado de espaldas), hasta que, con un poco de suerte, se abalanzaba sobre alguien que no le había dado tiempo a pasarla a quien tenía a su lado, que debía dejarle el sitio y que pasaba desde entonces a intentar una nueva recuperación.

No puedo decir si mi abuela llegó con sus hijos antes o después de la inauguración de la casa, tal vez hacia 1945, pero eso a mí no me importaba, como tampoco nunca pensé en la relación que les unía. Un vecino de El Pedregal me comentó en cierta ocasión que <acobijóulus a ella ya a los nenos Pepe Tilia... You nun séi cómo Pepe conocéu a tu buela María. Ella debéu venir de Cezures pa C'a Tilia como de criada o algo así, con los cuatro hijos (no sé si todos taban ya con ella): Pepín,

Lolo, Aurora ya Edelmiro>. Y que había una anécdota que contaba siempre Pepe y que tenía relación con el hecho de que cuando la gente va teniendo años a veces le cuesta hasta abrochar los botones de la camisa. <Así que Pepe Tilia taba intentando abotonar la camisa cerca del cuello ya nun se'i arreglaba bien, por lo que dijo a tu buela: '¡Cagun Dios María, tienes que abrochame este botón de la camisa!'. Ya después Pepe contaba a su modo cómo fuera el asunto: 'Ya al abotoname arrimóume la cara... Ya digo you... ¡pa abrochame un botón nun fía falta que me arrimara la cara! Ya entós dijei you: ¡Cagun Dios, ésta queda aquí en casa!'>.

'Era yo un neno ya granduco (**Ovidio Martínez Rodríguez: 2025**) y me acuerdo de cuando tu buela María pasó a vivir pa Casa Tilia de La Miriega. Fue después de la guerra, porque la contienda civil estalló en el año que yo nací. Pepe Tilia tenía mucha amistad con mis padres Emilio y Adela y venía muchas noches de filazón para la vivienda de arriba, para Casa Tagón. Esta casa de abajo se hizo en 1952 y mi padre murió en 1953: solo llegó a verla cubierta, sin ventanas ni suelo ni nada... Pepe Tilia era un poco raro, pero buena persona. Y tú buela María taba viuda, tenía cuatro nenos y era también muy buena mujer. Entonces aquí hablando por la noche acordaron mandarle aviso por si quería venir a vivir a casa de Pepe Tilia de La Miriega, porque ella estaba en Cezures en una casa-cabaña del barrio de La Chomba. Entonces, como María aceptó, así fue la cosa de que vino a vivir con Pepe Tilia. ¿Qué si los fue alguien a buscar? ¡Qué va! ¡Vinieron todos andando con lo poco que traían a cuestas, como venía la mayoría de la gente en aquellos años! ¡Ella y los cuatro nenos...! No sé si alguna cosa más pesada que tuviera se la trajeron a caballo. Así fue la cosa de venir tu buela pa La Miriega...'.

María Fernández, mi abuela, vivía en Cezures, en Casa La Vaquera (propiedad en la actualidad la familia de Nicolás González Francos, *rest in peace*) una cabaña decorosa, que, aunque a simple vista pudiera parecer lo contrario, era inadecuada para ser habitada por una familia con cuatro hijos. Cuando la visité en el año 2019 pude comprobar que tenía abajo una pequeña dependencia y a la derecha una reducida habitación con una litera. Además de la correspondiente llariega (ya sin gamayeras), si bien carecía de forno. Mi abuelo Manuel murió en esa casa, pues así lo recordaba así Celestina G. Francos (*rest in peace*) de 93 años en aquellos momentos: '...se habían producido dos defunciones a la vez en el pueblo y la gente salía del velorio de una casa y entraba en el de la otra...'. Vivía humildemente con alguna vaca y un equino, pero no pasaban hambre, aunque sí es cierto que la manutención de los hijos debía ya resultarle costosa y su porvenir de éstos era bastante negro: emigrar, encontrar algún empleo de mala muerte, servir por las casas o bien, llegado el momento, casarse con consortes que poseyesen hacienda. Lo que queda claro es que mi abuela María no fue a El Espín a embaucar a Pepe Tilia para hacerse con sus bienes. Fue invitada a residir con un hombre solo, a cambio de compañía y de su trabajo, oferta que no rechazó, habida cuenta la soledad y desamparo en el que vivía

en una posguerra que, ya de por sí, era dolorosa. De hecho, como ya dije antes, vivió un tiempo en el reducido espacio de casa del forno, conviviendo con una llariega, un horno y una masera. Supongo que para los cuatro hijos se habría habilitado alguna cama en la casa...

Lo cierto es que yo, al carecer de abuelos varones, tenía a Pepe Tilia en gran estima. Y él me quería a mí también, creo... Porque una vez subió a buscarme los huevos de un nido de cuervo encaramado en uno de los árboles más altos de la Veigona de El Cagarato. Allí fue escalando el hombre para complacerme, caña a caña, el pobre, con su edad, mientras mi abuela María estaba abajo con el alma en vilo temiendo que fuera a suceder una desgracia y yo, egoísta, solo esperaba impaciente por los huevos de cuervo. No sé cómo lo consiguió, pues el nido estaba ubicado en la última y endeble caña, a muchos metros del suelo... Cuando bajó con ellos en un pañuelo, María suspiró aliviada, mientras que a mí solo me preocupaban los huevos del nido, sin pensar en la desazón de los cuervos, que se desesperaban sobre la copa del árbol. Así que, con los cuervos alborotados y graznando alarmantemente, emprendimos en regreso a casa. Aunque a mí no me preocupaba demasiado la zozobra de las aves, porque a todo el mundo sentía decir que los cuervos y las pegas eran pájaros dañinos y hasta inmundos... Así que el robo del nido podía responder a patrones mentales más intrincados, como un supuesto sentimiento de justicia o incluso de venganza... Es posible que me hubiera empecinado en quitarlos solo por aquel afán insano que teníamos de coger huevos de

aquellos nidos que encerraban un misterio especial, sobre todo los de las aves de las que en casa sentíamos que eran perniciosas para los cultivos. Pero, desde luego, había también en todo aquel ritual una parte de palpitante y fantástica expectación por saber cómo era (tamaño y color) el exótico souvenir... En El Couto estaba Antón de Casa Nico, que seguramente quería verlos, pero los escondí, porque también yo era bastante malandrín y travieso. Después no sé lo que hice con ellos: posiblemente los entregué a mi madre para que los friera y ella terminó tirándolos por la ventana al prado de C'a Xuaco.

Pepe también me llevaba a lindiar las vacas y me contaba muchas historias de la guerra civil que no recuerdo, salvo lo de que los nacionales y entraron por Degollada y los republicanos se habían replegado a Benuco, en Bodenaya, desde donde unos y otros se lanzaban pepinazos. Y que un proyectil cayó en el prado de la Casa de Arriba y hubo que llevar once carros de tierra para rellenar el hueco. En casa tenía varios casquillos que parecía de obús o de artillería ligera, a los que había puesto un mango de madera y que utilizaba para liquidar topos por las tierras. Pepe me contaba muchas cosas más, pero como le gustaban tanto las metáforas, en la mayoría de las ocasiones no entendía lo que me quería decir. Pero yo estaba a gusto con él y escuchaba y escuchaba todos sus relatos, mientras que él, pausadamente, liaba cigarrillos de lo que parecía picadura y me relataba historias... En casa escuchaba las noticias en un aparato de radio antiguo (quizás un Marconi) en un lateral de la gran sala, sentado en una banqueta. De aquel receptor salían los sonidos y chirridos más raros, mientras él movía de un sitio a otro el dial, buscando la Estación Pirenaica, que emití desde Francia y arengaba en contra del régimen de Franco. A mí no me dejaban acercarme por allí, no sé si por no molestarlo o bien para que no escuchase y difundiese que Pepe conectaba con la Estación Pirenaica, pues estaba prohibido, aunque casi todo el mundo andaba detrás de lo que decía la emisora clandestina para conocer una versión distinta de la postguerra de la ofrecida por el parte oficial. En una ocasión, al pasar subrepticiamente por detrás de él pude oír algo que nunca olvidaría: '¡Aquí Estación Pirenaica! ¡El régimen de Franco está acabado…!'. Aquellas palabras me quedaron grabadas, no sé por qué, aunque durante muchos años no entendí lo que significaban… Y cuando llegué a saberlo comprendí que era una gran mentira, una más de las que contaban tanto los partes oficiales como la radio llamada insurrecta. Lo cierto es que La Pirenaica trataba de alentar un levantamiento interior que ellos sabían que no tenía futuro y que al final serían exterminados. Aquellas enardecidas alocuciones (falacias y embustes muchas veces) habían servido años atrás para alimentar la ilusión de los pobres maquis que habían tenido que tirarse al monte y a los que habían dejado desamparados como perros y a su triste suerte y ventura (que no fue otra que la cárcel o la aniquilación, más lo segundo), mientras los gordinflones de la República vivían a cuerpo de rey en el exilio mejicano y de otros países satélites. Porque, pasado ya un tiempo, con una pequeña mejora económica ya en curso, sin cartillas de racionamiento y con una clase obrera que estaba teniendo trabajo y se empezaba a acomodar, poco o ningún sentido tenía seguir llamando a un levantamiento, porque no iba a prosperar dentro de un tejido social que, con los resquemores y odios

propios de una guerra, ya se iba sin embargo asentando... Además, pocos quedaban ya que pudieran levantarse en armas, sobre todo de las tumbas... Pepe Tilia se reía mucho de un cartel, en el que se podía ver una paloma con una rama de olivo en el pico que se había puesto en el portón de Casa Filipón de El Pedregal (sus parientes, no en vano yo iba a esa casa por San Bartuelo de sopas) y alguien le había pintado al lado un retocado puro y un huevo. '25 años de paz, pero a puro guevo', decía Pepe mientras se reía con ganas. Tenía ingenio también para contar chistes, algunos hasta adornados de cierto erotismo. Lo escuché repetir muchas veces el del cura al que le gustaba la mujer del herrero y éste, al enterarse del asunto, le tendió una trampa Más bien una trampilla que abocaba a la fragua, porque el cura (según la versión), al ver a la dama ligera de ropa en una cama al fondo de la estancia levantó las sayas, supuestamente enhiesto, lanzándose en veloz carrera hacia ella. Pero la compuerta se abrió al pie del lecho y terminó en la fragua con una plegaria desesperada: '¡Bajando vengo del cielo celeste, a ver si en esta herrería fabrican un clavo como éste!', mientras que el herrero lo esperaba con un yunque y un martillo en la mano. Así lo contaba

Pepe mientras se desternillaba de risa... A veces también sacaba el Código Penal, se montaba en un burro, subía hasta Degollada por La Española y se encaminaba a Tineo a través de La Brañina y la Casa del Puerto: le gustaba que se respetara los suyo y era reivindicativo ante las injusticias, así que se comentaba que cuando cogía el burro en dirección a Degollada iba al Juzgado de Tineo.

No conocí a mi abuelo materno y nunca llegué a saber por qué falleció ni de qué, porque por veces que se lo pregunté a mi abuela María ella nunca me decía nada. Sólo me relataba que, cuando la guerra, unos soldados le habían hecho avanzar por la sierra y el bosque (supongo que desde Fastias) en dirección a Las Aurales con una ametralladora al hombro y que cuando les pidió permiso para volver a casa, alegando que tenía familia, un combatiente le dijo que debía seguir adelante, mientras que otro se apiadó de él y le permitió que regresara. En lo demás, María mantenía un hermetismo absoluto sobre su marido, mi abuelo. Hace unos años visité con mi esposa Hilda y mi hermano Roberto a Olimpia en Casa Marcela de Villatresmil, así como a su hijo Valentín Fernández (el primer alcalde de Tineo en Democracia) y supe allí que el suegro de Olimpia era hermano de Aurora La Rubiona, mi bisabuela; es decir, hermano de la madre de mi abuela María. También me dijeron que mi abuelo materno era de Casa El Fontorio de Fastias. María evitaba siempre hablar de la historia familiar: le preguntabas algo y salía con alguna evasiva o con frases entrecortadas y que no aclaraban gran cosa. Lo cual puede comprenderse, porque lo había pasado tan mal y visto tantas atrocidades cuando la guerra civil, que de su boca solo salían advertencias de que

'¡hay que callar, hay que callar, munín!'. No soltaba prenda ni cuando yo subía con ella hasta Degollada en busca de manzanilla y en algunas campas donde proliferaba esa flor (así como en las entradas de las fincas de la zona de La Española) casi se cogiesen tantos casquillos de bala como flores de manzanilla. En algunos lugares, estaban casi amontonados. Entonces yo le preguntaba por qué estaban aquellas carcasas allí y solo un día me aclaró que 'desde estas laderas miraban con unos prismáticos y disparaban hacia La Espina y Bodenaya y que decían ¡Ya cayó uno! ¡Ya cayó otro! ¡Pero hay que callar, munín…!'.

Tampoco conocí a mi abuelo de La Peña (Salas) y las escasas referencias que tengo de él es que era muy jugador y que cuando perdía firmaba documentos respondiendo a las deudas con sus propias fincas. Y que mi abuela Laura, con mucho esfuerzo, iba pagando después y recuperando dichos terrenos. En ese ambiente creció mi padre Eloy, que había trabajado en la construcción (o en el ensanche) de la carretera nacional que discurre por la zona y que se había quedado tan delgado que su madre había tenido que hacerle unos ponches especiales con huevos y un jerez de las parturientas que era un lujo en aquellos tiempos. Siempre se quejaba de que había un puesto en el Ayuntamiento de Salas y que cuando llegó a pedirlo le dijeron que estaba reservado para un falangista. Creo que desde entonces nunca pudo ver a 'los falanges', como él los llamaba… Aparte de atesorar unos aceptables conocimientos desde su paso por la escuela primaria, siempre había estudiado por correspondencia: se le daba todo (electricista, un poco carpintero, paxeiro…) y era bastante listo. Incluso en La Millariega llegó a ponernos clase a una serie de niños en Casa El Cagarato, utilizando los textos que él había estudiado de una famosa academia de San Sebastián. Aunque yo muchas veces no entendía lo que me explicaba, bien por ser yo algo corto o quizás porque Eloy, a pesar de saber mucho, no tenía grandes dotes didácticas. Porque no solo los maestros(as) tienen que saber mucho, sino que ser capaces de conseguir que hasta los más burros (varones y hembras) sean capaces de desasnarse y por eso algunos(as) tienen un gran mérito. Reconozco que tal labor es ardua y encomiable, pero no por eso voy a dejar de aprovechar la ocasión para reseñar también que muchos(as) docentes de la Universidad que conocí (varias, entre ellas la de Oviedo) quizás tenían que haberse dedicado a otra cosa, porque ni didáctica, ni pedagogía, ni las más de las veces ganas…

Yo no pasé mucho tiempo en La Peña: solo iba algunos días y tenía la sensación de que mi abuela no me quería. Aunque yo tampoco sentía una especial predilección por ella, porque los niños en edad temprana somos muy influenciables y yo había sentido en ocasiones a mi madre Aurora malmeter contra ella. Supongo que yo también era un niño peculiar, que vivía en un mundo de recreaciones idealistas, como creo que muchos de los párvulos de corta edad. Todavía hacía arcos de madera con flechas de paraguas y disparaba contra lo que se movía. Un día le clavé una en un cuarto trasero al perro de La Peña y yo creo que fue desde entonces cuando mi abuela Laura me cogió auténtica animadversión.

Las primeras películas que mi padre me llevó a ver al cine de El Ferreiro de La Espina fueron Tarzán y Ben Hur, aunque la que más me impactó fue la de Tarzán. Aquellas selvas, los ríos que tanto me gustaban, la diversidad de fauna y de aves, el sublime colorido… Tendría quizás 5 años o menos... Fuimos y

regresamos caminando: lo recuerdo porque al volver (en la curva donde se dividen los concejos de Salas y Tineo) nos encontramos con una moza de La Pereda que nos adelantó caminando bastante deprisa, creo que con zapatos que tenían algo de tacón y contorneándose mucho. Y porque mi padre la saludó y cruzó unas palabras triviales con ella. Pero mi mente recreaba continuamente los fotogramas del cine de El Ferreiro: las escenas de la película me venían a la cabeza una y otra vez. Así que, en la primera ocasión que tuve, impresionado por lo que había visto en aquellas selvas mágicas, no tardé en echar mano del arco y de las 'flechas', tensarlo, ponerlo a punto y encaminarme al monte de La Cavén en busca de aventuras (más bien de aves a las que abatir). Pero, como La Cavén tenía muchos artos y maleza, ascendí por nuestro prado de La Xirona en dirección a Las Matiegas y subí al zarro de la Casa de Arriba, en la que abundaban las cuevas de melandro, intentando cazar alguno y cavilando que quizás lo podría llegar a domesticar como había hecho Tarzán con aquellas bestias (¡solo se me podía ocurrir a mí intentar amansar a un melandro!). Pero los mustélidos siguieron bien escondidos en sus cuevas y cuando me agoté de caminar por aquellos altos y me fallaron algo las fuerzas, las ensoñaciones fueron remitiendo y me encaminé a casa un poco más apagado, pero sin perder el espíritu aventurero.

Sé que hice la Primera Comunión en la iglesia de El Pedregal y que éramos dos niños y doce niñas. Puedo afirmar esto por una foto que me envió Mari Paz García González (infatigable autora y colaboradora en esta obra), en la que aparecemos ante el altar mayor: las niñas un poco apretujadas en el centro y los dos niños en los extremos. Pero de lo que fue el rito en sí, no me acuerdo de nada… Sí del traje que llevaba, blanco, de Caballero de Calatrava, que mi madre Aurora había recibido por correo, tras haber realizado un pedido a Madrid a partir de un catálogo. Tengo una vaga idea de los comentarios que hacían en casa y de la ilusión que mi madre tenía con aquel uniforme de dicha Orden militar. Sí tengo en la memoria la comida conmemorativa posterior, en una mesa grande colocada en el centro de Casa el Tilio de La Millariega. Desde la izquierda a la derecha de la mesa se puede ver a Lenita y Gerardo L'Argumón, Pepe Tilia, Lolo, Tina, la abuela María, mi primo Paulino, mi madre con mi hermano Roberto ya en brazos, yo (presidiendo la mesa con el traje blanco), mi padre Eloy, Falín del Cagarato, Raquel de C'a Xuaco, mi prima Mari Carmen, uno niño(a) que no conozco, dos amigas de Poles o Aciana (una se llamaba María Jesús y creo que era o había sido novia de Verardo el de El Pedregal) y mi tía Josefa, hermana de mi padre. A propósito de Gerardo L'Argumón siempre me acordaré de cuando el 23 de noviembre de 1963 bajé con mi padre a El Couto y al regresar a nuestra casa de El Espín salió dicho Gerardo de la suya casi corriendo y anunciando a gritos que '¡Mataron a Kennedy! ¡Mataron a Kennedy!', una noticia producida en realidad ya horas antes que causó una conmoción general, aunque alguien pudiera pensar erróneamente que John F. Kennedy no importaba a nadie en un perdido pueblo de la remota Asturias.

Con frecuencia me enviaban a misa los domingos, quizás porque en mi casa tenían cierta amistad con el cura, Don José Luis García Vigón (todos los jerifaltes, miembros del clero y de los estamentos de la época tenía el tratamiento de 'don'). Y un día sentí comentar que nuestro maestro, Antonio Cañedo, había tenido ciertas fricciones con el sacerdote. Debía ser verdad, porque un domingo, ante un sermón interminable del padre García Vigón, parece que Cañedo se sintió un poco incómodo, a lo que el sacerdote anunció sin cortapisas: '¡El que tenga prisa que se vaya!'. Puedo afirmarlo porque lo oí de viva voz, pues estaba presente en el templo... La sintonía entre el maestro(a) en los pueblos solía ser buena, pero a veces tenían sus enconamientos... Aparte del poder que tenían los curas en aquellos momentos, Vigón era bastante echado para adelante a la hora de disponer y mandar, lo mismo que bebiendo 'Fundador' en la cocina de mi casa algunas noches y cantando el 'Porompompero' de Manolo Escobar, que estaba de moda.

No sé a qué edad comencé a ir a la escuela de El Pedregal. Me imagino que tendría unos 5 años. Lo que sí tengo fresco en la memoria es que mi padre me llevó en bicicleta (sentado en el portabultos) una mañana soleada y que nos adelantó un camión que había partido de La Millariega (de delante de una casa la derecha, antes de llegar a la del Canarón), que echaba un extraño y abundante humo blanco y cuyo motor parecía que lanzaba gemidos... Y que durante los primeros días lo pasé bastante mal, pues no me acostumbraba a estar sentado varias horas aprendiendo a escribir letras y tomando contacto con las elementales cuentas. Pero, una vez adaptado al nuevo cambio que se había producido en mi vida, mostré gran interés por aprender y saqué buenas notas, aunque comprendí que nunca llegaría a la excelencia de la hija de Cañedo, la que para nosotros era la celestial Carmina, una niña muy guapa que, de cuando en cuando, nos hacía dibujos con tizas de colores en la pizarra para estimular nuestra atrofiada mente artística. Tuve problemas con la vista y todo parece indicar que me debieron llevar a algún oculista y que me echaron unas gotas que me distorsionaban la visión. Cañedo me mandó leer y no veía las letras. Entonces el maestro se levantó de la mesa, se acercó hacia mí para examinarme los ojos, dándose cuenta de que era cierto lo que decía, pues parece que tenía las pupilas tremendamente dilatadas. Cuando le aseguré, además, que mi madre me había echado unas gotas de un líquido en los ojos, me relevó de esa obligación de leer y me dijo que continuara sentado sin hacer nada: escuchando a los demás tranquila y solemnemente...

A propósito de enfermedades y remedios, no puedo olvidar cómo Aurora, para extraerme un diente, lo enlazó previamente con un hilo gordo, amarrando después el extremo de dicho cordelillo al pomo de la puerta de la cocina. A continuación, dio un portazo y que creo que el diente salió volando por el aire. También me caí de cabeza a la corrada cuando, todo acelerado, intentaba encaramarme muy deprisa al hórreo, en cuyo corredor tenía una jaula con un pájaro que alimentaba. El remedio fue levantarme del suelo (sentía que todo me daba vueltas), cogerme por las piernas y meterme la cabeza golpeada,

atolondrada y llena de barro en el pilón de las vacas… Si estaba aturdido de la caída, mucho más quedé después de la inesperada inmersión, donde casi me ahogo, pero sobreviví, aunque los resultados a la vista están… Era bastante travieso: cuando los vecinos de El Espín (y creo que otros de El Couto y Bedures) estaban de sextaferia por delante de Casa El Tilio, pasó un rapaz de El Posadorio que llevaba una gocha al borrón. La azuzaba con una pequeña vara… El caso es que la cerda defecó sobre la piedra que estaban aporrillando y alguien se lo reprochó al dueño del animal, quizás medio en broma. Pero yo pensé que la cosa iba en serio, así que cogí una piedra del suelo y se la lancé al de El Posadorio a la cabeza, haciéndole una brecha por la que empezó a manar sangre. Se formó un buen alboroto y recibí las reprimendas inmediatas de algunos vecinos, mientras otros llevaban a curarse con yodo al zagal. Ni que decir tiene que mis padres me castigaron también retirándome dos días unos chanclos que tenía para ir a la escuela (y que me encantaban, pues podía ir y regresar corriendo), obligándome a acudir de madreñas, algo que odiaba. Aun así, las até al pie y a la zapatilla con unas cuerdas y también hice el trayecto desde El Espín a El Pedregal (y viceversa) a medio galope con el aro conducido por la gancheta. En otra ocasión bajé con Antón de C'a Nico a un prado muy cerca del molín de C'al Cabrito para sacar un carnero turrión de una finca en la que se había metido. En mi inconsciencia y arrojo pueril, se me ocurrió penetrar en el prado provisto de una rama de escayo, en tanto que Antón, receloso, se mantuvo fuera del cercado. El carnero reculó, escarbó un poco con las pezuñas y emprendió una veloz carrera hacia mí, dándome tal testarada que yo salí despedido varios metros y el arbusto objeto de mi defensa voló por los aires. No contento con eso el animal, repitió los ataques varias veces: yo cerraba los puños, los ponía delante de mí y ahí asentaba los golpes. Hasta que conseguí zafarme por debajo de unos alambres de espinos y caí a una presa con agua, dejando al bicho en pleno apogeo y con ganas de arrearme más golpes. Así que nos fuimos para casa, Antón ileso y yo, por inconsciente y tontorrón, lleno de golpes por todas partes y ya soportando unos incipientes dolores. Así aparecí en El Espín, con las manos muy hinchadas y la cara tumefacta. Como no había en la casa ningún tipo de medicamento aplicable al caso, me rociaron con aceite, que era el único 'ibuprofeno' de la época. Así que, como su efecto fue más un placebo que otra cosa, pasaron muchos días hasta que los órganos afectaos recobraron su estado primigenio...

Como solían caer buenas nevadas por el invierno, una de nuestras aficiones era preparar los esquís, dos tablas (en eso me ayudaba Pepe Tilia) a las que se les doblaba la punta después de introducirlas en agua caliente que se utilizaba para pelar a los cerdos en el San Martín. La explicación es simple: al exponer la madera al calor y a la humedad del vapor de agua, sus fibras de celulosa se ablandan y quedan susceptibles de ser moldeadas de todas las maneras imaginables. Lo cierto es que no recuerdo bien como era todo el proceso... Después ya yo me encargaba de lijarlas y ponerles las precarias correas para su sujeción a la katiusca, así como de clavarles los tacos de fijación. A continuación, se preparaban los dos palos de apoyo. El caso es que, aun siendo algo pesadas, ambas tablas se deslizaban bien sobre la nieve y bajábamos con ellas por los dos

prados que hay encima de Casa Xuaco. Teníamos cierto ingenio, habilidad y motivación, lo que nos permitía ejecutar un elemental desplazamiento, aunque siempre soportando continuas caídas, que no nos importaban lo más mínimo. Pero, aparte de esquiar con técnicas autóctonas y primarias a mí lo que más me gustaba era ir corriendo desde La Miriega a la escuela de El Pedregal, como ya dije un poco más atrás, con el aro (que, en general, se obtenía de los calderos o de ruedas de bicicleta) que guiaba magistralmente con la gancheta. Realmente, aquello era algo adictivo, aunque muchos días tuviera que ir de madreñas, a pesar de que, como bien apunté ya, yo detestara esos zuecos. Lo de correr de madreñas nunca se olvida: es como cuando aprendes a andar en bicicleta.... Por eso, pasados ya muchos años y siendo corredor de largas distancias, tuvo lugar una carrera con ese calzado autóctono en la localidad de Posada de Llanera y no solo gané, sino que entré en el puesto 27 entre el total de mil corredores que también participaban, casi todos con buen calzado deportivo... Aunque muchas mañanas también íbamos hasta El Pedregal entre los bidones de La Mantequera, que ya traía también al maestro Cañedo desde La Pereda. Pero no solo corríamos por la carretera (entre el continuo tráfico de camiones carboneros), sino que también teníamos destrozados los aisladores (que nosotros llamábamos jarrillas) de los postes del tendido eléctrico o telegráfico que iba paralelo a la carretera: pedrada va y pedrada viene... Al regresar

de la escuela para Bedures, El Espín o El Couto otras veces nos tomábamos el trayecto con calma y tardábamos bastante en llegar a casa, bien porque nos distraíamos con algún juego, porque nos poníamos a buscar nidos de pájaros o por cualquier otro trivial motivo… Mi hermano Roberto fue también a la escuela de Cañedo. Cuando un día regresábamos para La Miriega desde la escuela al mediodía (íbamos a casa a comer y volvíamos para las clases de la tarde), creo que yo estaba con Antón del Couto y alguno más. De repente nos dio por cruzar la carretera hacia el bar de El Canarón, quizás para buscar alguna chapa de Orange Crush que había siempre por delante. Mi hermano Roberto salió a la carrera detrás de nosotros y lo atropelló un Renault Dauphine, lanzándolo a un huerto y produciéndole algunas heridas de importancia en las piernas, tórax y cara. Lo llevaron al médico (creo que a Tineo) y estuvo un cierto tiempo en casa recuperándose. Siempre dice mi hermano que la escarcela salió volando también al huerto… El Dauphine era un coche revolucionario para la época (conocido como el Gordini, porque ese era el apellido del ingeniero creador), que dejaba obsoleto a su antecesor el 4CV, conocido popularmente como el Cuatro Cuatro. La combinación del motor trasero (que hacía que en ocasiones las ruedas delanteras 'flotaran') las deficiencias del asfalto y la velocidad del nuevo Dauphine ocasionaron muchos accidentes. Por esa razón, el modelo pronto fue conocido como 'el coche de las viudas'.
El domingo que fui a pescar a Ondinas por primera vez con mi padre Eloy y con Luis de Ca l'Argumón fue uno de los más felices de mi vida. Para mi aquello era nuevo y los prados y los molinos me parecieron maravillosos. El riachuelo estaba cuidado y reverberaba al sol de la mañana. Luis era el único que entendía bien aquel arte y que pescaba alguna trucha. Me regaló una de ellas, que guardé en el bolso del pantalón… ¡Pobre trucha! El caso es que quedé prendado de aquellas

maravillosas vegas y molinos, hoy en ruinas. Todo era distinto: los campos se trabajaban y además los dos arroyos tenían un encanto especial, serpenteando por el medio de las vegas hasta juntarse debajo de Ondinas y adentrarse en la sierra (cuando ya se cruzaba la ponte que daba acceso a Modreiros) y en las pequeñas cascadas del Pozo del Francés, desde donde ya, poco a poco, se iba convirtiendo en el río Lleiroso, discurriendo muy cerca del más fondero de los tres canales romanos de la ladera de La Llerona. El Pozo del Francés (según la transmisión oral) tiene ese nombre porque se dice que los de El Pedregal dieron muerte allí a un soldado napoleónico y que lo arrojaron al río, aunque después fueron perseguidos y sus casas quemadas...

Una parte lúdica de mi vida estuvo ligada a Ondinas: siempre volví a pescar a sus bucólicos riachuelos mientras pude (o bien fui a visitar esos idílicos lugares). Qué hermosos eran todos aquellos parajes salpicados de molinos. El que estaba en un pequeño bosquecillo entre el de Turibón y el de L'Argumón (comunal de La Pereda) ha desaparecido. Los demás están en ruinas, aunque yo los conocí funcionando, incluso el del Cabrito, que era al que bajaba en ocasiones con mi padre. En el de Turibón, (más cerca de La Pereda) en el pozo que se formaba en su boca (donde el agua movía la rueda), ya se pescaban truchas, además de por todos los prados de Praumolín, por los de El Couto de C'a Gayolo, de La Veigona C'al Cagarato, de La Veigona de C'a Higinio y de La Veigona C'a Mauricio. Cuando había trueno, se avecinaba tormenta y el tiempo estaba caliente era una ocasión ideal para pescar unas cuantas truchas y entonces yo bajaba corriendo con mi caña desde C'al Tilio desafiando los relámpagos. Siempre me sentí muy unido a esa pequeña y maravillosa franja de tierra y, como digo, me gusta ver esos prados y regueros de vez en cuando en verano, donde se me llena el alma de recuerdos y de nostalgia, no solo porque todo ha cambiado con el paso de los años y aquellos prodigiosos momentos no volverán jamás, sino que también por la pérdida de ese acogedor y pequeño universo que era distinto y para mi encantado...

Casi todo el mundo siente una atracción especial por el lugar donde nace y los niños un poco románticos como yo lo era, quizás mucho más... Me gustaban aquellas laderas y aquellas vegas como nada en el mundo. Porque algunos niños(as) somos así: quizás sublimamos demasiado las cosas, porque no hemos conocido otro mundo y el nuestro nos parece fascinante en determinadas etapas de nuestra vida, haciendo gala de un sano, envidiable y prodigioso etnocentrismo. En las cálidas tardes de verano, cuando ya estaba oscureciendo, también bajaba corriendo con mi azadón particular a echar el agua a un prado por la zona de las veigonas (cerca del molín del Cabrito), que no sé si era de casa o solo se llevaba en renta. Tengo una idea difusa del lugar donde se ubicaba el terreno, pero muy frescos en la memoria los recuerdos de quitar el agua a otras fincas (lo que me encantaba) y encaminarla a la nuestra. ¿Por qué hacía eso? Muy sencillo: porque lo había visto hacer a Pepe Tilia y para mí lo que hacía Pepe Tilia era como si lo hiciera Dios... Hasta me había preparado una guadaña a mi medida y me había enseñado a utilizarla. Pero una tarde, cuando iba a segar con Pepe y mi padre al prado de debajo de casa y la llevaba al hombro, tropecé en una presa de agua y caí de bruces. Entonces la guadaña impactó en la zona crural del muslo de la pierna derecha y me cortó un poco un tendón. Enseguida me llevaron

al médico y por suerte la recuperación fue buena: no me quedaron secuelas… Así que hay recuerdos de todo tipo: pero lo que siempre llevo en la memoria son aquellas tardes de julio cuando, ya cayendo la noche, todavía sonaban las segadoras por las veigonas y el olor a heno cortado impregnaba el aire. Por la noche se iba de filazón a otras casas, en nuestro caso creo que a C'a Xuaco y a C'al Cagarato.

Muy a menudo mi madre observaba con interés los anuncios de la revista Life, publicación que quizás recibía desde Argentina. Miraba sobre todo la publicidad, porque todos aquellos productos anunciados en sus páginas eran una novedad, ya que en los pueblos no había nada parecido, si bien algunos artículos (o similares) podían ya verse por los escaparates de Oviedo, donde las tiendas tenían gran actividad, en parte por la gente que iba a comprar desde las zonas rurales. Recuerdo una especie de impermeables marrones que adquirieron mis padres en Saldos Arias, que tenían un olor muy peculiar, como a plástico quemado. Yo estaba alucinado con los escaparates y sus alumbrados: tropecé de frente con varios semáforos porque me quedaba extasiado mirando para aquellas tiendas de luces y colores, pues en mi vida había visto nada igual. Oviedo era un hervidero de gente que llegaba desde toda la geografía asturiana…

En La Miriega mi madre, mientras hacía las cosas de la casa, ponía la radio a todo volumen, de tal suerte que se escuchaba desde afuera, desde la cuadra, desde el hórreo… La cuestión era no perderse ni por un segundo los emocionantes consejos (que levantaban suspiros y a veces lágrimas) de Elena Francis. Cuando este célebre programa comenzó su andadura en 1947 las mujeres preguntaban sobre remedios caseros para eliminar manchas del tresillo, recetas de cocina o ungüentos para combatir los sabañones. Pero el contenido fue cambiando con los años y ya mucho antes de 1970 un gran número de las cartas que llegaban al consultorio radiofónico de Elena Francis estaban relacionadas con el sexo: muchas de ellas se referían a auténticos problemas de abusos sexuales que las mujeres padecían en todos los ámbitos, pero eran marcadas con un asterisco, se contestaban de forma privada y no se les daba soluciones prácticas, sino que consejos moralizantes y de resignación, según desvelan varias investigaciones actuales. Las mujeres preguntaban cosas triviales en ocasiones, pero en otras recababan una respuesta desesperada a auténticos dramas de pareja (o de dentro o fuera de la familia), en las que ellas solían ser siempre la parte perjudicada. Ni siquiera en los últimos años de su larguísima vida cambió de diseño el consultorio. Se emitió durante 37 años, escuchándose los últimos consejos de doña Elena Francis en 1984, ya con Felipe González en la presidencia del Gobierno y con el divorcio legalizado.

También se escuchaban por toda la casa los discos dedicados, aunque no sé si ese programa se emitía a diario o solo los domingos. Había muchas peticiones de las Cuencas Mineras y de dedicatorias para una interminable saga de familiares, amigos y conocidos…

Pero un buen día todo ese mundo de ensoñaciones desapareció de repente. Me encontré a mi abuela María en la corrada de la casa con un gran fardo a su lado: en realidad era la colcha de una cama, dentro de la cual llevaba ropa y otros útiles de uso personal. Le pregunté a dónde iba con un atadillo tan grande y me contestó con evasivas: que me fuera a jugar, que ya me enteraría… Después supe que se había marchado para

con su hijo Lolo (parece que estaba esperando que éste fuera a recogerla), que, ya casado con Tina, vivía de caseiro en casa de El Cagarato. Las relaciones entre María y mi padre nunca fueron buenas. De hecho, lo cierto es que mi abuela, aprovechaba cualquier ocasión para malmeterme sobre él... Cosas triviales: que si comía deprisa, que si trabajaba poco y tonterías de ese estilo, pero inducciones que en un niño tan pequeño podían resultar muy perniciosas. También Lolo (que era muy trabajador, pero en el fondo un borrico: así acabó e hizo lo que hizo) y Tina (en la sombra) le comían la moral a mi abuela María. En realidad, yo era un niño y no sabía por qué se habían enturbiado las cosas, pero lo cierto es que no había buen ambiente entre la familia. Malmeter, malmeter y malmeter: esa era la táctica preconcebida... Y todo porque mi padre era más inteligente que ellos. Había comprado una Vespa flamante e intentaba hacer las labores agrícolas sin reventar como un animal, sino que aplicando la imaginación a las tareas y tratando de buscar el máximo rendimiento con el mínimo esfuerzo, como debe hacerse (y como se comenzaba a preconizar en las economías rurales occidentales). En ese sentido era un adelantado: ya no voy a decir un hombre del Renacimiento, pero quizás sí un Homo *economicus*, un sujeto que adopta decisiones racionales en una sociedad adulta, donde los individuos son responsables de construir su propio bienestar mediante elecciones reflexivas y calculadas. Después de terminar en la escuela primaria había estudiado por correspondencia y tenía vocación de maestro (la gran entelequia a la que aspiraban muchos jóvenes en aquellos años, dado su prestigio): nos daba clase particular, como ya señalé antes, a varios niños en la cocina de Casa El Cagarato. Además, sabía de todo: de electricidad, de carpintería, de albañilería… Yo lo tengo visto hacer de todo en casa y en concreto paxos y banastras de gran perfección. Era una especie de ilustrado en plan humilde… También un amante y curioso del Derecho, pues tenía varios textos legales de uso común en La Miriega, además del libro de 'El Abogado en Casa', un volumen muy práctico (aunque elemental) que yo tuve ocasión de hojear. En este sentido continuaba la tradición de Pepe Tilia, que era un auténtico forofo del Código Penal. Es decir, sin hacer daño a nadie, Eloy siempre intentaba defenderse a sí mismo y su familia, quizás también animado por la carestía de los abogados. Su gran pecado: ser distinto y no ser un burro como su cuñado Lolo…

Muchas noches me llevaban en la Vespa a La Pereda, a Casa Manolo, a ver soporíferas obras de teatro clásico en la televisión (Estudio 1), pues no todo el mundo en las casas podía acceder a los receptores, aunque la señal ya llegaba de forma regular desde 1964, que fue cuando se inauguró la estación del Gamoniteiro. ¡Vaya sueño que tiene pasado, Manolo, el padre de Manolín, a cuenta nuestra! Se dormía sobre el mostrador. 'Habrá que ir marchando ¿eh?', preguntaban mis padres. Y Manolo siempre decía. 'Home no… si eso esperai a que acabe…'.

Así que mis padres, con mi abuela habiendo tomado postura contra ellos, al haberse marchado a vivir con su otro hijo Lolo, se vieron forzados a llegar a un acuerdo económico y se marcharon de La Millariega, algo que yo nunca entendí del todo bien, aunque parece que no había mucho que comprender…

Así que, ante un clima familiar tan insoportable, mis padres optaron por irse para La Espina, con dos hijos de corta edad. En principio vivimos de alquiler en un bajo insano de Casa El Xipón, donde nos pusimos enfermos tanto yo como mi hermano Roberto (por ejemplo, caía el agua de un retrete del piso superior encima de una de las camas). Recuerdo que durante

el verano que llegamos a La Espina se jugaba el mundial de fútbol de 1966 que ganó Inglaterra frente a Alemania (con aquel famoso gol fantasma ante de Hurst) y yo andaba comprando todas las chocolatinas que podía, pues traían cromos del mundial: un reclamo, un gran negocio, porque era casi el único medio para que los niños nos pudiéramos hacer con algunas fotografías de nuestros ídolos del fútbol. A mis padres se les había quedado olvidada una carretilla metálica cerca de la curva de La Cavén, en la misma carretera, a la altura del camino que subía para L'Argumón. Y como ellos ni se atrevían a ir a buscarla y me enviaron a mi caminando… Me costó trabajo, porque yo tampoco tenía ganas de volver por allí, ya que tenía la sensación de que habíamos tenido que marcharnos del pueblo porque habíamos hecho algo malo. En efecto, yo estaba afectado de una impresión muy peculiar de culpa, de una culpa intangible, inexistente, que solo estaba en mi cabeza, pero que me corroía el alma… Porque nunca entendí por qué nos tuvimos que marchar y pensaba que algo habíamos hecho mal, cuando la realidad es que la situación familiar se había vuelto imposible por las conspiraciones de mi abuela María y de Lolo y su consorte contra mis padres, especialmente contra Eloy, a quien yo tuve siempre como una persona inteligente, cuyo único pecado había sido el de querer llevar una vida diferente y sin rehuir en ningún momento las necesarias labores agrícolas y ganaderas. Porque yo el recuerdo que tengo de mis padres es el de sembrar patatas, maíz, cuchar o estar a la hierba tanto en la Casa de Arriba, en Las Matiegas, en el prado de Las Pilas, en la Llama del Carro o en La Veiga como cualquier vecino más del pueblo. Trabajando, trabajando y trabajando… O de subir a la sierra, contra Degollada, a buscar carros de roza (en una ocasión nos atacó un enjambre de abejas). Pero no se trataba de eso: Eloy leía por las noches a su familia El Conde de Montecristo en la cuadra y eso era imperdonable, como también lo era ir a La Pereda a ver obras de teatro en una Vespa nueva… A propósito de esto, recuerdo que mi madre se empecinó en aprender a andar en moto y, a pesar de su falta de aptitud para ello, Eloy no fue capaz de quitárselo de la cabeza… Mi padre hacía prácticas con ella por el tramo de camino que va desde la casa de El Tilio y la de L'Argumón, pero a Aurora era la negación más absoluta a la hora de guiar aquella máquina, por entonces era un vehículo prodigioso para desplazarse, pues no todo el mundo lo tenía. En una ocasión, mi padre la encaminó desde las inmediaciones del hórreo hacia L'Argumón y ella se vio tan azorada con las marchas que aceleró sin pretenderlo, encabritándose algo la moto, con lo que, un poco asustada, no se le ocurrió otra cosa unos metros más abajo que cogerse al segundo portillo del prado de debajo de casa, mientras que la moto rodaba unos metros sola y después caía al suelo entre revoluciones… Recuerdo a Eloy corriendo detrás dando gritos… Ese día se acabaron las prácticas de Vespa, al comprobar que Aurora nunca llegaría a hacerse con un carné para circular con la moto y mi padre dedicó los días siguientes a quitarle de la cabeza su súbita afición a la locomoción sobre dos ruedas…

Cuando ya vivíamos en Casa El Xipón de La Espina mi padre iba a trabajar con frecuencia a la casa de su madre, en su pueblo natal La Peña (ya fuera en Vespa o caminando), pero mi madre no se prodigaba por esa aldea, quizás porque no mantenía con su suegra Laura una relación, digamos, muy fluida... Pero pasado un tiempo Eloy y Aurora tomaron la decisión de montar un pequeño bar en un local alquilado de María Celestino, lo cual fue un acierto, ya que allí estaba la parada de ALSA. Fue el conocido Bar París... El porqué del nombre tiene una historia curiosa: mi padre había ido a Oviedo a darlo de alta en Industria y no había llegado con mi madre a un acuerdo sobre cómo denominar el futuro negocio. Ese día tenía que ir a un taller en la Avenida del Mar y, como era media mañana, pensó comer unos pinchos acompañados con un vino (ágape que prodigaba siempre que hacía un viaje) y entró en el bar que tenía más próximo, que resultó ser el Bar París. Y como le gustó el nombre (y no tenía otro a mano) cuando subió al centro de Oviedo, para hacer los trámites pendientes, decidió ponerle ese nombre a su establecimiento de La Espina (Aurora dio su pláceme, pues el nombre tenía enjundia), aunque siempre fue conocido también por el Bar Nuevo. Por tanto, todos fuimos luchando en la medida de nuestras posibilidades por sacar adelante el negocio (mis padres empeñando el alma y sus ahorros, luchando contra la incertidumbre), aunque toda la familia continuamos viviendo en malas condiciones. Y me explico: María Celestino permitió que, en la parte de atrás, contra el prado de la feria, mis padres construyeran una especie de casetas cubiertas de uralita (que

siguen en pie en la actualidad) con una cocina, una habitación y dos baños para el bar, dependencias que siempre tenían, salvo la cocina, mucha humedad. Allí dormíamos todos como podíamos, en un lugar insano, hasta que, un poco más adelante, ya pudieron alquilar un piso antiguo en Casa Maurín y entonces las cosas cambiaron... La abuela María se reconcilió y volvió con mis padres y su labor fue fundamental para ayudar en el negocio y para sacar adelante la familia, sobre todo a los tres hijos, pues también nació nuestra hermana Ana Belén. Trabajó mucho también la pobre: hizo lo que puedo por todos, hasta que el paso del tiempo, consustancial también a la vida, fue acabando con ella... Siempre le estaremos agradecidos y en nuestro corazón por sus cuidados...

Creo que fue en 1967 cuando me enviaron al Monasterio de Corias (Cangas del Narcea) para estudiar el bachiller laboral. Era un gran estudiante y, además, me sentía muy feliz pescando truchas en el Narcea, que estaba al lado. Me había integrado bien en el convento y en aquella vida comunitaria: las notas fueron excelentes. Pero, una vez terminado el primer curso, antes de marcharnos de vacaciones Sanidad hizo unas pruebas de tuberculina y yo di positivo (como otros muchos), lo que fue oportunamente comunicado a mis padres. Así que me llevaron a la Sanidad pública de General Elorza de Oviedo, cayendo en las manos del Doctor Sela, de infausto recuerdo. Me mantuvo postrado en la cama en La Espina varios meses, mientras Paquín de Máximo me ponía dolorosas inyecciones, una tras otra... El caso es que, a pesar del tratamiento prescrito, no mejoraba… Entonces, mi madre, asustada, me cogió un día y me llevó en el ALSA a Oviedo, presentándose conmigo al hombro (ya no tenía fuerzas casi ni para caminar) en General Elorza y diciéndole al Dr. Sela que no solo no mejoraba, sino que estaba cada vez peor, pese a tanta inyección… Pero mi madre no recibió del médico ni una triste palabra de aliento: solo malos modos y una severa reprobación por haberme llevado a Oviedo. ¡Pobre Aurora…!, que había obrado con buena intención, ya casi a la desesperada (temiendo fundadamente por la vida de un hijo) y que encima tenía que soportar la reprobación altanera de un médico déspota y engreído que no sé si ni tan siquiera me auscultó… Vamos a suponer que sí, porque no lo recuerdo, pero de lo que sí estoy seguro es que ni siquiera me pidió una radiografía. Así que vuelta para casa en el ALSA, a la cama otra vez y a seguir con las inyecciones… Un tiempo después comencé a tener episodios de 40 grados de fiebre, que no remitía de ningún modo. Así que Eloy y Aurora, asustados, me subieron en el coche (mi padre ya tenía un Seat 1500) y me llevaron al Doctor Mazón, al antiguo Sanatorio Blanco. Lo primero que hizo el médico, tras realizarme unas pruebas, fue meterme una aguja enorme por el costado izquierdo y comenzar a sacar jeringadas de pus para un recipiente, ayudado de una enfermera. No sé cuántas: muchas… Un litro, dos... ¡no lo sé! Después me llevaron para casa medio muerto y en cuanto me recuperé un poco volvieron conmigo al Dr. Mazón y vuelta a sacar purulencia. Pero con la misma rapidez que se extraía parece ser que se volvía reproducir, así que el Dr. Mazón se decantó por operarme. Lo pasé muy mal, porque, tras la intervención, me introdujeron en el cuerpo un aparato que sonaba como una aspiradora y que creí que me sacaba todas las entrañas del cuerpo. Allí estuve un mes con un agujero en el costado por el que me metían penicilina a diario (me quedó un buen corte en esa región), leyendo

algún libro de interés en cuanto pude y viendo por la ventana como los hippis (y otros[as] que no lo eran tanto) hacían autostop en la antigua carretera de Las Segadas. Si no fuera por la penicilina podría darme por acabado…

Cuando parecía que estaba recuperado casi por completo intenté retomar el bachiller en Salas, pero el plan era distinto, tuve muchas dificultades de adaptación (el curso ya estaba empezado) y volví a tener una recidiva de la enfermedad. Así que mis padres, en la creencia de que hacían lo mejor, me dijeron que el estudiar se había acabado, al menos de momento, pues primero estaba la salud... De esa forma fue como me quedé en la ignorancia por un tiempo, ayudando en el bar y siendo corresponsal de prensa en La Espina, Salas y Tineo. Cuando ya había pasado el riesgo, incluso jugué al fútbol, integrando varios equipos regionales, practicando algo también otro deporte muy de moda por la época, el de la asiduidad a las tabernas que años más tarde abandonaría radicalmente (y para siempre) al comprobar que no me reportaba nada útil (todo lo contrario). Pero, como dice Jeremy Irons en la película 'The Words' ('El ladrón de palabras' en versión castellana) <todos tomamos decisiones en la vida: lo más difícil es vivir con ellas

y no hay nadie que te pueda ayudar en eso. No se puede borrar el pasado por mucho que uno quiera>. Todo el mundo comete algún error en su vida, pero de los propios nunca se ocupan (los obvian: no existen, haciendo un gran ejercicio de cinismo) en tanto que intentan denostar y escarnecer a los demás porque una vez (aunque hay pasado medio siglo) erraron temporalmente en su singladura vital. De la lucha y de los logros conseguidos con gran esfuerzo durante toda una existencia no se acordarán (no repararán en ello: no les interesa), pero meterán el dedo en la llaga de aquella hora fatal en que flaqueaste por poco tiempo, aunque ellos y su familia estén llenos de estiércol hasta arriba. 'La condición humana', que decía Reverte... Cuando tuve que enfrentarme a la vida de verdad, como poco sabía hacer de provecho (y en realidad tampoco era periodista), me vi obligado a trabajar en los túneles, en las minas y en los ferrocarriles como lo hacían los chinos en las películas del Oeste americano. Si bien, como era tan aplicado, en seguida llegué a jefe de equipo, camino ya de capataz. Pero tuve la suerte un buen día (a pesar de tener un contrato indefinido) de plantear a mi esposa Hilda el pedir la cuenta y ponerme a estudiar. (En realidad los dos hicimos el juramento de cambiar el estilo de vida, como se verá un poco más adelante). Porque con aquel patrón cada vez había que trabajar más y la compañía estaba barajando hasta restringirnos el tiempo que nos dejaba para tomar un apurado desayuno. Hilda me dijo que ella me apoyaría en todo, lo cual nunca se lo agradeceré lo suficiente, porque aquello cambió nuestras vidas. Así que comenté la situación con la empresa, estuvieron de acuerdo en que lo dejara si así era mí deseo, produjeron un despido, hicimos en correspondiente acto de conciliación y pasé al desempleo, poniéndome a estudiar de la mañana a la noche. Quería ser funcionario a toda costa. En realidad, nos hicimos la promesa mí esposa Hilda y yo de comenzar a correr y a estudiar, el

juramento al que me refería antes... Y fuimos rigurosos con nuestra promesa: apenas si fallábamos algún día y por circunstancias excepcionales. Yo preparaba las dos oposiciones que había en aquellos momentos: Correos y Agentes de Aduanas. Se convocó antes la del servicio postal y aprobé. Me destinaron a Madrid. Hilda que, ya trabajaba en Correos de calefactora con un contrato fijo discontinuo (¡ya existían!), consiguió una vacante de limpiadora en Chamartín. Nos fuimos juntos a Madrid y alquilamos un piso en Benigno Soto, cerca del metro de Prosperidad. Ella (que había terminado la Maestría industrial química) después aprobó para Caja Postal y posteriormente estudió Derecho y obtuvo una plaza en el Ministerio de Justicia, llegando a ser gestora, si bien un tiempo después concursó por una vacante de Secretaria (la actual clasificación profesional sería la de Letrada), obteniéndola y renunciando posteriormente a ella, pues teníamos que irnos a vivir a Extremadura. En Chamartín progresé enseguida y pronto fui un discreto jefe de aquel gran centro de trabajo (casi dos mil funcionarios y empleados), porque no era demasiado tonto y los asturianos estábamos muy bien vistos, pues teníamos fama de muy trabajadores. Además, yo disfrutaba con aquel trabajo de organización y clasificación (recibíamos y enviábamos correspondencia de y para todo el mundo), pues provenía de un submundo, dentro de un inframundo, donde todo eran materiales pesados (railes de hierro y traviesas de madera), trenes peligrosos, esfuerzos, prisas, voces, juramentos y malas artes para que la sociedad que subcontrataba (y a la que pertenecía) obtuviera el máximo beneficio en el menor tiempo posible...

Estudié varias carreras universitarias, haciendo los oportunos másteres de las mismas y otros estudios. Y ahora estoy dándole vueltas a la cabeza sobre lo que me dijo una parienta política envidiosa no hace mucho: '¡Y para qué tanto, si va a quedar todo aquí...!'. Puede que tenga razón, pero siempre me gustó estudiar y aprender conceptos nuevos y en el fondo no me arrepiento de haberme esforzado por intentar comprender mejor el mundo y la iniquidad (con brotes de bondad) en la que vivimos... Terminé mi actividad profesional en el departamento de homologación de estudios extranjeros de la Delegación del Gobierno de Asturias. Fue una vida de lucha y sacrificio, porque también era corredor bastante conocido de maratón, 100 km, 24 y 48 horas. No me fue del todo mal y creo que mereció la pena, pero gran parte del mérito fue de Hilda, una mujer excepcional, sin cuyo apoyo y ayuda nunca hubiera logrado ni la mitad de las cosas que conseguí en la vida. Siempre se sacrificó para que yo pudiera estudiar y entrenar. Ella fue también un motor y un apoyo en los momentos difíciles, porque en los buenos, en los fáciles, no hace falta ayuda: hasta los más lelos salen airosos por la inercia de los acontecimientos cuando el viento es favorable... A pesar de ello, los seres humanos cometemos algunos errores y hay que vivir con ellos, porque no se puede volver atrás para corregirlos, como decía antes (creo que le ocurre a casi todo el mundo) ya que la vida te empuja como un aullido interminable, como decía el poeta José Agustín Goytisolo. Desde luego que no haría algunas cosas del mismo modo, como tampoco me integraría en algunos grupos sociales u organizaciones, al considerar a cierto asociacionismo (al menos, desde mi punto de vista) como un fracaso en sí mismo y decantándome más por el hombre autónomo, libre y racional de Kant. Pero antes de terminar esta

exposición cargada de sentimiento (una mezcla de diatriba y de sermón autocomplaciente, *mea culpa*) quizás deba explicar el por qué todos mis libros llevan la firma de Joseph Millariega. Lo de Joseph porque transcribiendo textos en castellano antiguo para otro libro (una gran obra de hijosdalgo y vaqueiros, que ocupó parte de mi vida, con pérdida de la vista, muchos gastos, puesta a precio de coste y por la que solo recibí desagradecimiento) comprobé que mis antepasados no se llamaban José Josefa, sino que Joseph y Josepha. Así que decidí adoptar ese nombre y no por un amor excesivo al catalanismo, ni mucho menos... Lo del apellido o sobrenombre también tiene su historia... Cuando fui durante años corresponsal de La Voz de Asturias en Tineo, Salas y La Espina firmaba como José Manuel García y todo el mundo me conocía, porque me asociaban a esas villas y al antiguo pueblo vaqueiro de La Espina (toda la zona lo fue desde El Pevidal hasta El Couz). Pero, años más tarde, cuando comencé a hacer reportajes de página entera en La Nueva España y fui corresponsal de ese periódico en Raíces y Piedras Blancas empezaron a confundirme con otros autores que tenían el mismo nombre y apellido (pues eran realmente corrientes) llegando a la conclusión que con tal sustantivo y el subsiguiente antroponímico García nunca iba a hacerme un humilde nombre en el mundo de las letras. Estaba en estas cavilaciones un día que caminaba por la calle Galiana de Avilés cuando me encontré con un amigo que llevaba en la mano un libro de Salvador de Madariaga, lo cual me llevó a

pensar después que yo podía utilizar el de Millariega, pues, aparte de ser mi pueblo de nacimiento, se parecía mucho al del gran escritor. ¡Dicho y hecho! Así, pues, en el siguiente reportaje en La Nueva España, que llevaba por título 'Cuando la muerte acechaba en las campanas' (sobre los primigenios obreros de Ensidesa que trabajaron bajo el aire comprimido) ya utilicé el José Manuel García-Millariega, lo que hizo que propios y extraños comenzaran ya a preguntarse que quién era aquel tipo que hacía aquellos reportajes tan incipientes y peculiares que tenía un nombre tan raro... A propósito de todo esto quiero tener en este libro un recuerdo para mis padres Eloy y Aurora, que nunca me quitaron de escribir pese a los escasos emolumentos que recibía, unas cuatro mil pesetas mensuales por textos y fotos, de lo que había que descontar los gastos en transportes, pago de los envíos urgentes por ALSA (50 pesetas), carretes fotográficos, revelados y otras cuestiones propias del reporterismo. En resumidas cuentas, que el beneficio que quedaba no era mucho, aunque yo también trabajaba con ellos en el Bar París. Gracias a su amor por el periodismo y las noticias me fui soltando (a golpe de leer libros y de tirar diccionario) y escribiendo cada vez mejor

(porque una cosa es escribir y otra muy distinta juntar palabras), lo que me permitió más tarde poder hacer investigación social y escribir libros, no sin muchos años de formación profesional y universidad con enorme sacrificio (trabajando y asistiendo a clase por el día y estudiando por la noche), desde luego con la inestimable ayuda de mi esposa Hilda, que me exoneró de ciertas tareas: de otra forma no lo hubiera conseguido... Así que siempre recuerdo la ilusión que les hacían a Eloy y Aurora mis crónicas y reportajes en el periódico. Más allá de El Pedregal se reían de mí cuando andaba buscando informaciones con motivo de este u otro suceso. Pobre repórter Tribulete, un don nadie enamorado de Bécquer que perdía el tiempo y el dinero detrás de improductivas crónicas para La Voz de Asturias... Pero nunca se debe dar por acabada la procesión hasta que pasa el último cura, porque la vida da muchas vueltas y hoy, humildemente, les puedo recomendar que echen un vistazo al último apartado de este libro que lleva por título 'Sobre el autor'.

Así que lo del nombre de Joseph Millariega no fue por una acción reivindicatoria sobre El Espín, sus bienes y heredades, pues los sobrinos de Lolo nunca quisimos nada de él, entre otras razones porque todos tuvimos otros enfoques en nuestras vidas y porque además nuestro tío pensaba que todos

éramos unos 'jeribillas', como decía... Todo el mundo tenía sus planes, que no pasaban por aguantar las rarezas de Lolo en La Millariega. Así que si alguien piensa que firmo mis libros por alguna añoranza (fuera del amor a la tierra donde nací), ya le digo que vaya perdiendo toda esperanza... La casa y propiedades ahora pertenecen a una familia que lo cuidó en la fase final de su vida. Por otra parte, rebuscando entre viejos archivos encontré por casualidad este tesoro, la escritura de compraventa de los bienes de mis padres a Lolo y Tina cuando éstos abandonaron La Millariega, que, sin ser nada excepcional, nos aporta importantes datos sobre el valor aproximado de los inmuebles descritos y los predios de rústica en la zona en aquellos momentos, cuya estimación se podría calcular sin mayor dificultad al haberse registrado en el documento, como era usual, las áreas de las fincas:

'Número ciento siete. En Tineo a veinte de julio de mil novecientos sesenta y seis. Ante mí, Don Manuel Aguilar García, notario del Ilustre Colegio de Oviedo, con residencia en esta villa, comparecen:

De una parte: Don Eloy García Rodríguez y su esposa Doña Aurora Fernández Fernández, mayores de edad, labrador él y sin profesión ella y vecinos de El Espín, parroquia de La Pereda.

De otra: Don Manuel Fernández Fernández, mayor de edad, casado con Doña Celestina Arnaldo Mora, labrador y de igual vecindad. Intervienen todos en su propio nombre y derecho y la señora compareciente lo hace además para conceder cual concede su consentimiento al presente acto de disposición que realiza su marido sobre bienes presuntos gananciales. En consecuencia, tienen a mi juicio, según intervienen, la capacidad legal necesaria para otorgar la presente escritura de compraventa. A tal fin:

1.-Que Don Eloy García Rodríguez y su esposa son dueños de las siguientes fincas sitas en términos de El Espín de La Pereda las catorce primeras y de La Pereda la última: [] Casa vivienda con otra casa pequeña aneja y un hórreo, llamado *El Tilio*. Linda por la derecha, entrando, con casa de Gregorio García; y por la izquierda, frente y espalda con caminos [] Prado llamado *De Debajo de Casa*, de sesenta áreas, aproximadamente, que linda al sur con huerta de María García denominada El Carbayín [] Prado llamado de *La Era de Debajo de Casa*, de unas treinta áreas; linda al norte con tierra de María García, El Carbayín; al este con otras de Carmen Pérez y herederos de José Menéndez; al oeste con prado de Gregorio García [] Tierra llamada *El Pasquín*, de unas sesenta áreas; linda al oeste con tierra de Adolfo Braña, al este con Emilio García y Manuel Miranda [] Tierra llamada *La Campa*, de unas diez áreas; al sur y al este linda con Manuel Miranda [] Huerto llamado *Entre las Paredes*, cerrado sobre sí, de unas veinte centiáreas; al sur, este y oeste con Manuel Miranda [] Prado llamado *Matiega de la Xirona*, de unas cincuenta áreas; al norte y al sur con Manuel Miranda; al este con Fernando Parrondo y al oeste con Emilio García [] Prado llamado *La Matiega de la Vuelta*, de unas treinta áreas; linda al norte con Eladio García; al oeste, con Gregorio García; al este, con rozo de La Carula [] Prado llamado *La Matiega de Arriba*, de unas diez áreas; al este con Gregorio García y Eladio García [] Prado llamado *La Zarrina*, de unas veinte áreas; linda al norte con Rosario Parrondo; al sur con herederos de Paula

García; al este con Primitivo Fernández [] Monte y prado llamado *El Zarro*, de una hectárea; al sur con Manuel Miranda y Primitivo Fernández; al oeste con Rosario Parrondo [] Prado llamado *La Tablada del Campo*, de unas treinta y cinco áreas; al norte con Primitivo Fernández; al sur con Carmen Pérez y al oeste con María García y Gregorio García [] Prado llamado también *La Tablada del Campo*, de unas treinta y cinco áreas; al norte con Carmen Pérez; al sur con Bernabé de La Casa Nueva; al oeste con Emilio Colado [] Prado llamado *Llama del Carro*, de unas cuarenta áreas; al norte con María García; al sur con Fernando Parrondo; al este con Gregoria García y al oeste con Gregorio Colado [] Tierra llamada *La Pereda*, de unas treinta y dos áreas; al sur con herederos de Álvaro García; al este con herederos de José Pardo; al oeste con Antonio Menéndez; al norte con camino y herederos de Juan de Borla. Título: las adquirió don Eloy García Rodríguez, en estado casado, por compra a don José de la Torre Colado, en escritura pública de seis de junio de mil novecientos cincuenta y tres, ante Salvador Zaera Sánchez, notario que fue de Salas. Se hallan libres de cargas y arrendamientos.

Primero: Don Eloy García Rodríguez, con el dicho consentimiento de su esposa, vende a don Manuel Fernández Fernández, que compra, todas las fincas descritas en esta exposición, con cuanto tienen de hecho y de Derecho y en el concepto de libre de cargas. Segundo: Es precio de esta venta la cantidad de doscientas quince mil pesetas, que los vendedores reciben en este acto en mi presencia en cuanto a la cantidad de ciento

sesenta mil pesetas y confiesan recibidas de antemano las restantes cincuenta y cinco mil pesetas. Por lo cual, otorgan a favor del comprador total carta de pago, manifestando expresamente quedar canceladas al efecto cualesquiera obligaciones pendientes por ambas partes. Tercero: el comprador se obliga, por sí y sus herederos en la posesión de estas fincas, a cuidar y alimentar a don José de la Torre Colado y doña María Fernández Fernández durante la duración de la vida de ambos, así en la salud como en la enfermedad, a proporcionarles alimentos y atenciones, así como las pequeñas cantidades que éstos últimos puedan precisar para atender a sus necesidades. A efectos fiscales se valora esta obligación alimenticia en diez mil pesetas.

Número cuatrocientos cincuenta. En Tineo a dos de octubre de mil novecientos setenta y cinco. Don Alfonso Gómez Morán y Etchart, notario del Ilustre Colegio de Oviedo con residencia en la villa. Comparecen: Doña María Fernández Fernández, de sesenta años de edad, viuda, sus labores, vecina de La Espina y don Manuel Fernández Fernández, mayor de edad, casado, labrador, vecino de La Pereda, concejo de Tineo. Exponen: II.- Que Don Manuel Fernández ha venido cumpliendo las obligaciones consecuencia de la escritura reseñada (20 de julio de 1966) ... [] Estipulan: Que el alimenticio estipulado a favor de doña María Fernández Fernández es transmisible a los herederos y que fallecido don Manuel Fernández Fernández le sucederán en tal obligación aquellos que hereden las mismas fincas o simplemente sus herederos. Fallecida doña María Fernández Fernández los herederos de la misma no podrán reclamar al obligado la prestación de alimentos, ni siquiera aquellos, atenciones o cantidades que podrían haber reclamado en vida de la propia alimentista. Únicamente en el supuesto de que doña María Fernández reclamase judicial o notarialmente a su hijo don Manuel Fernández Fernández (o, en su caso, a los herederos del mismo) el cumplimiento de sus obligaciones, las pensiones alimenticias devengadas hasta el fallecimiento de doña María serán transmisibles a los herederos de la misma'.

Así que, ya al final de este proceloso pero complicado libro, solo me queda terminar con unas odas que en sublime hora escribí cuando las hadas inspiraban mis sentidos y humilde inteligencia, en recuerdo de unos tiempos que no volverán, aunque siempre pervivirá su recuerdo. *A los prados de Ondinas*: [] Del plácido arroyo cristalino / un murmullo mudo, su arrullo / jaspeadas aguas con orgullo / gimiendo en destello coralino [] Del bosque encantado el harbullo / de todos sus hados alados / al unísono replicando ensimismados / en melodioso y grácil barullo [] De los grillos negros alborotados / en su llamada alocada a la hembra / soneto repleto de fina ala que vibra / y, entretanto, los sentidos extasiados.

A la aldea de El Espín:

[] Verde y frondosa ladera / de mi nacimiento / primer conocimiento / etéreo, noble tierra era [] Idílica y mágica pradera /

bosque con encanto / río que embelesa tanto / si un día yo te perdiera [] Y su recuerdo convirtiera / cualquier soplo de viento / en susurro de sentimiento / que junto a mí languideciera.

Los albores de la vida: la partida de bautismo

'José Manuel García Fernández. 28-VI-54. Hijo de Eloy y María Aurora. Contrajo matrimonio canónico.

El día 4 de julio de mil novecientos cincuenta y cuatro en la iglesia parroquial de Santo Tomás de La Pereda, arciprestazgo y concejo de Tineo, diócesis y provincia de Oviedo, yo el infrascrito cura párroco de la misma, bauticé solemnemente un niño nacido en El Espín el día veintiocho de junio, a quien puse por nombre José Manuel. Es hijo legítimo de Eloy García Rodríguez y de su esposa María Aurora Fernández Fernández, él de La Peña de Ardesaldo y ella de Brañalonga, vecinos de El Espín. Abuelos paternos Enrique, natural de Porciles de Bodenaya y Laura, de La Peña. Maternos Manuel y María, naturales de Fastias. Fueron sus padrinos avisados de sus obligaciones: Manuel Fernández, tío materno y Elena Francos, vecinos de El Espín. Y por verdad lo firmo, fecha ut supra. Jesús Pérez. (Cortesía de **Senén González Ramírez**: 2024)

Requiem por un antiguo corresponsal de prensa

[] Yo escribo las palabras de mis libros / cuando corro junto al viento / oh, proceloso lamento norteño / que acompaña gimiendo mis pisadas / cuando se deslizan acompasadas sobre las hojas / otoñales lánguidas y boreales / antes frondosas y ahora inertes [] Pero que cobrarán vida candorosa de nuevo / cuando un vendaval las levante a las estrellas / en los mundos del infinito cielo candoroso / ese, el de los planetas, cometas y estrellas / y cuando me encuentre un día con ellas / puede que de añoranza llenen mi alma aquellas letras [] Que, ilusionado, un día escribí cuando era medio poeta / enardecidos mis sentidos por las verdes y frondosas vegas / y también por los melancólicos ríos cadenciosos / que serpenteaban entre las colinas y los valles de mi aldea / y que llenaron mi infancia de encanto, sueños y esperanza.

Reseñas fotográficas

Página 367: Joseph Millariega de pequeño en El Espín (en la finca de debajo de la casa).
368: Con la abuela María también debajo de la casa en El Espín (Foto Angelín).
370: Entrada principal de la Casa de La Vaquera de Cezures en la que vivió María Fernández con cuatro hijos.
371: En la escuela de El Pedregal.
372: El día de la Primera Comunión en la sala, aún sin dividir, de la casa de El Espín. Empezando por la izquierda: Lenita y Gerardo L'Argumón, Pepe Tilia, Iolo, Tina, la abuela María, Aurora con Roberto en brazos, el primo Paulino, Joseph Millariega, Eloy, Falín del Cagarato, Raquel de Ca Xuaco, la prima Mari Carmen, desconocida, dos amigas de Poles y Aciana y la tía Josefa.
374: J. Mill con su hermano Roberto ante un improvisado árbol de Navidad en la casa de El Espín. La sala estaba sin dividir todavía y las paredes sin cargar.
375 y 376: Fotos de carnet de Eloy y Aurora que fueron obtenidas en el estudio fotográfico de Luis Cernuda, 'Jumbo'.
378: Foto oficial de la boda de Eloy García Rodríguez y Aurora Fernández Fernández.

379: José Fernández, Joselito (*rest in peace*), primo del autor de este libro, en sus años de juventud.

380: Primera Comunión de José Fernández, Joselito (*rest in peace*), junto a Falín del Cagarato (izquierda).

382: El autor de este libro (primero por la izquierda), junto a su hermano Roberto y su primo Joselito (*rest in peace*) en unas Navidades en la casa de El Espín, ante el austero árbol de Navidad.

384: Joseph Millariega el día de su Primera Comunión en la iglesia de El Pedregal, junto con sus primos Paulino (*rest in peace*) y Mari Carmen.

386: El autor de este libro (izquierda) con su hermano Roberto en El Espín.

388: Lolo, tío del autor de este libro, durante su servicio militar en África.

390: Joseph Millariega escribiendo una crónica para La Voz de Asturias en su época de corresponsal en La Espina, Tineo y Salas.

392: Certamen de la Maja de Asturias en Casa El Ferreiro que organizaba La Voz de Asturias y que en La Espina, Tineo y Salas corría a cargo del autor de este libro. La edición de la foto pudiera corresponder al año 1971. De izquierda a derecha: Pedro, maestro de Lavio; Ángeles de Celestino; Luis del Brañueto; una maestra; Ceferino, el facultativo de las minas de caolín; Joseph Millariega; la Maja elegida (hija de Fausto el del Aserradero) y José López.

394: Entrevistando para La Voz de Asturias (sobre Oriente Medio) al General José, Conde de Calatayud, que estaba de paso y se había detenido en La Espina. Como no se disponía de mucho tiempo la interviú se hizo directamente con la Olivetti y el papel milimetrado del periódico.

395: Otro momento de la entrevista al General José, Conde de Calatayud.

397: Foto hecha por Angelín en las inmediaciones de Casa Tilia de El Espín. De izquierda a derecha: Agustín el sastre, Eloy, Roberto, Aurora, el autor de este libro, Lolo, Joselito y Tina.

399: Joseph Millariega con la que entonces era su novia, Hilda Morán (y su esposa desde abril de 1975), en Casa El Ferreiro de La Espina durante uno de los certámenes de Maja de Asturias que él organizaba y presentaba por encargo de La Voz de Asturias.

401: El autor de este libro a finales de 1973, cumpliendo el servicio militar en Infantería (23 Compañía de Voluntarios de El Ferral del Bernesga, León).

402: Poniendo a punto la pequeña Olivetti para mandar la crónica para el periódico.

403: Joseph Millariega en su época de jugador del CD Tineo Juvenil (se jugaba en el antiguo campo de El Viso).

404: El autor de este libro cuando confeccionaba una página diaria en La Voz de Avilés (de 6 de la tarde a 11,30 de la noche) después de salir de su trabajo en los ferrocarriles dentro de Ensidesa.

406: María Fernández y su hija Aurora (abuela y madre, respectivamente, del autor de este libro) en la década de los años 80.

407: Eloy y Aurora (padres de Joseph Millariega) en una excursión.

408: Joseph Millariega entre las abundantes remolachas que se habían plantado en el Prado de Debajo de Casa, al lado del muro que separaba la finca de la corrada de la casa (Foto Angelín).

409: El autor de este libro presentando uno de los festivales de Maja de Asturias (Foto Teo).

412: Detalle del Bar París de La Espina hacia 1970. Aurora, (con su hija Ana Belén en brazos), madre también del autor de este libro; y su padre Eloy junto con unos clientes.

BIBLIOGRAFÍA

- Abel, G.M. Cuando la Península Ibérica pertenecía a los celtas (2021).
- Acevedo y Huelves, B. Los vaqueiros de alzada (1893, 1915, 1985).
- Alejandro Sánchez, F.J. Historia, caracterización y restauración de los morteros (2002).
- Alías, L.A. Asturias y el Camino de Santiago (1992).
- Alonso Romero, F. La gallina y los polluelos de oro (2002).
- Álvarez Alonso, D. Los grupos cazadores-recolectores paleolíticos del occidente Cantábrico (2014).
- Álvarez Barba, Y. & Laborda, J. 20 años de entrada en el euro (2022).
- Álvarez Galindo, J.I.; Martín Pérez, A.; García Casado, P.J. Historia de los morteros, materiales y técnicas. (2001).

[] Álvarez, D. El Pedregal, La Millariega y La Pereda estudian concentrar sus tierras (2016). El Pedregal, harto del abandono del pueblo pide al alcalde ilusión (2019).

[] Tineo ya tiene Mujer del Año 2025 y es un ejemplo de emprendimiento rural en el siglo XX (2025).

[] Álvarez, L. El abandono rural empuja hacia las urbes a la fauna salvaje (2016).

[] Animal, Salud. El botulimo en bovinos, una toxi infección causada por la bacteria conocida como Clostridium botulinum (2023).

[] Aranzadi Martínez, J. Antropología del parentesco (2003).

Arboleda Batlén, E. El libro endemoniado del Ciprianillo (2014).

[] Arias Cabal, P. De cazadores a campesinos. La transición al neolítico en la región cantábrica (1991). Estrategias de aprovechamiento de las materias primas líticas en la costa oriental de Asturias (1991). La cronología absoluta del Neolítico y el calcolítico de la región cantábrica: estado de la cuestión (1995).

- Arias Cabal, P. *et al.* Tras las huellas de los asentamientos asturienses (2018).

- Aróstegui Sánchez, J.; García Sebastián, M.; Gatell Arimont C.; Palafox Gamir, J.; Risques Corbella, M. Las raíces históricas de España. (2004).

- Artola, M. La Hacienda del Antiguo Régimen (1982).

- Azcoytia, C. Historia de la alimentación en Asturias en el siglo XIX (2009).

- Baixo, G. El Bosque de Libradón. Primeros Tiempos. (Traslado de Santiago Apóstol) [2004].
- Bango Torviso, I.G. La traslación del apóstol Santiago (2015)

- Bará, M. Montero Ríos y la gran crisis de la sal (2022).
- Baragaño Álvarez, R. F. Los vaqueiros de alzada (1977-1981).
- Bartolomé Pérez, N. Diario de León. Derecho tradicional leonés. Los Foros (2015).
- Beato de Liébana. Los escritos del Beato de Liébana (783-788).
- Benassar, B. Los hidalgos en la España de los siglos XVI y XVII. Una categoría social clave (2003).

- Bernaldo de Quirós, F.; Neira Campos, A. Paleolítico Superior final de la alta montaña de la cordillera Cantábrica (1993).
- Bouzas Conde, José Manuel. Hórreos y Paneras del Cuarto de Tineo. Asociación Cultural Conde de Campomanes (2014).

- Buría Fernández-Campo, María José. Toponimia de la parroquia de El Pedregal. Real Academia de la Llingua Asturiana (1993).
- Camino Mayor, J. Historia de Asturias (2005).
- Carrocera Fernández, E. La cultura castreña en Asturias (1990).
- Castellón, C. Arrieros o trajineros, los primeros transportistas de la historia (2017).
- Castillo Rubio, J.M. Moneda forera (2022).
- Cela Conde, C.J.; Ayala, F.J. Evolución humana (2013).
- Centro para el Desarrollo del Valle Ese-Entrecabos. Estrategia LEADER 2014-2020 (2016).
- Cid López, R.M. Historia de Asturias (1990).

- Cobo Arias, F. Hórreos asturianos. Tipología y decoración (1986). El hórreo y el cillero en la Asturias medieval (2013).
- Cornejo, A. Pechos y labradores. Diccionario Histórico y Forense del Derecho Real de España (1779).
- Corominas, J. José A. Pascual. Diccionario crítico etimológico castellano e hispánico (1981).

[] Cortina Mieres, R. El hórreo, su historia e identidad asturiana. El blog de Acebedo (2014).
[] Cuba, X.R.; Miranda, X.; Reigosa, A. Diccionario dos seres míticos galegos (1999).
[] De Albornoz y Liminiana, Á. Ayuntamiento de Valdés (2012). Real Academia de la Historia (2019).
[] De Blas Cortina, Miguel A. Historia General de Asturias. El megalitismo en Asturias: el estado actual de la investigación (1984). Pastores, ganaderos y metalúrgicos. Neolítico y Edad de Bronce (1990).
- De Blas Cortina, M.A.; Villa Valdés, A. El ciclo terminal de la Edad de Bronce y las raíces de la cultura castreña (2008).
- De la Rasilla, M.; Santamaría Álvarez, D.; Duarte Matías, E. Asturias en la geografía neandertal y musteriense de la Península Ibérica (20015).
- De las Heras, F. La Casa Troncal de los Doce Linajes de Soria (2011).

- De Luis, C.M. Historia Dibujada de Asturias. Edad Media y Edad Contemporánea (1987).
- Delgado Domínguez, A. y Pérez Macías, J.A. El duro trabajo de los mineros de Hispania (2000).

[] Diario La Gaceta, Agencia EFE, Las casas del Neolítico (2016).
[] Díaz Braña, M. Fidelidad octogenaria de José Antonio García (2009).
[] Diputados, C.: El mayor cambio de moneda de la Historia: de la peseta al euro (2019).

- Echart Marauri, M.S. Las pechas en el Monasterio de Irache en el siglo XVIII (1988).
- El Campo de Asturias. Entrevista a Fabián y Alejandro Cortina, de Casa Xenral (2021). Entrevista a Paco Lorences, de El Pedregal, Tineo, que asistió a la feria Covadonga de La Espina con varias de sus yeguas (2021). Conchita de la Torre, de la ganadería Casa Felipón de El Pedregal (2022). Entrevista a Emilio de La Espina y Paco de El Pedregal, ganaderos de vacuno y equino en la feria de Covadonga de La Espina (2022).
- F. Granda, J. Causa de Agustín San Martín Cuervo. Un crimen en la Asturias rural tras la Guerra de la Independencia Española (1814-1816) [2015].
- Fanjul Peraza, A. y Marín Suárez, C. La metalurgia del hierro en la Asturias castreña: nuevos datos y estado de la cuestión (2006).
- Fanjul Peraza, A. y Menéndez Bueyes, L.R. Antiguas y canales. El complejo minero romano de Les Mueches-Ablaneda (2007).

 [] Fayanás Escuer, Edmundo. Los vaqueiros de alzada, un pueblo maldito (2018). [] Fernández Lamuño, J.A.; García Martínez, A.; López Álvarez, J. Notas de laa sociedad campesina en el occidente de Asturias (1950-1975) [2018]. [] Fernández Navarrete, D. La evolución histórica de la Contribución Territorial Rústica (1978). [] Fernández Ochoa, C., Historia de Asturias (2005). [] Fernández, D. Tineo lidera el empleo generado por la agricultura y la industria en su entorno (2008). [] Frazer, J.G. A Study in Magic and Religion (1955).

- Frisona Española. Casa Xacalén de El Pedregal (1998).
- Fuentes Ganzo, E. Las Cortes de Benavente:1164-1230 (1996).
- Galicia, La Voz de. Uno de los cabecillas, relacionado con un crimen por encargo en 1991 (2014).
- Garay, J. La rebelión contra el impuesto de la sal que acabó con seis ejecutados en Bilbao (2018).
- García Cuervo, J. Las aventuras de Xenralín (2011).
- García de Villada, Z. La Crónica Sebastianense. Sebastián Obispo de Salamanca u Orense [± 880]. Alfonso III [848-910] (1918).
- García Morís, R. Los padrones de moneda forera como fuente histórica (2008).
- García-Egocheaga Vergara, J. Minorías malditas: la historia de los vaqueiros de alzada de Asturias (2003).

 [] Gayo Peláez, A. Tineo: la reconversión de las actividades tradicionales y la creación del Polígono de La Curiscada (2018).

[] González Alonso, Nuria. Los vaqueiros diversificaban su economía y eso les daba mayor solvencia (2009). Los vaqueiros de alzada en Asturias... [...] (2010).

- González Álvarez, D. Aproximación etnoarqueológica a los vaqueiros de alzada (2007).

- González Álvarez, D. Poblamiento y antropización del occidente de la cordillera cantábrica durante la Prehistoria reciente: una aproximación a la arqueología del paisaje (2016).

- González Carbajal-García, I. Medicina Creencial en Asturias: el agüeyamiento (1983).

- González Casal, C. Mujeres con historia (2004).

- González Cobas, M. Los vaqueiros de alzada de Asturias (1968).

- González Morales, M.R. Historia General de Asturias (1984).

- González Morales, M.R. La Dama Roja de El Mirón. El entierro humano magdaleniense de la cueva del Mirón (2015).

- González Morales, M.R. y Márquez Uría, M.C. El Paleolítico Superior Cantábrico (1974).

-

[] González Ramírez, S.; García Díez, L.V. y Lorenzo Antón, R. San Roque. Remembranza de un siglo de fiestas en Tineo (1999).

[] González y Fernández Vallés, J.M. Recuento de los túmulos sepulcrales megalíticos de Asturias (1973).

[] Graña García, A.; López Álvarez, J. Hórreos y paneras (1983). Arte y artistas populares en los hórreos y paneras de Asturias (1987).

[] Gual López, J.M. Moneda forera (2023). [] Hammersley, M.; Atkinso, P. Etnografía (2003). [] Harari, Y.N. Sapiens, de animales a dioses (2000). [] Harris, M. Antropología cultural (1983).

- Harris, M. Antropología general (2010).

- Herrero Tejedor, T.R. Vaqueiros de alzada: trashumantes singulares (2008).

- Hevia Llavona, I. Les primeres paneres. El desendolcu del horru asturianu nel siglu XVII (2003).

- Hidalguía, A.G. Los padrones de hidalguía. Ayuntamiento de Gijón (2022).

- Hilvanando Historias. Referentes femeninos en la educación de las mujeres del Valle del Ese-Entrecabos. Proyecto Igualar. Centro de Desarrollo Rural Valle del Ese-Entrecabos (2011).

- Iglesias, M.J. Adiós a un pionero del campo. La Nueva España (2011).

[] INE. Qué es el padrón municipal y cómo se fonfecciona (2024).

[] Jordá Cerdá, F. Notas sobre la cultura dolménica en Asturias (1962). Historia de Asturias: Prehistoria (1984).

[] Jordá Pardo, J.F. La romanización en Asturias (2009).

[] Jurado. Soriano, R. El nuevo jurado español (1985). Gómez Colomer, J.L. Manual del jurado para ciudadanos (2000). González Pillado, E. Instrucción y preparación del juicio oral en el procedimiento del tribunal del jurado (2000). Martínez Pérez, F. Jurado, Diccionario político y social del siglo XIX español (2003). Palacio, J.R. Observaciones críticas a la Ley del Jurado (2003). Sanjurjo Rebollo, B. Los jurados en USA y España (2004). Sáenz Berceo, C. Apuntes sobre la institución del jurado en España: el jurado del siglo XIX (2006). Gutiérrez Gutiérrez, Angélica. El tribunal del jurado en España (2017).

- L. Jiménez, F. (LNE). Alfredo de Diego ya ejerce como cura de la unidad pastoral de Llaranes y El Pozón (2024).

- Labernia, P. Novísimo diccionario de la lengua castellana (1866-1867).

- Ladero Quesada, M.A. La hacienda real de Castilla: 1369-1504 (2009).
- Lalueza-Fox, C.; Prada, E. et al; Olalde Marquínez, I.; Nieves, J.M. Los vaqueiros de hace 7000 años de La Braña-Arintero (2010, 2014).
- Langreo Navarro, A. Historia de la industria láctea española: una aplicación a Asturias (1995).
- López-Seivane, F. Vaqueiros de alzada: los vikingos asturianos (2015).
- Lorca, Raúl. Guerra de África. Guerra del Rift (2028).
- Marín Suárez, C. El celtismo asturiano. Una perspectiva arqueológica (2005).
- Martín Baz, M. El rito de la velación nupcial: orígenes y significado (2020).
- Martínez Cortizas, A. La contaminación por metalurgia en la turbera de La Molina (2016).
- Martínez García, L. El albergue de los viajeros: del hospedaje monástico a la posada urbana (1993).
- Masia, C.; Rodríguez Zapata, C.; Galán, M. El Camino de Santiago. Una peregrinación que se convirtió en el crisol de Europa (2004).
- Menéndez Pidal, R. *et al.* Historia de España (1954).

[] Menéndez Pidal, R. Pasiegos y vaqueiros, dos cuestiones de la geografía lingüística (1954). Gran Enciclopedia del Mundo, Tomo I (1961). Historia de España. Volumen IV. España Musulmana 711-1031. La actividad militar de Almanzor en la España Cristiana (1967). La España del Cid (1967).
[] Millariega, Joseph. Hijosdalgo y vaqueiros del Coto de Lavio (2024). [] Miller, B. Antropología cultural (2016). [] Missler, P. Las hondas raíces del Ciprianillo (2006). [] Montes Barquín, R. y Ramsés del Río, P. Los Tiempos de Altamira: el Solutrense y el Magdaleniense en el centro de la región cantábrica (2002).

- Morán Martín, R. Sobre potestad real, cortes y moneda forera (2003).

- Moya, M. *et al.* Psicología social (2000).

- Muiño, R. Intoxicación de Clostridium Botulinum (2011).

- Oliver Sánchez, J. Antropología (2012).

- Ortega Baún, A. Reyes versus sexo: santos y reinos perdidos (2014).

- Palacios, X.M. La revolución del maíz que germinó en Tapia hace 400 años (2020).

 [] Pastor Muñoz, M. Aspectos económicos de los astures durante el Imperio Romano (1979).

[] Pérez León, J. Hidalguía de facto y de iure; estima social y tratamiento judicial en Castilla e Indias (2014). La hidalguía en la corona de Castilla (2016).

[] Portero, C. El euro perjudicó a los españoles (2020). [] Potes, A.; Mill, J. Sobre el objeto y fundamento de los padrones de moneda forera (2024).

- Primo de Rivera: Morodo, R. El 18 Brumario español. La dictadura de Primo de Rivera (1973). Ben-Ami, S. La dictadura de Primo de Rivera, 1923-1930 (1983). García Queipo de Llano, G. El reinado de Alfonso XIII (1997). Juliá, S. Un siglo de España política y sociedad (1999). Tusell, J. Primo de Rivera. El Golpe (2003). Barrio Alonso, A. La modernización de España, 1917-1939 (2004). González Calleja, E. La España de Primo de Rivera. La modernización autoritaria (2005).

- Profoas. Asociación de Propietarios Forestales de Asturias (2012).

- Pulido, I. La memoria está viva en Casa El Coxu (2011).

- Radiotelevisión del P.A. (RTPA). Muerte y resurrección de una familia (2014).

- Ramil Rego, P. et al. La transformación histórica del paisaje forestal en Asturias (2007).

- Reader. Red Asturiana de Desarrollo Rural (2013).

[] Rebato, E.; Charles, S.; Brunetto, Ch. La antropología biológica (2005).
[] República: Lacomba, J. A. La I República: el trasfondo de una revolución fallida (1976). López-Cordón, M. V. La Revolución de 1868 y la I República (1976). Bahamonde, A. España en democracia. El Sexenio: 1868-1874 (1996). Barón Fernández, J. El movimiento cantonal de 1873 (1998). Catalinas, J.L.; Echenagusía, J. La Primera República. Reformismo u revolución social (1973). Díez Cano, L. ¿Existió alguna vez la I República? Notas para recuperar un periodo historiográfico (2002). Serrano García, R. España, 1868-1874. Nuevos enfoques sobre el Sexenio Democrático (2002). Fontana, J. La época del liberalismo (2007). Miguel González, R. La pasión revolucionaria. Culturas políticas republicanas y movilización popular en la España del siglo XIX (2007). Nieto, A. La Primera República Española. La Asamblea Nacional, febrero-mayo 1873 (2021). García Moscardó, E. La revolución cantonal (2023). Peyrou, F. La Primera República. Auge y destrucción de una experiencia democrática (2023). Fayanás Escuer, E. La Primera República Española (2023).

[] Robles, M. Pasiones carnales: los amores de los reyes que cambiaron la historia de España (2021).
[] Rodrigo, A. Aquerasturias. Buscadores de tesoros: los ayalgueros (2014).
[] Rodríguez Asensio, J.A. El Paleolítico Antiguo en Asturias (2000). [] Rodríguez Asensio, J.A. González Morales, M.R.; De Blas Cortina, M.A. Historia General de Asturias (1984). [] Rodríguez Muñoz, J. Ciudades, villas y pueblos de Asturias (2000).

- Rodríguez Muñoz, J. y 21 autores. Paleolítico Superior Antiguo en Asturias y su Contexto – Solutrense y Magdaleniense en Asturias – La arqueología de los grupos humanos adscritos al Último Máximo Glaciar y al Tardiglaciar (2008).
- Rosso de Luna, M. El tesoro de los Lagos de Somiedo (1916).
- RTPA. El Pedregal, uno de los pueblos que más crece en el municipio (2014).
- Sampedro, A.; Barbón, J.J. Del mal de la rosa y la queratoconjuntivitis pelagrosa (2010).
- Sánchez Albornoz, C. España y el feudalismo carolingio (1965). Despoblación y repoblación del Valle del Duero (1966). La Expedición Contra Santiago. La España Musulmana. Volumen I (1973). Orígenes de la nación española, el reino de Asturias (1985).
- Sánchez Vicente, P. Breve Historia de Asturias (2006).
-

 [] Sánchez Vicente, X.X.; Cañedo, X. El gran libro de la mitología asturiana (1984).
[] Sancta Ovetensis, C. Alfonso II, el primer peregrino (2018).
[] Santos Fernández, J.L. ¿Qué camino tomamos para salir de África? (2008).
[] Santos Yanguas, J.; Dopico Caínzos, M.D. El impacto de Asturica Augusta como ciudad del poder en su ámbito (2016).

- Santos Yanguas, N. Cultos ritos y costumbres funerarias en la Asturias antigua (2014).

- Santos Yanguas, N. La arqueología castreña y el sector económico agropecuario (1984). Carro votivo del poblado portugués de Costa Figueira (1985). La ganadería en las Asturias castreña (1986).

- Santos Yanguas, N. La cultura castreña (2007).

- Santos Yanguas, N. Muerte y ultratumba en las inscripciones romanas en Asturias (1989). Soldados astures en las legiones romanas (2003). La inscripción romana de Ablaneda (2007).

- Santos Yanguas, N. Significado de las piedras de cazoletas halladas en los castros asturianos (1958). La romanización en Asturias (1992).

- Santos Yanguas, N. y Cartes Hernández, E. Origen histórico del concejo de Salas: cultura castreña y minería romana del oro (2003).

 [] Santos Yanguas, N. y Cartes Hernández, E. Vías romanas de comunicación (2003). - Rodríguez Ennes, L. Extracción social y condiciones de trabajo de los mineros hispano-romanos (1994).
[] Santos Yanguas, N.; Marqués, M.S. Los celtas fueron uno más de los pueblos que llegaron a Asturias (2007).
[] Staff, LBV. La brújula verde (2017). [] Suárez Fernández, L. Historia de España: Edad Media (1970). [] Suárez López, J. Tesoros, ayalgas y chalgueiros. La fiebre del oro en Asturias (2001).

- Suárez López, J. Tesoros, ayalgas y chalgueiros. La fiebre del oro en Asturias (2001).

- Tamargo, P. Cuando la primera mujer aviadora de España aterrizó en Llanera: así llegó María Bernaldo de Quirós a Coruño en 1929.

- Tilley Bilbao, Ch. D. Religiosidad popular en el Occidente asturiano. Un estudio antropológico sobre el mal de ojo en la ganadería (2012).

- Tubau, D. El origen de los indoeuropeos (2019). El legado de Europa (2019).

- Tusell, J. *et al.* Introducción a la historia del mundo contemporáneo (1991).

- Valdés, C.M. et al. La transformación histórica del paisaje forestal en Asturias (2007).

[] Velasco Maillo, H. M. Antropología lingüística y cognitiva (2003).

[] Verdú Roche, S. Análisis de viabilidad para la creación de un hospital de peregrinos en el tramo asturiano del Camino de Santiago (2019).

[] Vidal Encinas&Prada; Gaitero, A.; Caso de los Cobos, G.; Willerslev, E.; Reich, D. Los vaqueiros de hace 7000 años de La Braña-Arintero (2014).

- Villa Valdés, A. Los poblados fortificados del noroeste de la Península Ibérica (coord. De Blas Cortina, M.A.) [2002]. Explotación aurífera en la sierra de Begega: principales resultados de la intervención arqueológica (2002). El mundo castreño prerromano: la Edad de Hierro en Asturias (2008). El ocaso del mundo castreño (2008). La minería del oro y sus antecedentes prehistóricos en Asturias (2010). El oro en la Asturias Antigua: beneficio y manipulación de los metales preciosos en torno al cambio de Era (2010). Los tesoros de la mina de Carlés (2014).

- Villa Valdés, A. y Fanjul Mosteirín, J.A. Avance al estudio arqueológico de las labores auríferas de época romana de Carlés (2006).

- Zapico Alonso, J.C. Hórreos y paneras. El hórreo clásico asturiano: una multitud de graneros normalizados (2021).

En la foto de la izquierda, Mari Paz García González, que trabajó en este libro durante muchos meses (casi dos años), día tras día, con aportaciones literarias y de investigación social, así como revisando los textos, en una impagable labor de corrección (siempre imprescindible en cualquier libro que se precie), aportando, demás, interesantes ideas al contenido de algunas partes del texto. Con el agradecimiento de este autor.

Reseñas fotográficas

Página 414: Prueba ciclista en Tineo, ante la admiración de los niños. El de la moto es Avelino Ramírez Garrido, abuelo de Alicia Ramírez.

415: Paco de Casa David, tío de Mary Loly.

416: De izquierda a derecha: Toni, Tina, Benignín de Ca Filo y su mujer Caty. El niño que está delante es Fran el de Vitorino.

417: En la fiesta de San Bartuelo del año 2022, la primera celebrada después de la pandemia.

418: Desiré, Alejandro, Yaiza y Saúl en el mes de junio de 2013 (Casa Xenral).

419: 'Mi prima Carmina el día de su boda con un vestido hecho por Delfi, mi madre. Fue la primera novia que se vistió de blanco en El Pedregal'. (Manuela Fernández Álvarez, Mary Loly).

420: María Jesús Pecharromán y Avelino Ramírez Garrido con Charo, Ramón (de Primera Comunión) y Avelino (Vile) Ramírez Pecharromán.

421: Avelino Ramírez y su esposa María Jesús, abuelos de Alicia.

422: Toni el Cojo y Pepe Román delante del bar-tienda del primero, en El Pedregal.

423: Charo y Ramón Ramírez, tíos de Alicia, delante del moto-carro que su padre Avelino trajo de Madrid.

424: En un rallye en El Zarrín de La Espina. De izquierda a derecha: Manolito de Casa Manolo, Vile, el hijo de Tino el de Santullano, Héctor, Javier y el chaval del Panero de Santullano.

425: Los nietos de Mari Carmen, Ángel y Valentina, disfraza-dos de José y María en Navidad.

426: Fuente de la Auchera.

427: El nieto de Pepe Pedro y la consuegra.

428: Fuente del Vache con la escuela al fondo.

429: De izquierda a derecha, Toni, Pili (con Ana delante) y José.

430: Fuente del Rechayo.

431: A la izda. Jairo (hijo de Ana y Tanín) con su primo lago.

Con mi mayor agradecimiento también para Jacinto García Fernández. Fueron muchos los meses de interacción constante (casi dos años, al igual que con Mari Paz, Tina y Ana Isabel), mostrando siempre su mayor entrega y generosidad para llevar a buen término y un trabajo tan complejo como este.

(Fotografías y reseñas: Anita Fernández, Alicia Ramírez y Mari Paz García González). (Revisión de los pies de foto: Mari Paz García González).

El carbaryón como símbolo del pueblo. La palabra asturiana carbayu (**Joseph Millariega y Mari Paz García González**: 2025) tiene su etimología en el latín *quercus robur* (roble). Este término ha sido parte de la lengua asturiana durante siglos, reflejando la importancia de los robles en la región y su influencia en la cultura y el paisaje, dando nombre a bosques, ríos y lugares emblemáticos. Es uno de los mayores exponentes de la riqueza de la naturaleza asturiana, consustancial a la vida de sus habitantes, siendo el referente de su fuerza y resistencia. Su madera todavía es muy utilizada en la carpintería y ebanistería para fabricar muebles, parqués o toneles de distintos tamaños, pues se dice que propicia que la sidra, el vino o el coñac tengan un excelente aroma (entre otros usos). También se utilizó a lo largo de los años para hacer numerosas traviesas de ferrocarril, por su flexibilidad y capacidad de soportar al aire libre las inclemencias del tiempo. Y todavía en la zona rural asturiana podemos encontrar antiguas casonas, hórreos o cuadras con vigas de carbayu, robustas fuertes y duras, casi eternas... Además, su excepcional resistencia a la humedad hizo que fuera utilizado profusamente en la construcción de barcos durante los siglos XVII y XVIII, lo que motivó una manifiesta degradación de los bosques. Además, posee una corteza con abundancia de taninos, por lo que ha sido bastante usado como elemento medicinal o curativo

contra diarreas y hemorragias. En la mitología asturiana, el carbayu también ha ocupado un lugar destacado, siendo asociado con deidades y leyendas que resaltan su importancia en la cosmovisión de la región como árbol sagrado. Su belleza y majestuosidad lo convierten en un símbolo de orgullo para los asturianos, quienes lo valoran como parte esencial de su herencia cultural. Se asocia con la realeza, la fuerza, la justicia y la longevidad y a menudo se encuentra junto a iglesias y lugares históricos, como en este caso de El Pedregal, donde desde muy atrás en el tiempo se ha convertido en el emblema y blasón de las gentes del lugar. Para los celtas que fueron entrando (desde el norte de Europa) en Asturias a partir del siglo V a.C. era un árbol sagrado y se asociaba con los druidas, los sabios y sacerdotes de su cultura. Se creía que estos árboles eran portales hacia otros reinos y poseían una conexión especial con los dioses. Los druidas realizaban rituales y celebraciones bajo los robles y se decía que obtenían inteligencia y conocimiento de ellos. La imagen del carbayu druida perdura en la mitología celta como un símbolo de sabiduría, magia y conexión con la Naturaleza. [Fuentes: Árboles y arbustos de Asturias. Carlos, V.Y. (2006); El carbayón asturiano, Covadonga, H.R. (2015) y El roble como árbol sagrado, Madera, P. (2022)].

Cuando con España perdió la guerra Napoleón plantaron en El Pedregal el Carbayón (**Amparo Fernández**, Casa Cuña, madre de Tino y abuela de Ana) / Tú que has sido el rey de tantas generaciones y que a tu lado hemos acudido en todas las ocasiones / Desde nuestra más tierna infancia has sido fiel compañero y te hemos ofrecido nuestro cariño sincero / Tú que has sido testigo de fiestas y romerías sabes mucho de penas y de nuestras alegrías / Declaraciones de amor por miles has presenciado y te has quedado mudo, sereno y callado / A la sombra de tus ramas bailaron nuestros abuelos y lo hicieron también nuestros hijos y nietos / Tú que has sido testigo de fechas inolvidables de cuando nos bautizamos y también de nuestro enlace; y al final de la vida a tu lado nos traen para que nos despidas / Y ahora sin ningún pretexto quieren quitarte la vida solo porque eres viejo / Y yo te digo con el mayor aprecio que estamos todos contigo para salvarte el pellejo / Y ahora Carbayón te doy mi despedida y te digo con pasión que estás en nuestra vida. (Poema facilitado por Mari Paz García González).

Fotografías de Karina Peláez y Ana Pertierrra. Con mi agradecimiento (Mill, J.: 2025) a todas las familias que me recibieron en sus casas para los testimonios fotográficos y para relatarme historias de vida, así como a todas las personas que, de una forma u otra, colaboraron en este proyecto.

Sobre el autor

Joseph Millariega (J. Mill) nació en el pequeño barrio de El Espín (parroquia de La Pereda, Tineo, Asturias), aunque muy pronto su familia se desplazó a La Espina, donde pasó su adolescencia, ya que sus padres regentaron el conocido Bar París. Cuando estudiaba en el Monasterio de Corias (Cangas del Narcea) enfermó gravemente del pulmón y no pudo continuar con el Bachiller laboral. Intentó seguir estudiando de nuevo cuando su salud mejoró, pero tuvo una recaída que truncó su formación. Ya de mayor debió realizar penosos trabajos en los ferrocarriles, los túneles y en las minas, en situaciones muy peligrosas (al ser muy precarios sus conocimientos técnicos). Después aprobó (junto con su esposa Hilda) una oposición al Estado español y fue funcionario de Correos y, más tarde, de la Delegación del Gobierno en el Principado de Asturias. Se pasó muchos años trabajando y entrenando por el día y estudiando por la noche. Es Graduado Social, Licenciado en Ciencias del Trabajo, Maestro, Antropólogo y Máster en Antropología Física y Forense. Posee también cuatro másteres en diversas ramas del Derecho del Trabajo por la Universidad Politécnica de

Madrid y otro por una institución privada, entre otras titulaciones. Fue marchador (campeón de Asturias) y corredor muy conocido de maratón, 100 km, 24 y 48 horas, además de Juez de Atletismo y entrenador nacional. Tiene una milla dedicada en La Fresneda, donde se le distinguió con el nombramiento de vecino ejemplar. Recibió el premio a los valores humanos en la ciudad
De Santander, a la trayectoria deportiva por Liberbank, el castaño de plata en Castañedo Valdés y fue objeto de otras numerosas distinciones en su municipio de adopción, Siero, entre ellas la condecoración de plata del Ayuntamiento. Recientemente ha sido nombrado por la Muy Honorable Asociación de Amigos del Chosco de Tineo embajador de este producto. Este es su libro número 35.

THE END